D1472064

les sirènes du
SAINT-LAURENT

les sirènes du
SAINT-LAURENT

ROGER FOURNIER

Récits en forme de cercle

PRIMEUR

Couverture: TIBO

Composition et mise en pages: Helvetigraf, Québec

LES ÉDITIONS PRIMEUR INC.
2069, rue Saint-Denis,
Montréal H2X 3K8
Tél.: (514) 285-1738

Distributeur:
Les Presses de la Cité
9797, rue Tolhurst
Montréal H3L 2Z7
Tél.: (514) 382-5950

Copyright 1984, Les Éditions Primeur Inc.
Dépôt légal, 1er trimestre 1984
Bibliothèque nationale du Québec

ISBN 2-89286-029-6

*«Je suis un homme qui aspire
à l'accomplissement sensuel de son
âme».*

Ramon, in Le Serpent à Plumes
D.H. Lawrence

DU MÊME AUTEUR

Inutile et adorable, roman, Montréal, Cercle du Livre de France, 1964.

À nous deux, roman, Montréal, Cercle du Livre de France, 1965.

Les filles à Mounne, nouvelles, Montréal, Cercle du Livre de France, 1966.

Le journal d'un jeune marié, roman, Montréal, Cercle du Livre de France, 1967.

La voix, roman, Montréal, Cercle du Livre de France, 1968.

L'innocence d'Isabelle, roman, Montréal, Cercle du Livre de France, 1969.

Gilles Vigneault, mon ami, Montréal, Éditions La Presse, 1970.

La marche des grands cocus, roman, Éditions de l'Homme (Montréal) et Albin Michel (Paris), 1971.

Moi Mon corps Mon Âme Montréal etc., roman, Éditions La Presse (Montréal) et Albin Michel (Paris), 1974.

Les cornes sacrées, roman, Paris, Albin Michel, 1976.

Le cercle des arènes, roman, Paris, Albin Michel, 1982.

À Cassandre,
qui ne m'a jamais annoncé
de mauvaises nouvelles.

Prologue

C'était au printemps et j'avais une dizaine d'années. Vers huit heures du matin, je sortais de la maison pour aller à l'école, le sac au dos. Le soleil de mai, diffusant une lumière dorée, glissait encore sur les choses à cette heure matinale, passant par-dessus la côte en face de la grange comme un bras chaleureux embrasse une épaule nue pour lui communiquer sa tendresse. Les bâtiments baignaient dans cette lumière inclinée qui avait pour effet de les faire sortir de la terre au lieu de les écraser, mettant en relief leur architecture et leur masse. En s'allongeant de façon démesurée, les ombres donnaient l'impression qu'on assistait au commencement d'une magnifique ascension, que le reste du jour allait être une montée grandiose vers la voûte du ciel, vers ce point sans cesse recherché mais toujours inatteignable où l'idée de Dieu devrait prendre forme. Peut-être que ce jour allait être différent des autres, que la divinité allait s'incarner...

L'herbe était d'un vert tendre qui semblait plus tendre que d'habitude, et elle était enveloppée d'une rosée si abondante qu'en certains endroits elle reflétait la lumière comme un liquide argenté. L'humidité de l'air, amalgamée à la lumière encore douce, donnait à l'ambiance une qualité des plus rares, faisant de notre ferme un jardin paradisiaque dans lequel on voulait s'arrêter jusqu'à la fin de ses jours.

Puis tout à coup j'ai entendu la voix de mon père parlant à ses chevaux, de même que le bruit des traits de fer s'entrechoquant. C'étaient des mots et des bruits que j'avais entendus des centaines de fois, mais ce matin-là ils coulaient dans l'air humide en prenant une amplitude qui semblait vouloir les porter au-delà de notre petit monde, jusqu'au-dessus du fleuve dont la largeur extraordinaire était un appel constant vers l'infini. Je me suis arrêté pour écouter la voix de cet homme et tout de suite je me suis vu à sa place, derrière la charrue qui ouvrait le ventre de la terre, aspirant les odeurs qui montaient de l'humus comme d'une chair enfin révélée, riche de toutes les promesses imaginables. Les exhalaisons pulpeuses du sol bouleversé s'étendaient jusqu'à moi comme des bras invisibles qui voulaient me retenir par charme et envoûtement.

J'étais debout entre la maison et le hangar, respirant l'air capiteux, baignant dans la lumière tendre, pendant que mon père, alors aux abords de la quarantaine, exerçait sa force sur la terre, se trouvait en pleine montée dans l'entreprise qu'il avait commencée vingt ans plus tôt. Dans son esprit, j'imagine qu'il n'y avait pas de place pour le futur, puisque le présent occupait tout l'espace. Comme un fruit encore bien attaché à son arbre, il éclatait dans toute la plénitude de son être. Alors je me suis mis en marche pour l'école avec l'impression bizarre de me confondre avec lui, de posséder cette femme-terre-mère pour toujours. C'était là que j'étais né, c'était là que j'allais mourir après avoir continué le travail de mon géniteur, ayant la certitude que personne d'autre ne connaîtrait un accomplissement aussi total que le mien. Que pouvait-il y avoir de plus réjouissant sur la terre que l'épi de blé, la tête de trèfle, la neige, la forêt, la maison, les animaux, la femme aimée avec les enfants dans son ventre? Rien, assurément...

Or, quelques années plus tard, alors qu'on était à la fin d'août et que la moissonneuse taillait en chantant dans l'avoine généreuse, au moment où je plantais les gerbes lourdes au soleil de midi avec le sentiment d'enterrer mon certificat de septième année, la «machine» de monsieur le Curé est arrivée à la maison en soulevant un nuage de poussière qu'on ne trouvait pas encore polluante. Le regard du prêtre allait de mon père à moi pendant qu'il parlait en employant des mots que je ne connaissais pas: études classiques, petit séminaire, latin, etc. C'était irréel, un peu comme ces matins de brouillard où, marchant dans les champs, je découvrais des milliers de toiles d'araignées qui ornaient les pâturages, pendant que la corne de brume lançait son énorme beuglement que l'écho allongeait, loin, loin, comme si nos terres n'avaient pas eu de frontières, comme si elles s'étaient magiquement mélangées à la mer.

Monsieur le Curé parlait de mes aptitudes en analyse littéraire, ce qui signifiait que je pouvais apprendre le latin. J'étais un candidat possible à la prêtrise, d'autant plus que j'avais l'air d'un bon garçon: une bonne bête, une bonne pâte. Il était temps de me prendre en main. Mais pour étudier il fallait me mettre en pension à Rimouski, ce qui voulait dire pour mon père des déboursés de cinq cents dollars par année au moins. Or, on était en 1943 et les bienfaits de la guerre venaient tout juste de se faire sentir dans le Bas-du-Fleuve. Il y avait à peine un an que le bois se vendait à un prix convenable, de même que le porc et l'agneau qu'on expédiait par train à Montréal. Monsieur le Curé dut repartir avec un refus:

— On est pas capables de fére face à ça...

J'étais resté en dehors de la discussion, ne sachant trop ce qu'on voulait de moi. Pourtant, j'avais déjà le sentiment de ne plus m'appartenir. À part le désir de vivre, je ne possédais rien. Quand la «machine» de monsieur le Curé reprit le chemin du presbytère, j'éprouvai une sorte de soulagement. Ce qui m'attendait sur la ferme, je le connaissais, tandis que l'autre vie...

Nous avons donc continué à moissonner dans le soleil tendre de l'été finissant. Pour la première fois de ma vie j'empoignais les gerbes à pleins bras avec le sentiment d'être un homme. Le temps de l'école était fini, j'allais désormais participer à toutes les activités des adultes, d'une saison à l'autre.

Mais les prêtres étaient tenaces. Ils sont revenus à deux, puis à trois. Finalement, un samedi soir, le vicaire est venu seul. C'était un brave type sorti lui-même de la campagne. Nous étions en train de manger des oeufs en omelette après une journée particulièrement belle. J'avais les oreilles encore pleines du chant de la moissonneuse, de celui des grillons et du bruit que font les sauterelles en s'envolant. Le vicaire sortit du hangar et entraîna mon père sur le bord de la côte pour lui parler seul à seul, à la brunante. Ils ont discuté à voix basse pendant une dizaine de minutes. Qu'est-ce que le prêtre a bien pu dire à Florian? Je ne l'ai jamais su. Quand ils sont rentrés, la lampe à huile était allumée, mon père avait l'air grave tandis que l'autre souriait.

— Y a deux sortes de cours, me dit le vicaire. L'un dans lequel on étudie dans quatre grammaires, l'autre dans lequel on étudie dans deux grammaires. Lequel tu choisis?

— J'vas prendre celui qui a quatre grammaires, répondis-je sans hésiter, obéissant à mon inconscient ou à cet appétit gargantuesque qui irritait mon grand-père Jos.

Le vicaire partit content. Quatre grammaires, cela signifiait les études classiques, c'est-à-dire la possibilité d'une soutane huit ans plus tard.

Cette année-là, il me semble qu'il ne pleuvait pas souvent. La nature s'arrangeait peut-être pour que je regrette nos champs où l'avoine et le blé berçaient leurs épis en faisant éclater leurs teintes au soleil.

Par un matin clair de septembre, mon père attela la jument au boghei sur le devant duquel on plaça la vieille malle qui avait servi à mon oncle Aurèle vingt-cinq ans plus tôt. Même farcie de mon «trousseau», je pouvais la soulever à bout de bras. Ma mère m'embrassa avec un bon sourire. Elle était fière, puisque j'avais été choisi. Puis je me souviens qu'en passant près de la maison, papa fit arrêter le cheval parce qu'il venait de voir mon petit frère Jean-marc en train de jouer sous la galerie. Il lui dit:

— Viens dire bonjour à ton frère. Tu le voèras pus, là…

Jean-Marc sortit de son trou, souriant, un peu hébété. Il ne comprenait pas ce que cela voulait dire. Moi non plus. Je ne savais pas qu'à partir de ce jour-là et pour de nombreuses années, j'allais être entre les mains des autres, qu'il n'y aurait plus en moi que le souvenir de mon père maîtrisant la nature avec ses mains. Je partais pour le royaume des mots, pour un monde où l'abstraction avait plus d'importance que les choses tangibles. En quelques heures, j'allais faire un bond d'un siècle…

Et pendant que la jument trottait allégrement, traversant le «p'tit troisième», la route du village, puis montait les collines du deuxième rang qui menaient à Rimouski, un souvenir étrange surgit du fond de ma mémoire. Quelques années plus tôt, un jour où je marchais en compagnie de mon père dans le «fond de su'a côte» pour aller faner du foin, je portais une carabine .22 dans la saignée du bras. C'était pour tuer des siffleux, éventuellement. À un moment donné, mon père s'arrêta pour relever un pieu de clôture et je le devançai de quelques pas. Alors, sans trop savoir pourquoi, je levai le canon de la carabine dans sa direction et je dis, avec la plus grande innocence du monde:

— Pour vous atteindre à la tête, faudrait que je me place comme ça.

Mon père me rabroua avec une violence qui me parut exagérée, étant donné que je n'avais pas du tout envie de le tuer. Mais allez donc savoir ce qu'il y a dans la tête des enfants…

Retourner en arrière est une aventure aussi périlleuse que de s'élancer vers l'avenir. Pourtant je n'ai pas pu résister à la tentation.

La maison

Je vous souhaite de traverser le fleuve Saint-Laurent, entre Rimouski et Baie-Comeau. Par beau temps, bien sûr. Installés à la poupe du navire, vous verrez un paysage extraordinaire. D'abord le village de Pointe-au-Père, tassé autour de sa petite église dédiée à sainte Anne, où on faisait de si bons pèlerinages quand j'étais enfant. En vous éloignant de quelques kilomètres sur le dos du fleuve apparemment immobile, vous verrez la nappe brune et ocre de la «savane», steppe immense où les bleuets mûrissent en exhalant une odeur capiteuse qui se marie si bien à la chaleur de juillet, et un peu plus loin, une église rouge dont le toit éclate au soleil comme un cri strident lancé vers le ciel. Autour, il y a des maisons de bois toutes simples, sans architecture particulière, des plaines vertes que les vieilles clôtures de pieux découpent en longs rectangles étalés du nord au sud, et un peu plus loin encore, des collines se déroulant d'ouest en est, restes de la chaîne des Appalaches qui ne semblent pas vouloir prendre fin. Le tout est parsemé de coteaux sur lesquels des épinettes rabougries abritent des corneilles. Sur les premières de ces collines, au sud de l'église, on peut voir six maisons alignées à deux ou trois arpents les unes des autres, des granges, des chemins tracés dans le flanc des pentes, quelques pommiers, des vaches qui paissent en donnant au paysage cet air d'innocence et de tranquillité dont la campagne a toujours été imprégnée, de sorte que cette image a fini par masquer la réalité psychologique des gens qui vivent en

15

dehors des villes. Ces six maisons forment ce qu'on appelle le «p'tit troisième», c'est-à-dire le bout reporté du troisième rang. Et un «rang», c'est une rangée de maisons bordant une suite de terres appartenant aux cultivateurs. Sur le haut de la côte, tout à fait au bout du «p'tit troisième», sur la gauche, il y a une grosse maison rouge. C'est celle-là.

Elle était un peu plus basse et elle n'avait pas de galerie, mais elle était déjà là en 1867, l'année où les Pères de la Confédération signaient cet Acte de l'Amérique du Nord Britannique à propos duquel on se chamaille tant aujourd'hui. Cette année-là, un Fournier portant le nom d'Éphrem arrivait à Saint-Anaclet, venant de Sainte-Luce. Il avait acheté une terre «vendue par ordre de cour». Une terre de trois arpents de large par trente de long, sur laquelle il y avait une grange, un hangar et cette maison.

Éphrem a eu dix-sept enfants, comme tout bon cultivateur qui se respectait à l'époque, mais ils sont presque tous morts en bas âge. Il ne lui est resté que deux fils et deux ou trois filles. J'ai connu une seule de ces filles, Agathe, devenue veuve je ne sais trop quand, mais qui s'est remariée vers l'âge de soixante-dix ans à Elzéar Ross, au moins aussi âgé qu'elle. Ils voulaient se tenir la main pour entreprendre le dernier voyage. Ce mariage eut lieu au début des années quarante et je me souviens que mon père s'amusa beaucoup à voir les «oreilles rouges du père Ti-Ziârd» qui, ayant bu un verre de vin, fumait sa pipe et riait comme un gamin qui vient de faire un bon coup. Émoustillé par la perspective de se retrouver au lit avec la tante Agathe, il se préparait sans doute à quelque sursaut de vigueur avant d'être amené au cimetière.

Je l'ai bien connu, le père Ti-Ziard. Veuf, il s'était retiré au village dans une petite maison dont la porte était peinte en vert. Il avait l'oeil brillant, les lèvres minces, un chancre de pipe, et il parlait de façon sentencieuse, comme si la vie n'avait apporté la sagesse qu'à lui seul. Mon père l'employait pour tailler les arbres fruitiers, alors que j'avais une dizaine d'années, et je l'aidais, muni d'un petit sécateur, tâchant d'apprendre les rudiments de ce travail paisible qu'on exécutait à l'automne. Privés de leurs feuilles, les arbres dénudés se laissaient amputer de quelques branches sans faire naître le remords chez celui qui

16

coupait leurs membres. Le vent était frais, nettoyé des lourdeurs de l'été, et le ciel était garni de nuages qui montaient du fleuve en s'amalgamant les uns aux autres, mettant en place le dispositif des grandes pluies de novembre.

— Faut-y couper c'te branche-là itou, monsieur Ross?

— Oui, oui, coupe ça. La nature est plus forte qu'on pense.

Que la nature fût forte, je commençais à m'en douter... Et si le pére Ti-Ziârd venait me le confirmer, il ne pouvait plus y avoir de doute possible.

— La nature est comme une bonne parsonne: si on y enlève ce qui est mauvais pour elle, est contente pis a travaille plus fort...

La «bonne parsonne», c'était l'une des choses qui m'attiraient chez lui. Il fallait être bon à tout prix, même au risque de faire mal. À table, je m'asseyais près de lui, épiant ses gestes, espérant quelque propos qui allait me charmer ou m'apprendre une grande vérité. Un jour, il se révéla qu'il savait «tirer au thé». Bien sûr, à la fin du repas je m'empressai de lui tendre ma tasse, convaincu qu'il allait faire tomber ce mur invisible qui coupait ma vie du futur. Alors un sourire étrange illumina son visage. C'était un sourire dans lequel on pouvait percevoir une modestie plus ou moins fausse, mais aussi le fait qu'il était conscient de jouer un jeu. Il prit ma tasse, la renversa dans son assiette vide puis la retourna et, le visage soudainement grave, étudia la disposition des feuilles de thé pendant de longues minutes, indifférent aux regards anxieux que je posais sur lui. Finalement, il me dit avec un pétillement de joie dans les yeux:

— J'sais pas ce que tu vas fére dans la vie, mais une chose est çartaine. Que tu prennes n'importe quel chemin, tu vas aller loin...

À Delphes, on a certainement entendu des propos plus ambigus, mais rarement aussi rassurants. Je ne demandais qu'à le croire, convaincu au départ que j'étais différent des autres, comme tout le monde... Si j'avais choisi de devenir assassin, je serais certainement allé le plus loin possible dans cette voie douloureuse.

Mais j'en reviens au vieil Éphrem, mon arrière-grand-père, s'amenant à Saint-Anaclet en 1867, propriétaire de trois arpents de terre et de deux fils. L'un d'eux s'appelle Jos et ce sera mon grand-père. L'autre s'appelle aussi Éphrem, et il bercera mon enfance d'histoires merveilleuses. Le vieil Éphrem, est assis sur le devant d'une charrette dans laquelle il a entassé tout ce qu'il possède: quelques lits à paillasse, deux ou trois chaudrons, des haches, un godendard, des pelles, de la farine, quelques seaux, des harnais. Deux ou trois vaches doivent suivre, probablement fouettées par Jos qui a dix ans, muni d'une gaule de «hart rouge». Son jeune frère Éphrem est dans le boghei avec sa mère et les autres filles si elles sont au monde, dont la tante Agathe…

Ce cortège primitif avance au pas dans le chemin étroit qui monte jusqu'à Sainte-Blandine et Saint-Marcellin, loin dans des montagnes inconnues. D'ailleurs, Sainte-Blandine et Saint-Marcellin n'existent pas encore, apparemment. Autour d'eux, il y a surtout de la forêt. Ces belles «planches» de terre qu'on appelle aujourd'hui les «terres noères», on ne sait pas encore qu'elles sont faites d'humus. Elles sont en boisé. On ne sait rien. Il y a le soleil et la pluie, Dieu, une église au village avec un curé, et quelque part un gouvernement. Il y a même deux gouvernements, justement depuis cette année-là, puisqu'on vient de signer la Constitution canadienne, mais le vieil Éphrem ne le sait peut-être même pas. Qu'est-ce que ça change à la réalité, un gouvernement ou deux? La réalité du bonhomme, c'est de faire en sorte que ses quelques animaux, son bien le plus précieux après la terre, soient en bonne santé. Grand-père Jos a sans doute hérité cette préoccupation de lui:

— Va donner à manger aux chevaux. Tu mangeras après…

Il faisait un soleil de plomb, la soupe fumait sur la table, on crevait de faim, mais il fallait d'abord penser au moteur: le cheval.

— Si t'as souef, le cheval a encôre plus souef que toé…

Il avait raison, même si c'était agaçant. Muni de quelques outils et de deux ou trois principes infaillibles, le vieil Éphrem s'avance dans le p'tit troisième et s'installe dans la maison qui prend lentement l'odeur et la couleur des Fournier. Sur le poêle qui ronfle, on fait cuire des pommes de terre et des grillades de lard. Quand le soleil tombe, les hommes s'écrasent sur leurs paillasses, les bras lourds de toute la terre qu'ils ont manipulée. Chaque année ou à peu près, les cris d'un nouveau-né apportent l'espérance aux grandes personnes. La machine humaine est en marche, plus forte que tous les bulldozers du monde.

Un jour, ce fut mon tour de glisser sur la paillasse et de lancer mon cri de mort vers le ciel, effrayé par la froideur du monde dans lequel je venais de basculer. Deux jours plus tard la Bourse de New York faisait un plongeon dont les remous allaient se faire sentir dans l'économie de tout l'Occident. Innocemment, j'arrivais sur les ailes de la catastrophe. Ça ne m'a pas empêché de traverser les premières années de la vie sans triompher des dangers inhérents à la condition de bébé à cette époque.

La première chose que j'ai vue, c'est la grande cuisine. Une cuisine pleine de monde, avec une grande table placée le long du mur percé d'une fenêtre donnant sur le nordet, un gros poêle à bois noir surmonté d'un réchaud dont la porte était chromée, une pompe à eau aspirante et refoulante dont le «bras» était long, et une porte dont la clenche d'acier devenait toute blanche par les grands froids d'hiver. Sans doute ai-je vu tout cela pendant de longs mois sans savoir ce que c'était, mais l'importance de ces objets, sans lesquels notre vie quotidienne eût été impossible, s'est imposée à moi dès mes premiers moments de conscience. Avec le temps, ils sont devenus comme le prolongement des bras qui me prenaient, me soulevaient, me berçaient, me nourrissaient.

Du côté sud, entre l'armoire à vaisselle et l'évier qu'on appelait le «signe» (sink), il y avait une machine bizarre, noire, surmontée d'un gros chapeau en fer-blanc. On mettait du lait là-dedans et on tournait une manivelle. Cela provoquait un bruit dont la tonalité devenait presque musicale à mesure que la vitesse augmentait. Lorsqu'elle était parvenue à une certaine note, on ouvrait un robinet et le lait se divisait en deux jets, un petit et un gros. De la vraie magie. À part ça il y avait des «chaises berceuses» un peu partout. Toutes les chaises droites, au nombre de douze, étaient placées autour de la table. C'étaient des chaises en bois mou faites à la main, peintes en rouge mais usées, dont les montants étaient retenus par des chevilles de bois au lieu de clous. L'arrière-grand-père Éphrem les avait probablement fabriquées lui-même.

Accrochée à une poutre au plafond, il y avait une grosse boule jaunâtre qui avait l'air d'une lanterne. C'était une vessie de cochon que grand-père avait soufflée et qu'il laissait sécher pour se faire une blague à tabac. Un jour, au bout d'une éternité, il allait la décrocher, la dessouffler, la masser longuement pour l'amollir, puis maman allait y coudre un rebord de coton rouge. Alors il pourrait y emmagasiner la quantité de tabac qu'il gardait dans sa poche. Plusieurs fois par jour, je le voyais bourrer sa pipe lentement, de façon méticuleuse. Alors mes yeux restaient rivés à l'ongle de son pouce pressant le tabac, cet ongle dont l'épaisseur me semblait monstrueuse. Après quoi il se levait pour marcher vers le poêle, le dos légèrement voûté. Là, il faisait quelque chose qui m'apparaissait comme un privilège réservé à des êtres chargés de fonctions presque sacrées. Il prenait une longue éclisse de cèdre sur le réchaud, la plongeait dans un petit trou qui se trouvait sur le dessus du poêle, puis il la retirait enflammée. Relevant la tête, dans une pose qui me semblait hiératique, il allumait sa pipe. Grâce à ces allumettes de cèdre, il économisait les allumettes achetées au magasin.

Lentement la maison prend forme, mais je suis d'abord frappé par les gens qui l'habitent. Elle est pleine, la grande maison, parce que c'est la Crise. Ne pouvant trouver du travail ailleurs, les oncles et les tantes travaillent sur la ferme, ce qui leur assure le pain et le feu. Il y a mon oncle Aurèle qui me berce. Un soir il me tient sur sa poitrine, ma joue étant appuyée sur son épaule gauche, et je sanglote. Pourquoi? Je n'en sais rien. Une peine insondable me secoue le ventre, par ce soir d'hiver où toute la famille est assemblée dans la cuisine, selon son habitude après le souper. J'ai le sentiment d'être encore assez jeune pour pouvoir brailler impunément, de sorte que je me laisse aller sans aucune contrainte. C'est tellement bon! Et puis mon oncle Aurèle est une espèce de refuge pour moi. Je ne sais pas encore ce qui le différencie de ses frères et sœurs, mais appuyé à sa poitrine, j'ai la sensation grisante de voyager sur une voie spéciale, une voie réservée à ceux que le destin a choisis… Instinctivement, je vais donc me coller à lui pendant des années. Un peu plus tard, j'apprendrai qu'il a «fait des études». S'il passe l'hiver à la maison, c'est parce qu'il travaille sur un bateau et que pendant cette saison impossible on abandonne le fleuve aux seuls vents du nord.

En plus de l'oncle Aurèle, qui se distingue des autres par sa peau blanche et ses mains non calleuses, il y a l'oncle Tarcicius. C'est le bébé des enfants de Jos. Il a les cheveux noirs, des sourcils épais, des mains larges et des biceps qui font péter ses manches de chemise. Tarcicius me paraît plutôt taciturne. Il fait le «train des chevaux» en silence. Quand il laboure ou qu'il ramasse de la roche, il semble uniquement préoccupé par le poids que les choses opposent à la force de ses muscles. Je suis trop jeune encore pour savoir qu'il pense continuellement à son avenir. Quel avenir? Un jour il faudra qu'il parte, mais pour aller où? Il travaille six jours par semaine et il doit demander de l'argent à mon père pour s'acheter une paire de mitaines…

Il y a aussi l'oncle Albert. Il vient d'arriver, l'oncle Albert, élancé, l'oeil bleu rêveur, le visage empreint d'une sérénité difficile à définir. Or, un jour, une drôle de photo me tombe sous les yeux. C'est mon oncle Albert en robe blanche! Il est allé en Afrique, avec les pères Blancs. On simplifie les choses en disant qu'il a été père Blanc, à cause de la robe, mais il a eu à peine le temps de devenir frère. Il est rentré à la maison au bout de quelques mois, épuisé par la diarrhée, sans un sou mais riche d'une expérience humaine qui nous le fait regarder comme un être supérieur. Et quand il fume sa pipe en silence, le regard lointain, il est certain qu'il se revoie parmi les «nègres», dans la brousse, à des milliers de kilomètres de sa terre natale, brûlant d'une fièvre inconnue qui le lançait à la recherche d'une chose mal définie mais qui était probablement une certaine idée de Dieu. Avant d'avoir atteint la trentaine, il a parcouru les mers, traversé un continent «sauvage», puis il est rentré, la caboche pleine d'images. De quoi le faire rêver jusqu'à la fin de ses jours.

Dans la maison il y avait aussi la tante Omérine, mais quand on prononçait son nom, j'entendais Omérile. Il faut dire que nous avions un talent particulier pour déformer les mots. Par exemple, Sainte-Luce, où nous avions deux arpents de terre, ne se prononçait pas autrement que Saincluce. Les mots étaient façonnés par nos humeurs, de même que par la souplesse relative des muscles commandant notre organe oratoire.

Il ne fallait pas faire trop délicat, malgré une nette tendance à une euphonie qui nous était particulière. C'est ainsi que tous les «er» devenaient des «ar», les «è» des «é», etc. Un cultivateur ne peut pas dire à son voisin de manger de la merde. Il doit dire: «Mange de la marde pis farme ta gueule.» D'ailleurs à ce sujet, la campagne a déménagé à la ville…

Toujours est-il que la tante Omérine était petite de taille mais plantée solide. Elle avait le teint foncé, des yeux bruns qui riaient souvent, et je crois me souvenir qu'elle parlait légèrement sur le bout de la langue. Quand elle avait fini de lacer ses souliers, elle tapait du pied avant de se lever, exécutant quelques petits pas de danse qui la mettaient en train pour attaquer l'ouvrage. Elle était probablement une «vieille fille» quand elle est partie à Montréal pour gagner sa vie comme bonne dans une famille très riche. Or, il s'est trouvé qu'un veuf, propriétaire d'une grande terre, venait vendre ses légumes chez ces gens-là. La tante Omérine trouva qu'il avait «ben du bon sens», de sorte que l'amour parla bientôt le même langage que son sens pratique. De servante, elle passa à l'état de patronne en disant un beau «oui» au pied de l'autel. Quand je l'ai revue elle était devenue une «madame de la ville», mais elle était toujours aussi sympathique. En tout cas, ma mère gardait un bon souvenir d'elle, à cause de ses reparties joyeuses et de sa vitalité tonifiante.

Dans la cuisine aux multiples «chaises berceuses», il y avait aussi une grande femme tranquille aux cheveux châtains, au visage pâle et à la voix faible. Je la voyais parfois ouvrir la bouche, presser une pochette entre ses lèvres et aspirer une évaporation miraculeuse. C'était ma tante Marie-Louise, douce, propre, lente et portant triste. Elle était marquée par quelque chose que je n'arrivais pas à définir, mais qui, sans la rendre antipathique, la rendait tellement différente des autres «créatures» vivant à la maison que je la regardais souvent à la dérobée pour essayer de percer son mystère. Car mystère il y avait. Plus tard, quand je fus assez vieux pour comprendre certaines choses, on laissa tomber la vérité sur son état: Marie-Louise avait subi la «grande opération».

— Qu'est-ce que ça veut dire?

— Ça veut dire qu'elle aura jamais d'enfants.

Voilà sans doute ce qu'elle ne pouvait pas avaler, comme le diraient les tenants du psychosomatisme, et c'est pourquoi elle était asthmatique. Car dans le contexte de l'époque, ne pas pouvoir avoir d'enfants équivalait à ne pas pouvoir se marier, étant donné qu'on se mariait à peu près uniquement pour en faire. Deuxième conséquence, encore beaucoup plus grave que la première, cela voulait dire ne jamais «connaître» un homme, le plaisir sexuel en dehors du mariage étant péché mortel. Incapable d'être méchante parce que la méchanceté aussi était un péché, Marie-Louise sublima au lieu de se révolter contre son sort. Purifiée de façon absolue par la disparition de son utérus, condamnée à ne jamais être souillée par le sexe mâle, elle s'abandonna à la pureté et, de façon plus pratique, à la propreté. Je ne lui ai jamais vu les mains sales, et ses vêtements étaient impeccables.

Florian était assis sous la lampe Aladin qui était accrochée au milieu du plafond de la cuisine et qui répandait dans toute la pièce une belle lumière blanche. Florian, c'était mon père. Mais comme ce nom était trop difficile à prononcer, avec deux émissions vocales diamétralement opposées, on le prononçait Fleurien. L'euphonie était une maîtresse de diction impitoyable... Mon père était alors dans la trentaine. Il portait des lunettes, et tous les soirs il lisait son journal, toujours assis à la même place dans sa «chaise berceuse». À neuf heures il allait se coucher. Il se levait à cinq heures et demie, allumait le poêle, avalait une galette et partait pour l'étable après avoir lancé son ordre impérieux dans le trou de l'escalier:

— Levez-vous, les garçons!

En été, il fallait d'abord aller chercher les vaches qui pacageaient dans les terres noires. Vers six heures, on entendait le clapotis des sabots qui cognaient contre la terre battue. Le troupeau montait la côte et passait près de la maison, houspillé par Florian qui ne cessait de trouver quelque chose à redire à l'une ou l'autre de ses vaches:

— Avance donc par là, toé, maudite tête de mule! Quiens, gârds-moé l'autre, là! Grouille! Bon, chie icitte, juste devant 'a porte!

De façon plus ou moins consciente, je crois qu'il avait besoin de nous faire savoir qu'il était déjà à l'oeuvre, et son passage près de la maison devait sonner comme un deuxième réveil. Ceux qui étaient en âge de travailler devaient aller l'aider. Étant trop jeune pour aller donner à boire aux veaux, je restais au lit jusqu'à l'heure du déjeuner. Un matin, après le passage tumultueux des vaches, j'ai entendu un merle chanter dans le jardin. Je le devinais, perché dans un pommier à deux pas de la maison. La fenêtre de ma chambre laissait entrer la fraîcheur du mois de juin et les odeurs de l'été naissant. Dehors, tout baignait dans une lumière magnifique et, pour ajouter à cette pureté matinale, la voix sereine d'un merle lançait un appel à la vie qui me ravissait, me donnait à penser qu'il ne pouvait y avoir de laideur sur la terre. J'ai conservé ce souvenir au fond de ma mémoire comme une perle précieuse qu'on enfouit sous les fondations d'une maison. Aujourd'hui encore, il m'aide à aimer la vie.

Enfin, il y avait la «reine du foyer», ma mère. Autour de moi, je voyais aller et venir ses jambes robustes habillées de bas épais, d'une couleur s'apparentant plus ou moins à celle de la chair. Elle était chaussée de souliers de «beu» que papa avait fabriqués de ses mains. Pour aller à la messe, elle avait droit à des souliers achetés au magasin, noirs bien entendu. Son corps, dont la taille s'était déjà épaissie à cause de plusieurs grossesses, était recouvert d'une robe de coton fleurie, mais aux couleurs pâles. De ses manches courtes sortait une paire de bras solides dont la grosseur des biceps m'impressionnait. La décence coupait la robe au bas des genoux et la fermait au cou. Ses cheveux étaient noirs, coiffés à la garçonne selon la mode de l'époque, encadrant un visage franc, serein, dans lequel la bouche harmonieusement dessinée prenait juste la place qu'il fallait. Elle riait souvent aux éclats malgré le labeur incessant, car il y avait en elle une vitalité, une puissance intérieure qui lui faisait savourer la moindre joie à belles dents. Ou était-ce pour conjurer le sort que ses éclats de rire résonnaient ainsi? Sous des arcades sourcilières assez prononcées, ses yeux bleus brillaient, se posaient sur les choses avec la quiétude du connaisseur, sur les gens avec bonté, sur ses enfants avec tendresse. Ma mère s'appelait Alice. Alice Ouellette. Et quand elle était entrée dans cette maison pleine de beaux-frères et de belles-sœurs, âgée de vingt ans, elle s'était imposée comme maîtresse du foyer, non seulement parce que c'était la règle à l'époque, mais surtout parce qu'elle avait du coeur à l'ouvrage. Une femme «dépareillée», comme on disait dans le Bas-du-Fleuve.

Avec elle, j'ai vécu des moments inoubliables, surtout en hiver. Vers huit heures du matin, c'était le branle-bas. La dernière bouchée avalée, on se levait de table en vitesse. Ceux qui étaient en âge d'aller à l'école devaient s'habiller en conséquence, ayant deux kilomètres à marcher. Alors il fallait que chacun retrouve ses deux grosses paires de bas de laine et ses bottes qui avaient séché en vrac auprès du poêle pendant la nuit. Cela donnait lieu à un «chamaillage» qui durait une bonne demi-heure. Il y avait aussi les hommes qui partaient pour le bois. Tout ce monde-là avait besoin d'un repas pour le midi: des tourtières, des «beurrées de cretons», des tartes, que ma mère avait pour fonction de préparer. Emmitouflés, les enfants partaient pour le village en descendant la côte, tandis que Florian en compagnie de «ses plus vieux» ou de l'un de ses frères, montait l'autre côte en face de la maison, sur sa «sleigh». Ma mère faisait alors la vaisselle au bout de la table, debout derrière un grand plat en fer-blanc, essuyant chaque morceau avec une toile de lin qu'elle avait tissée elle-même quelques années auparavant.

Puis le soleil blanc de l'hiver montait dans le ciel, c'est-à-dire au-dessus de la côte qui faisait face à la maison, entrait dans notre grande cuisine par larges coulées blanches qui s'étalaient sur le plancher de bois franc. Alice passait le balai sur les planches de bouleau laissées au naturel, puis il était dix heures et c'était le moment où la tendresse prenait toute la place dans la maison. Elle ouvrait le «fourneau» du poêle, apportait une bassine d'eau tiède qu'elle plaçait sur le panneau rabaissé, puis elle allait chercher le bébé qu'elle couchait sur ses genoux. Lentement, elle détachait les longues épingles qui retenaient ses langes, et la chair rose du poupon apparaissait. Elle le lavait des pieds à la tête, l'emmaillotait de nouveau, puis elle faisait quelque chose que je ne comprenais pas très bien, un geste qui semblait relié aux secrets de la naissance: elle enfouissait le bébé sous son tablier, semblait ouvrir le haut de sa robe, et elle le tenait contre sa poitrine en le berçant doucement. Alors j'avais l'impression que tout s'arrêtait dans la maison, que tout

25

était suspendu à ces deux bras croisés sur une poitrine de femme, contre laquelle se pressait une bouche d'enfant. Je n'entendais plus que le tic-tac de l'horloge sur sa tablette au-dessus de la table, le ronron du poêle et le chant de l'eau dans la «bombe» (bouilloire). Il me semblait que tout mon univers ne vivait plus que par ce geste de ma mère qui donnait le sein à son enfant.

À l'étage il y avait six chambres. L'une d'entre elles était réservée au grand-père Jos, une autre à la visite extraordinaire, et dans les quatre autres il y avait un ou deux lits pour y coucher les enfants. Celle qui était réservée à la visite s'appelait la «chambre propre»… On l'ouvrait seulement pour l'oncle Anaclet venu des États-Unis avec sa femme Eugénie qui portait des souliers vernis et du rouge à lèvres, ou pour un autre oncle en voyage de noces, ou pour la tante Adèle venue de l'Ontario.

Nous y faisions de petites incursions de temps en temps, car cette pièce était d'autant plus mystérieuse qu'elle contenait un trésor. Comme maman était toujours occupée, il nous était assez facile de «monter jouer en haut» et, ayant épuisé les jeux permis, d'avancer sur la pointe des pieds et d'ouvrir la porte sans faire de bruit. C'était une chambre avec un vrai mobilier de chambre: un lit de chêne verni muni d'un matelas et d'un couvre-pieds bleu ornementé de dessins. Il y avait aussi une petite commode du même bois sur laquelle se trouvait un ensemble de toilette merveilleux: un grand bassin dans lequel reposait un broc, et à côté un porte-savon, le tout en faïence colorée de bleu. Une vraie splendeur! Dans un autre coin il y avait une grosse commode, et si l'on tirait le tiroir de ce meuble antique, on découvrait le trésor de la maison: un livre énorme à la couverture métallique. On le déposait doucement sur le plancher puis on soulevait un peu la «toile» pour faire entrer un rayon de lumière. L'agrafe produisait un petit bruit sec quand on la forçait du bout du pouce. Alors on pouvait voir, dans les pages épaisses, des photos de «grand-péres» et de «grand-méres» en robes longues, d'une couleur étrange, quelque chose qui me faisait penser aux cercueils. Nous tournions les pages en étouffant des éclats de rire à la vue de ces moustaches, de ces airs graves, de ces chapeaux complètement fous, de ces jupes qui traînaient par terre. Après avoir tout remis en place et tiré le store pour redonner à la chambre sa pénombre habituelle, nous sortions sans faire de bruit, le coeur palpitant parce que nous avions bravé un interdit mais aussi parce que nous avions l'impression d'avoir touché du doigt le secret le plus intime de la maison, ce par quoi elle était rattachée à un passé que nous ne pouvions même pas imaginer tellement il était loin.

En bas, à l'angle formé par le mur du nord et celui du «sorouet» (ouest), il y avait le salon. Toujours fermé lui aussi. On l'ouvrait seulement dans les grandes circonstances: la quête de la Sainte Enfance en été et dans le temps des fêtes. Il m'arrivait parfois d'y pénétrer, seul, pour goûter l'atmosphère de recueillement qui y régnait. D'abord je passais un bon moment à admirer les meubles: une causeuse en bois franc laqué de noir, dont le rembourrage était recouvert d'un tissu vert, dont les bras étaient recourbés, ce qui était un luxe inouï. L'ensemble comprenait aussi une grosse berceuse dans laquelle s'asseyait monsieur le Curé quand il faisait sa quête, de même que deux ou trois chaises droites dont les bras étaient aussi recourbés.

Le plancher, fait de larges planches d'épinettes, était recouvert d'un mince tapis rouge tissé au métier, probablement par grand-mère Amanda. Sur une petite table près de la causeuse, il y avait une lampe avec un abat-jour en forme de boule, rose et fleuri, une véritable oeuvre d'art!

Mais c'est au mur que mon regard restait accroché le plus lontemps. D'abord la peinture. Une grande oeuvre réaliste de trois pieds par deux, encadrée de noir, représentant une scène de chasse épouvantable. Un ours énorme posait une patte griffue sur un homme écrasé, ensanglanté, cependant que, relevant la tête, les crocs à découvert, il regardait un autre homme épaulant un fusil à vingt pas de lui. C'était d'une huile sombre, pour mieux faire ressortir l'aspect terrifiant de la scène qui se passait au coeur d'une forêt aussi profonde que l'inconscient le plus infernal. Détail amusant, cette croûte magnifique était placée juste au-dessus de la causeuse, c'est-à-dire là où d'éventuels amoureux pourraient avoir envie de s'abandonner à des gestes que les bonnes moeurs réprouvaient. «Dieu peut venir vous chercher au moment où vous vous y attendez le moins», disait l'oeuvre d'art.

Accrochée à un autre mur, il y avait une double photo encadrée, agrandie, sur laquelle grand-père Jos me regardait droit dans les yeux, l'oeil perçant, vif comme un tison. Près de lui il y avait sa femme Amanda, mais le vieux prenait tellement d'importance du point de vue psychologique que j'ai oublié le visage de la grand-mère. En réalité, la force qu'il dégageait me faisait peur. Ce regard était celui d'un homme qui semble vouloir défier le soleil.

Mais près de cette photo il y en avait une autre, probablement faite à la même occasion, devant laquelle je passais de longues minutes à rêver. C'était la photo de noces d'Alice et Florian, mes parents. Seul dans la pièce fraîche et silencieuse, je me laissais emporter par le flux étrange que dégageait ce portrait, sans savoir de quoi il s'agissait au juste. Il y avait là quelque chose d'envoûtant vers lequel je revenais souvent, un peu comme on va à la source pour y boire, ou simplement pour l'écouter jaser. Je ne me lassais pas de regarder la coiffure «ancienne» de ma mère, sa robe au corsage ample, de même que le col relevé de mon père, la fleur à sa boutonnière, et surtout la drôle de façon dont ses cheveux étaient coupés: rasés jusqu'au dessus des oreilles. Mais graduellement je me trouvais pris par autre chose: la beauté!

Sur cette photo, Florian regarde droit devant lui, trois quarts face. Il a le front haut, le nez droit, la bouche bien dessinée. Le tout compose un visage harmonieux comme on en voit rarement. Il ne sourit pas, mais il n'a pas l'air sévère non plus. Il est sérieux tout en étant confiant. Il regarde «vers l'avenir», et s'il ne sourit pas malgré l'assurance qu'il dégage, c'est peut-être que, à quatre siècles de distance, Jansénius est dans son dos pour lui souffler qu'il ne faut pas rigoler avec la vie.

À la droite de son mari, Alice regarde l'appareil, de sorte que son nez un peu long cède la place à la bouche aux proportions parfaites, à la fraîcheur des joues et surtout à la profondeur des yeux. Elle ne sourit pas non plus. J'ai même l'impression qu'il y a une légère pointe d'inquiétude dans son regard, ce regard de mère qui semble venir du fond des temps, qui passe par l'utérus pour se poser sur ses enfants, c'est-à-dire sur la joie mariée à la douleur, sur le travail à faire et enfin sur la mort qui l'attend. En effet, ce regard qui semble venir de si loin est en même temps posé sur le futur le plus éloigné. C'est sans doute ce qui lui donne une profondeur si attachante, une couleur d'éternité. Toujours est-il qu'ils forment un couple des plus harmonieux, dégageant la bonté, la beauté, la dignité, enfin, tous les éléments qu'on devrait réunir pour s'attaquer à une vie commune dédiée à l'amour et au travail.

L'Étable

L'étable était un lieu d'émerveillement. Par la même occasion, un lieu d'apprentissage.

On y accédait de plein-pied en enjambant une poutre qui servait de cadre à une porte pleine divisée en deux parties, coupée aux trois quarts de sa hauteur. On se trouvait tout de suite en face d'une allée au centre de laquelle il y avait un petit trottoir de trente centimètres de large, de sorte qu'on pouvait avancer sans se mettre les pieds dans les bouses et le purin. De chaque côté de cette allée, il y avait une vingtaine de stalles dans lesquelles on attachait les vaches d'un côté et les «taurailles» de l'autre. Tout cela était en bois. Au bout de l'allée, une porte ouvrait sur le nord, par laquelle on jetait le fumier. Du côté est, séparée par un mur qui n'atteignait pas le plafond, il y avait l'étable des chevaux. Six stalles dont cinq étaient toujours occupées et qui respiraient une odeur de dignité. Ennobli par le cultivateur à cause du rôle primordial qu'il jouait sur la ferme, le cheval récompensait son maître par une foule de délicatesses: il buvait du bout des lèvres, sans se mouiller les babines, il témoignait sa reconnaissance par un petit grognement quand on lui donnait son avoine, il dégageait une odeur forte mais relevée, si on la comparait à celle dégagée par les bovins, et il dormait debout pour ne pas se salir dans son crottin.

C'est dans l'étable que je lance mon premier cri de frayeur. C'est l'été et à l'heure de la traite je me promène sur le petit trottoir, au centre de l'allée des vaches. Il fait chaud et les mouches s'acharnent sur la croupe des bêtes qui, pour se défendre, n'ont pas d'autre arme que leur queue. Mais comment diriger habilement un membre pareil quand on est une vache? Très souvent, cet appendice, terminé par une touffe de poils plus ou moins propre, s'aplatit contre l'oreille gauche de celui qui, le front perlé de sueur, travaille à vider le pis de la bête. Il s'ensuit des cris et des jurons qui me portent à croire que les adultes ont peu de patience. Mais j'aime bien écouter le bruit mat du jet de lait qui tombe dans la «chéyére» (seau), créant une couche de mousse qui se gonfle jusqu'au bord du récipient. Le lait chaud c'est la santé, la vie, la richesse. C'est notre vin à nous. Je suis fasciné par le va-et-vient rapide des mains refermées sur le trayon couleur chair, humide, et le cerne jaunâtre que cela provoque entre le pouce et l'index de celui qui «tire». Notre immunisation contre tous les microbes imaginables venait peut-être de là... Mais tout à coup une vache tourne la tête, sa grosse tête au mufle baveux, et elle me regarde de ses grands yeux vides. Alors je crie, la voix déchirée par la peur:

— M'man! La vache me regârd, là...

— Ben oui, la vache te regârd, mais a te mangera pas... J'te dis que celui-là, ça va prendre du temps avant d'en fére un homme...

J'étais ridicule mais j'avais quand même l'oeil ouvert, de sorte que je pouvais voir à l'étable ce qui était invisible à la maison. Les «mystères de la vie» étaient à peine mystérieux puisque les animaux faisaient ouvertement ce que nos parents faisaient en cachette. Et quand on voyait certaines choses pour la première fois, l'étable était vraiment un lieu d'émerveillement.

— A va vêler dans une coupel de jours, elle, j'cré ben...

On était aux aguets. Mais les salopes avaient pour principe de mettre bas au cours de la nuit, de sorte qu'il nous arrivait souvent de trouver le petit veau sur ses quatre pattes en entrant à l'étable le matin. Sur le lot, il y avait quand même des exceptions, et un jour j'ai vu pour la première fois. La vache au ventre énorme, allongée sur le flanc tournait la tête de temps en temps vers son derrière. Cet être, avant tout caractérisé par l'impassibilité, semblait alors manifester une certaine inquiétude, même s'il n'est pas facile de lire une émotion quelconque dans un oeil de vache. Je guettais la fente humide, béante, qui s'ouvrait de plus en plus à chaque contraction. Le souffle de la bête prenait de l'ampleur, faisait voler la paille qui se trouvait dans la stalle. Ce qui était bouleversant, c'était de voir une bête si grosse complètement perturbée par un phénomène sur lequel elle ne semblait pas avoir de prise. J'apprenais alors que la nature n'est ni bonne ni méchante: elle va son chemin, sans pitié, sans mauvaise intention. Les deux petites pattes, collées l'une contre l'autre, apparaissaient dans l'ouverture vaginale.

— P'pa, y s'en vient!

Florian jetait un coup d'oeil, redoutant la mauvaise présentation. La tête du veau, au lieu de suivre au-dessus des pattes, arrivait parfois en dessous. Alors tout s'arrêtait et la vache pouvait en mourir. Il fallait y aller avec la main, le bras enfoncé jusqu'au coude dans l'orifice gluant. Mais c'était assez rare. Quand la tête arrivait, il me semblait que le vagin de la bête allait éclater. Mais non. La vache soufflait de plus en plus fort, poussait en gémissant, et les épaules forçaient le passage, semblaient disloquer tout l'arrière-train de l'animal.

— Le pire est faite, là, disait Florian qui prenait le veau par les pattes, attendait une poussée de la mère et tirait lentement.

Alors le nouveau-né glissait sur le pavé de bois dans un débordement de liquide jaunâtre teinté de rouge. À ce moment-là, la femelle avait l'air d'un puits bouillonnant de jus salin qui se vidait de sa substance, dans un geste d'abandon qui semblait absolu. Elle ne pouvait rien donner de plus.

Florian passait deux doigts entre les mâchoires du veau pour l'aider à respirer, puis il le traînait par les pattes jusqu'à la tête de sa mère. Celle-ci se jetait sur lui pour le lécher des pieds à la tête avec une avidité extraordinaire, comme si elle avait voulu reprendre une partie du liquide qu'elle avait donné. Déchirée, sanguinolente, l'enveloppe sortait de son vagin lentement, pendant deux ou trois jours. À la ferme, tout le monde faisait semblant de considérer la naissance des animaux comme un événement naturel, c'est-à-dire banal, puisqu'il se produisait plusieurs fois par année. Il n'empêche qu'au plus profond de soi, chacun s'en trouvait remué.

C'était un peu comme pour l'accouplement. Rien de plus ordinaire. Et pourtant... Quand Florian disait d'une vache:

«Quiens, est en chaleur, çalle-là», on voulait voir le spectacle. Le «gros beu», c'est-à-dire le taureau, était attaché dans la stalle du fond, attendant paisiblement les occasions de montrer son savoir-faire. Mon père s'approchait, lui enlevait son carcan, puis il le menait par la chaîne qu'il avait dans le nez. Lourd, il avançait lentement dans l'allée jusqu'au derrière qui lui était destiné ce jour-là. Sans se presser, il levait le museau pour renifler la femelle qui l'appelait de façon inconsciente. L'excitation venait au bout de quelques secondes, et il exhibait déjà un bout de pénis: une douzaine de centimètres environ. Dans l'instant qui suivait, il se passait quelque chose de fantastique. Cette masse de deux mille livres, amorphe en apparence, devenait tout à coup une concentration de muscles bandés. Un élan subit transformait le taureau, comme s'il n'avait vécu que pour ces rares instants. D'une seule poussée, il se levait sur ses pattes de derrière et s'avançait sur le dos de la femelle pendant qu'un coup de reins énorme lui faisait enfoncer son membre jusqu'aux entrailles brûlantes de la vache qui courbait l'échine. Un seul coup, appliqué avec un maximum de force, et le taureau retombait sur le pavé, aussi lourd qu'avant. J'avais l'impression que le plaisir des deux partenaires était à peu près nul. Pourtant, cette manifestation violente de l'acte générateur n'en était pas moins troublante.

Mais il n'en va pas de même de tous les animaux. L'étalon, par exemple, accomplit son devoir avec moins de tranquillité. Mon père aimait beaucoup avoir ses mâles reproducteurs à portée de la main. Un jour, notre jument mit au monde un beau petit poulain.

— Un maudit beau blond... On va l'appeler Joli, pis on le coupera pas...

Décision irrévocable comme tant d'autres, et deux ans plus tard le Joli en question était un animal superbe, gras et gros, qui nous empoisonnait l'existence. Entier, trop fringant pour servir avec la docilité ordinaire des bêtes de somme, il passait la plus grande partie de son temps dans l'étable à se faire des forces qu'il ne pouvait dépenser, à rêver de juments qu'il pourrait monter un jour. Mais il y avait quand même des occasions où on devait lui passer le harnais. Alors c'était tout un cirque. Pour lui, le vent charriait toujours des odeurs de femelle qui le faisaient hennir, lever la tête d'un coup sec et aspirer l'air en ouvrant les babines dans une grimace aussi hideuse que primitive. Il marchait en dansant, parcourant la moitié de son chemin sur les pattes de derrière, forçant son compagnon de collier à prendre un rythme épuisant. Intenable, il cassait son harnais et les limons des charrettes, galopait, sautilllait, voulait courir là où se trouvait une jument qui l'attendait peut-être. Quand il y en avait vraiment une dans les parages, il fallait se mettre à deux pour le retenir. Le plus agaçant, c'est que le labeur ne lui enlevait pas son énergie de reproducteur. Quand on le rentrait à l'étable après une journée normalement harassante, il fallait le conduire dans sa stalle, tout au fond, ce qui voulait dire passer derrière la jument qui l'avait mis au monde. Mais Joli n'avait aucune inhibition et dès le début de l'allée il se frappait le ventre à grands coups de pénis. Passer derrière sa mère devenait donc une entreprise qui risquait de se solder par des coups de sabot dans les côtes pour celui qui devait le mener par la crinière.

Comme il n'était pas «enregistré», il n'avait pas l'occasion de se soulager très souvent, ce qui le rendait d'autant plus fringuant. On lui amenait parfois une jument en rut, mais en cachette. Florian ne demandait pas d'argent mais il acceptait dix dollars, alors que les étalons de la ville «travaillaient» pour cinquante dollars. Mais c'était un spectacle qui en valait la peine.

Jeune ou «vieille picouille», la femelle soulevait chez lui une ardeur égale, c'est-à-dire extrême. Dès qu'elle approchait de l'étable il aspirait son odeur, hennissait, piaffait, et il fallait une poigne d'acier pour lui passer la bride et l'amener à la porte sans se faire broyer les os. Là, on plaçait les deux bêtes nez à nez pour qu'elles puissent se sentir. Les baisers préparatoires étaient saccadés, faits de multiples coups de babines, entrecoupés de longs cris et de coups de tête qui risquaient de défaire le chambranle, pendant que l'étalon se fouettait le ventre d'un membre aussi imposant qu'impatient. Si la jument était d'accord, elle ployait légèrement sur ses jambes en laissant échapper un liquide «jaunasse» et onctueux de son orifice vaginal.

— O.K. Va la placer plus loin pis retourne-la.

Voir la promise s'éloigner était pour Joli un moment d'exaspération insupportable. Dès que la porte était ouverte, il

entraînait mon père qui tentait de le retenir par la chaîne attachée au mors de bride «en casse-gueule». Il fonçait, debout sur
ses pattes postérieures, faisant voler la terre dans un bruit de
sabots impétueux auquel se mêlaient ses appels de gorge.
Aveuglé par son désir, il lui arrivait de monter la femelle par le
côté, tentant de lui enfoncer son pénis dans les flancs. Alors
c'était une vraie tempête de cris, de secousses, de piétine-
ments, et il fallait renoncer à le faire descendre. On poussait sur
le derrière de la jument pour le mettre en position, tout cela
pendant que Joli multipliait les coups de reins désespérés, à la
recherche de l'orifice qui semblait contenir le bonheur
suprême. Finalement, on parvenait à mettre les partenaires en
place et le membre énorme, mesurant environ cinquante centimètres, s'enfonçait d'une seule poussée jusqu'à la garde pendant que la jument courbait le dos, le col enlacé par les pattes
antérieures de l'étalon. L'éjaculation venait presque tout de
suite, dans un frémissement de tous ces muscles brûlants, dans
une ultime explosion d'énergie qui ressemblait à l'éclatement
du dieu Pan, mort et renaissance à la fois.

Le spectacle de ce débordement sexuel avait quelque
chose d'éblouissant. Pour moi, il était même stupéfiant. Pendant quelques instants je restais sous le choc, comme si l'énergie dépensée par l'étalon m'avait pénétré à la manière d'un
courant électrique. Je ressentais, sans trop le savoir, que cette
explosion de vie était si violente qu'elle appelait la mort, si elle
ne l'entraînait pas. Sous mes yeux, Éros et Thanatos se donnaient la main, en face de l'étable. La terre soulevée par les
sabots de l'étalon en était la preuve...

Comme tous les enfants de cultivateurs, c'est à l'étable
que j'ai commencé à travailler. D'abord pomper l'eau pour les
vaches et leur distribuer de la moulée. Pomper de l'eau, même
si c'était primordial, était une besogne insignifiante, et j'espérais
toujours que grand-père Jos allait le faire à ma place. Par contre, distribuer la moulée était un travail passionnant. Il me mettait en contact «personnel» avec chacune des vaches au
moment où je déposais la boîte devant elles, ce qui me permettait de connaître leur personnalité: les nerveuses, les impassibles, les douces, les colériques, etc. Grâce à ce geste de «père

nourricier», je m'attachais à elles, parce que leurs réactions m'amusaient.

Il me répugnait, comme à mes frères et soeurs, de donner à boire aux veaux. On les gardait à deux ou trois par enclos et dès qu'on se présentait avec le seau de lait, ils voulaient tous y plonger la tête en même temps. Quand le petit animal arrivait au fond du contenant, sa bave se mélangeait aux restes de lait et il se mettait à sucer ce mélange visqueux avec un appétit qui avait quelque chose d'écoeurant. Il fallait lui arracher la tête de la «chéyère» mais il se tournait vers son voisin et se mettait à lui téter les oreilles, la gueule encore pleine de ce jus poisseux. Pour moi, il y avait quelque chose d'indécent chez ces animaux qui vivaient à l'air libre comme s'ils avaient encore été dans le liquide amniotique.

Ce n'était pas le calendrier qui nous disait que l'automne prenait fin pour laisser la place à l'hiver. C'était le jour où la pluie se changeait en neige. Alors on n'envoyait plus les vaches au pacage et on faisait entrer les «taurailles» qui traînaient autour des bâtiments depuis deux ou trois semaines, en liberté provisoire. Faire entrer les taures à l'étable était toujours un branle-bas où se mêlaient les cris, les meuglements, les bruits de carcans, les tintements de chaînes, les bouses échappées aux endroits les plus incongrus et surtout, cette odeur de poils mouillés qui prenait le dessus sur toutes les autres.

Une année, cette opération fut marquée par un événement dramatique. En attachant une belle génisse d'un an et demi, une bête qui promettait, je m'aperçus qu'elle râlait. Elle avait pourtant l'air en bonne santé. Mon père l'examina attentivement mais ne trouva rien.

— C'est têt' ben le souffle?

— Ben non, est trop jeune... A doét avoer une patate pris dans le gorgoton.

Nous avions jeté de vieilles pommes de terre sur le rocher qui se trouvait à proximité de la grange et elle en avait mangé. Il fallait faire passer la patate de force. Alors Florian décida de l'écraser en plaçant un morceau de bois sur un côté de la gorge et en frappant contre l'autre...

— Une belle taure de même, blasphème! Si on la laisse fére, a va mourir...

Mais après avoir reçu quelques bons coups sur l'oesophage, la génisse n'avait rien dégluti et elle râlait toujours. Nous étions tous autour d'elle, impuissants comme des médecins en face d'un malade qui a l'outrecuidance de se présenter avec des symptômes absolument inconnus de la confrérie médicale. Alors mon père eut une autre idée. En vitesse, il fabriqua une échelle minuscule à deux échelons, en bois franc. On ouvrit les mâchoires de la taure pour y introduire l'appareil et les mandibules se refermèrent sur les barreaux. La voie était libre. Il ne restait plus qu'à introduire la main dans le trou. Or, de tous les chirurgiens qui se trouvaient sur place, j'étais celui qui avait la plus petite main.

— Leuve ta manche pis rentres-y la main dans gueule.

Il fallut m'exécuter. Je touchai la langue rugueuse qui s'agitait, frôlai les molaires au passage, ce qui me fit oublier la bave dans laquelle ma main glissait. J'avais le bras enfoncé jusqu'au coude dans la matière visqueuse, mais je ne sentais rien encore.

— Envoye, plus loin!

Un trou gluant, des gargouillements poisseux, c'était l'oesophage dans lequel ma main pénétrait lentement, pendant que la nausée me faisait lever le coeur. J'avais l'impression de violer quelque chose, de pénétrer dans une chair que personne au monde n'avait le droit de toucher. Mon bras s'enfonça jusqu'à l'épaule dans ce couloir chaud, baveux, pendant qu'on maintenait solidement la tête de la génisse. Je m'introduisais de force dans un ventre qui m'était interdit, et il y eut un moment où, assez curieusement, le dégoût fut contrebalancé par une lueur de plaisir: de tous ceux qui étaient là, j'étais le seul à pouvoir toucher l'intimité d'un autre corps, l'intérieur… Mais je ne trouvai pas la pomme de terre tant recherchée, pour la bonne raison qu'il n'y en avait pas. Alors je retirai mon bras gluant pour me précipiter vers la pompe à eau. Le viol était accompli, il fallait en faire disparaître les traces au plus vite.

Après le souper, nous avons dû nous résigner à emmener la pauvre bête à l'abattoir parce que ses râles n'avaient pas cessé. À regret, mon père lui assena un coup de masse formidable et elle s'écroula. Tout à coup, pendant qu'on le dépiautait, Florian s'écria:

— Ah ben, blasphème! Gârd donc ça!

Un coup de corne entre deux côtes lui avait perforé la cage thoracique. Papa enfonçait son doigt dans le trou avec une espèce de fierté mitigée: au moins, nous avions la clé du mystère... et de la viande fraîche bien avant les fêtes...

À cause de ses meuglements, de ses odeurs de peau, de purin, de fumier, de rut, de respiration animale, l'étable était un endroit de première importance: elle nous ramenait chaque jour, nous les humains, à ce moment extraordinaire où le foetus prend forme dans les eaux primitives.

Les mariages

— Une femme belle, belle râre... Mais pauvre! Ç'a été élevé au lait caillé pis aux patates salées...

Voilà ce que me dit Florian de celle qui avait été sa mère, ma grand-mère Amanda. Elle est née aux alentours de 1860, au cinquième rang de Saint-Anaclet. Cela veut dire que le jour où elle a mis le nez dehors elle a vu des montagnes, des tas de roches, une grange probablement en piteux état, quelques poules, un ou deux cochons, des clôtures de pieux. Aux quatre points cardinaux, des épinettes et des sapins. Autour des bâtiments, un peu de terre défrichée et trois ou quatre vaches qui donnaient du lait seulement en été. De temps en temps on tuait un veau dont on gardait précieusement la caillette, c'est-à-dire le quatrième estomac qui servait à faire cailler le lait dont on la nourrissait. Dans ces terres rocailleuses on faisait pousser des patates, base de toute l'alimentation du Bas-du-Fleuve pendant des siècles. Voilà ce qu'elle mangeait, comme ses parents. On devait lui parler du bon Dieu, évidemment, car de temps en temps ses parents partaient en boghei pour faire un voyage de quarante kilomètres: ils allaient à la messe à Rimouski parce qu'il n'y avait pas encore d'église dans la paroisse. En hiver, il y avait le poêle qui chauffait de son mieux pendant que dehors le vent s'amusait, avec son indifférence habituelle, à construire des bancs de neige et à les défaire, depuis la fin de novembre jusqu'à la fin de mars. Le maître à penser, c'était le soleil. Tout ce qu'on avait à faire était en fonction de son lever, de son ascension dans le ciel et de son coucher. Le soleil était un philosophe et un tyran. Alors Amanda grandissait, la conscience pure et les joues roses, dans une admirable soumission à ce maître intouchable mais constamment présent.

Un jour, Joseph Fournier dit Jos, fils d'Éphrem, vit cette jeune fille au teint frais et à l'oeil profond. Était-ce à l'église, dans son habit du dimanche ou sur son chargement de billots alors qu'il passait dans le cinquième rang pour aller faire scier son bois? On n'en sait rien. Toujours est-il qu'ils ont échangé des mots d'amour d'une tendresse indescriptible:

— Le pére me donne la terre. J'aurais ben besoin d'une créature...

— Si tu penses que j'pourrais faire l'affaire...

— Pour moé y a pas de doute.

— Dans ce cas-là faudrait y penser sérieusement.

— Moé j'ai pas besoin d'y penser plus longtemps.

— Comme ça, faudrait en parler à mon pére...

À sa manière, Jos avait beaucoup de charme. D'abord il n'était pas laid du tout. Pas très grand mais bâti solide, insensible au froid comme à la chaleur, et la terre dont il allait être propriétaire se trouvait tout près du village, de l'église, du magasin général, etc. À part ça il avait l'oeil brillant, Jos! Ses lèvres ne riaient pas souvent mais ses yeux parlaient un langage clair: celui du besoin qui se confondait avec le désir. Alors il fit sa «grande demande» et Amanda, ayant passé par l'église, abandonna le cinquième rang pour entrer dans la maison du p'tit troisième, sur le haut de la côte, face au fleuve. Dorénavant, elle allait voir autre chose que des montagnes en sortant de la maison pour aller traire ses vaches. Détail qui a son importance.

Mine de rien, à travers ses occupations ordinaires, Amanda fit treize enfants. Sept ou huit garçons, entre autres, dont l'un s'appela Florian, comme on le sait déjà. Florian se maria le 26 juillet 1922, mais l'aventure avait commencé trois ou quatre ans plus tôt, par un beau soir d'octobre. Martial, le frère de Florian, voulait aller voir Marianne Ouellette, la fille du bonhomme Prime qui habitait à l'autre bout de la paroisse, pas loin de Sainte-Luce. Ils décidèrent d'y aller tous les deux parce que c'était une entreprise difficile. Ils n'avaient jamais «attelé» pour sortir le soir après souper. À dix-huit ans on attelait les chevaux pour travailler ou pour aller à la messe, mais pas pour aller veiller. Il fallait donc le faire en cachette. Ainsi, au lieu de passer par le chemin qui longe la maison, les deux gamins prirent les champs en boghei, descendant le long de la clôture du bonhomme Alphonse. Mais au moment d'ouvrir la barrière de cèdre qui allait les faire accéder à la longue allée conduisant au deuxième rang, le chien est arrivé en jappant, éveillant les soupçons du grand-père Éphrem qui n'était pas encore mort. Le vieux est venu sur le bord de la côte en maugréant, mais les deux «jeunesses» ouvrirent la barrière en vitesse et le cheval prit le trot des grandes circonstances. Chez le père Prime ils trouvèrent la porte fermée; mais:

— Y avait une belle gelée blanche, ça fait qu'on voét-y pas des pistes à terre. On s'est dit: «Y doivent être allés su'l pére François...» On arrive là, y étaient toutes ensemble...

Et dans la maison du père François Ouellette, il y avait sa fille Alice, âgée de dix-sept ans. Florian la voyait pour la première fois. Sur cette première rencontre, il est d'une discrétion absolue. Il faut imaginer les regards et les quelques propos échangés, au milieu d'une conversation générale roulant sur les sujets importants comme les vaches, les poules, les semailles et les récoltes. On venait de finir les «travaux», on se préparait à labourer et à passer l'hiver. Si la grange était pleine, les coeurs pouvaient l'être aussi. Mais c'est seulement au printemps suivant que Florian se permit une autre visite.

Puis un jour il est allé la chercher pour qu'elle l'accompagne aux noces de sa soeur avec Jean-Baptiste, histoire de lui donner des idées, probablement. À partir de ce moment-là, leurs relations furent continuelles, c'est-à-dire que le dimanche soir Florian attelait son cheval au boghei et partait assez tôt, après le souper, pour être chez sa belle à sept heures. On veillait dans la cuisine, causant des travaux de la semaine, des projets d'avenir, des fossés à creuser, et on riait autant qu'on le pouvait en se racontant des histoires aussi rabelaisiennes que possible. À dix heures, il fallait partir. C'était la règle. Il remontait dans le boghei après avoir échangé un dernier regard avec la jeune fille, essayant sans doute d'évaluer la portée des sourires accordés, le sens précis de telle phrase encourageante à propos du foin à rentrer ou du grain à moissonner. C'est seulement dans ces sourires, ces regards et ces phrases banales que se cachaient les sentiments éprouvés, car ils constituaient les seuls chemins par lesquels pouvait passer l'expression de l'amour.

Au cours des trois années que durèrent les fréquentations, il ne se passa rien de particulier si ce n'est qu'il y eut la fameuse grippe espagnole. Florian partit pour les chantiers avec son frère Martial sur la rivière Rimouski, très loin dans le sud, c'est-à-dire près de la frontière américaine. C'était à quatre-vingt-cinq milles dans les forêts, au-delà du lac Rimouski. Là, une vingtaine d'hommes travaillaient à quatre-vingts dollars par mois pour couper du bois durant le jour. Le soir, ils tuaient les poux à coups de marteau sur les murs du «campe», et pour se débarrasser de ceux qui leur piquaient la peau, ils étendaient leurs sous-vêtements de laine sur la neige. Les bestioles gelaient, formant une délicate mosaïque de points blancs qui se trouvaient être leurs derrières retroussés, figés dans cette position obscène au moment de leur agonie. Ensuite, les hommes n'avaient qu'à gratter leurs camisoles avec la lame d'un couteau.

Après ce divertissement, assorti de l'abattage des rats qui s'étaient montré le nez, on se mettait au lit. Dans un «campe» de bûcherons, le mot lit n'existait pas. On se jetait sur son «bed», on fabriquait son «bed», on sortait du «bed» avant le lever du soleil, etc. C'est à croire que le métier de bûcheron avait été inventé par les Anglais. À l'époque, chacun des hommes devait faire son «bed» lui-même, du moins la partie de ce meuble capital qui tenait lieu de paillasse ou de matelas. On coupait une centaine de branches de sapin, longues d'environ trente centimètres, puis on les plantait dans la base du lit, à la verticale. Cela formait un matelas des plus moelleux sur lequel on étendait deux épaisses couvertures de laine. On se mettait au lit tout habillé, le casque sur la tête, sans bottes mais avec deux ou trois paires de chaussettes. Malgré les ronflements de la «truie» qui trônait au centre de la pièce, le froid sonnait le réveil à cinq heures trente du matin et on était heureux de passer dans la pièce voisine pour avaler une bonne assiettée de «binnes», du thé bouillant et la moitié d'une tarte. À l'heure où

44

le soleil effleurait la tête des grandes épinettes, on entendait des bruits de chaînes, des jurons à l'adresse des chevaux endormis et, parfois, quand un homme s'ennuyait de sa blonde, une complainte que l'écho renvoyait d'une montagne à l'autre.

Vers le milieu de février, Florian tomba sur son «bed», pris d'une fièvre épouvantable. C'était la grippe espagnole, qui tua une vingtaine de personnes à Saint-Anaclet cet hiver-là. On le coucha sur un traîneau, enveloppé de peaux, et il partit pour le p'tit troisième en vitesse afin de mourir parmi les siens. Comme par hasard, l'hiver de cette année-là fut riche en «bordées de neige» et en tempêtes, de sorte que les chemins étaient presque toujours bloqués. Les cadavres restaient parfois cinq ou six jours dans les maisons, au fond du sixième et du cinquième rangs.

Florian arriva quand même à la maison au bout de trois jours et on lui administra le seul remède connu à l'époque: du whisky mélangé à du vinaigre. Il n'était pas question d'appeler le médecin...

— La fieuve était assez maudite que c'est rien qu'après la troisième gorgée que j'ai trouvé ça méchant...

Le voisin Timoléon est venu faire son tour et, dans le style qui lui était propre, il déclara:

— Ouais, pis vinyeu, c'est l'affaire, y va mourir, y va mourir...

Ayant bu sa potion magique, Florian se mit au lit, recouvert de toutes les «couvartes» chaudes qu'il y avait dans la maison. Il transpira pendant vingt-quatre heures, mouillant son lit de part en part. Trois jours plus tard il se levait, «pas mal felluet» mais sauvé.

— D'où est-ce que ça venait, la grippe espagnole?

— De l'autre côté, des vieux pays, par les gens qui revenaient de la guerre.

Évidemment, si la grippe était espagnole, elle ne pouvait pas venir de Rimouski... C'est ainsi qu'Alice retrouva son amoureux, riche de deux cents dollars et d'une expérience peu commune. Il est certain qu'il connut l'angoisse. Sur son traîneau, dans le vent qui hurlait, il eut probablement l'impression d'entendre les voix sinistres montant de la géhenne pour venir le préparer à faire le grand saut. C'est peut-être grâce à cette épreuve qu'il a acquis une assurance peu commune. Il a toujours eu l'air de nous dire: «Fais ça comme ça pis tu vas voer que ça va marcher...»

La grande demande eut lieu au printemps de 1922, un dimanche soir.

— Moé, j'avais parlé à Alice avant, ben entendu, pis elle était ben contente.

Le père François était sorti sur le perron pour «lâcher de l'eau», un peu avant dix heures, moment fatidique, et c'est là que le prétendant le rejoignit pour demander la main de sa bien-aimée:

— Alice pis moé, on voudrait se marier, là, monsieur Ouellette, si vous êtes consentent...

— Ouais... Vous avez l'air sérieux tous les deux... On peut rien dire contre ça...

Et le 26 juillet, à sept heures du matin, ils se retrouvèrent devant l'autel avec ce costume, cette robe, cette coiffure et ce regard profond que je voyais sur la photo accrochée au salon. Ils firent le tour de la parenté en boghei, ce qui comprenait un arrêt chez l'oncle Alfred, un dîner chez Jean-Baptiste et le souper à la maison, où on mangea probablement du «sipaille», où on conta des histoires en croquant des bonbons. À cette époque-là, la danse était interdite dans la paroisse.

— Rien qu'en parler c'était péché, dit Florian.

Ce soir-là, belle, vaillante, une «femme dépareillée», Alice ouvrait la porte de la chambre conjugale, contiguë à la cuisine. Ce faisant, elle entrait dans une famille où les choses avaient l'air de bien aller, mais où il y avait tout à faire pour édifier ce que Florian avait en tête, inspiré qu'il était par le «devoir», ce devoir étant identifié à la volonté de Dieu autant qu'au besoin d'aller plus loin, de faire croître, de multiplier dans tous les domaines, à commencer par celui des enfants, bien entendu...

Des nuits immobiles, noires, percées seulement par le clignotement du phare de Pointe-au-Père, des nuits qui se perdent dans le labyrinthe de la mémoire, mais que je sais frileuses ou tièdes selon les saisons. Et puis des jours de soleil, des bruits qui deviennent familiers, comme le grondement du poêle qui s'enflamme ou celui de la «bombe qui cile». Tout cela s'accumule en moi, s'amalgame en une étrange mosaïque où les sons, les odeurs forment une toile de fond devant laquelle je commence déjà à me battre contre la mort, dans un lent et tortueux apprentissage de l'érotisme.

Puis un soir la maison est pleine de gens. On a ouvert le salon, il y a de la musique, des parfums de femmes maquillées plus que d'habitude. Surtout, il y a des éclats de rire lancés par les hommes debout ou assis, fumant des cigarettes qui remplissent la maison d'une odeur agréable. D'autres forment des couples qui tournent, et de temps en temps ma mère fait le tour des invités en souriant, portant un plateau sur lequel des verres scintillent, pleins d'un liquide rouge sang qui semble exciter tout le monde. C'est du vin de «cancis» (cassis) qu'elle a fait elle-même, et si la maison est pleine de gens heureux, c'est parce que le matin même, mon oncle Martial s'est marié avec Yvonne, une femme que je n'ai jamais vue. Ce soir elle est heureuse… Demain elle va s'en aller à Saint-Roch-des-Aulnaies, loin, à deux cents kilomètres de chez nous, où l'oncle Martial vient d'acheter une terre.

La tante Yvonne, je la reverrai deux ans plus tard dans notre cuisine, en hiver, profitant de l'absence des «hommes» pour conter ses malheurs à ma mère. Celle-ci écoute d'un air plutôt ennuyé la litanie de ses misères ponctuées de sanglots:

— Martial s'est échiné tout l'hiver à bûcher du bois dans une montagne impossible, pis ça nous a rien donné. On arrive pas, c'est ben simple…

Dans le regard de ma mère qui écoute en reprisant des bas, je devine quelque chose qui frise l'antipathie: «On a pas le droit de brailler de même devant tout le monde… Et pis nous autres aussi on a de la misère… La crise est pareille par icitte…» Si elle connaissait le mot dignité, ma mère le poserait sur le bout de sa langue et, dans le secret de son esprit, elle menacerait sa belle-soeur de le lui jeter à la figure. Mais elle se contente d'écouter en silence, et les sanglots qui enlaidissent ma tante Yvonne me paraissent indécents. Chaque fois qu'elle se mouche, je me dis que c'est fini, qu'on va pouvoir enfin écouter les patates bouillir dans leur chaudron, mais non, ça repart:

— Va falloir qu'on emprête de l'argent... La malchance nous colle au darriére. L'année passée on a pardu deux vaches...

Je regarde le tapis ciré qui recouvre notre table, un vieux tapis dont les dessins disparaissent à cause de l'usure, dont les coins sont crevés, puis je comprends que malgré la chaleur du poêle, malgré la beauté du soleil qui inonde notre cuisine, il y a des malheurs... Les adultes souffrent et pleurent comme des enfants. L'année suivante, je serai témoin de la seule dispute qu'il y ait eue à ma connaissance entre mon père et ma mère. Justement à cause de Martial, pour qui Florian a endossé un billet de cinquante dollars. Martial, bien entendu, s'est retrouvé dans l'impossibilité de rembourser l'argent. Je revois mon père hésitant, mal à son aise, annoncer la nouvelle à sa femme:

— C'est faite, qu'est-ce que tu veux? J'peux pas fére autrement...

Cinquante dollars! Une montagne, au début des années trente. Assise devant le caveau à bois, pelant ses pommes de terre, Alice fixe son petit couteau qui, par tubercules interposés, exécute les causes du malheur.

— Toujours pareil, dit-elle, ménage pis gratte, mais on est toujours vis-à-vis de rien.

Malheureux, impuissant, Florian sort de la maison tandis qu'Alice reste seule à ruminer son amertume. Alors, quand elle pompe l'eau pour laver ses patates, j'ai l'impression qu'elle assène de grands coups au destin avec le bras de la pompe. Pourtant, toute la famille mange trois fois par jour... Alors, qu'est-ce que ça peut bien être, cette chose qui manque aux adultes?

Mais ce soir, c'est la noce et le violon se démène comme un diable. Les pieds chaussés de noir frappent le plancher sur ce rythme à deux temps qui colle si bien à la réalité de la vie: battements du coeur, soir-matin, hiver-été, jour-nuit, soleil-pluie, et de la pointe et du talon et de la pointe et du talon, et un et deux et un et deux, «swing la bacaise dans le fond de la boîte à bois...» Joie, sors de moi, éclate, dis à la nuit qu'elle ne peut m'écraser avec sa noirceur, dis aux femmes que mes reins sont pleins de semence et que demain la germination recommencera, grâce à ma force...

Les grandes personnes sont tellement occupées à raconter leurs histoires et à danser que je peux, sans qu'ils s'en aperçoivent, vider tous les fonds de verres qui sont sur la table de la «salle», attendant la prochaine «traite». Ça sent fort et ça pique la langue, mais ça réchauffe le ventre de façon merveilleuse, comme par magie. Plus j'en bois, plus j'ai envie d'en boire, et plus j'éprouve quelque chose de neuf, une espèce d'allégresse qui me donne l'envie d'entreprendre une grande ascension. Pour commencer, je veux me montrer aux autres, donner en cadeau ce qui est en moi. Alors je trouve quelque part un chapeau de femme, une espèce de cloche que je me plante sur la tête tant bien que mal, puis je fais mon entrée au salon, titubant, exécutant un pas de danse très mal assuré. Un triomphe! C'est le clou de la soirée. On rit à faire trembler les murs, et ce soir-là quand je me couche, je suis grisé par le vin, mais je le suis davantage par le fait d'avoir provoqué ces rires et ces regards amusés qui se sont posés sur moi. À ce moment-là, commence à poindre en mon coeur un sentiment qui fait contrepoids à la peur qui m'habite: il y a des choses invisibles qu'on ne peut pas mesurer, mais qui sont peut-être plus importantes que tout le reste...

Le temps des foins

Le rythme des saisons était marqué, lent mais frappé comme les accords d'une immense symphonie réglée par le mouvement des astres. Dans ce retour assuré des besognes à accomplir, il y avait une consolation, un bercement qui nous reliait de façon profonde au giron de la terre, la vraie protectrice, la mère première. Comment ne pas éclater de joie quand les champs, vers la fin de juin, se mettaient à sentir le trèfle? Comme il fallait faire les «sumences» avec les chevaux, on les finissait très tard, avec la plantation des pommes de terre qui avait souvent lieu la dernière semaine de juin. Entre les semailles et les foins, nous passions une couple de semaines en petits travaux sans importance, en réparations d'instruments aratoires ou de clôtures. S'il pleuvait, mon père faisait des meubles ou des chaussures pour la famille.

Puis un bon matin, en avalant ses «oreilles de Christ» (tranches de lard rissolées), Florian disait que la luzerne était en fleur dans les deux petits champs sablonneux au pied de la côte. Cela voulait dire qu'on allait monter sur la côte en face de la grange, ouvrir le «hangar à gréements» et sortir la faucheuse qu'on y avait rangée l'automne précédent. Ouvrir ce hangar toujours fermé était un événement parce que j'y trouvais des merveilles: le souvenir des saisons, une odeur de vieux bois mêlée à celle de l'huile émanant de la moissonneuse, les «sleighs» empilées les unes sur les autres avec des images d'hiver collées à leurs lisses, et parfois un trou de marmotte parce que le plancher était en terre battue, ce qui donnait une allure spéciale à cette cabane qui n'abritait que des instruments aratoires. Il y faisait sombre et le vent entrait sous le châssis qui prenait appui sur les pierres grâce auxquelles la bâtisse était de niveau. J'essayais d'imaginer ce qui pouvait se passer dans ce repaire au cours des longues nuits, surtout en hiver. Seuls les écureuils devaient y pénétrer pour mettre leurs grosses queues à l'abri du froid, pendant que la moissonneuse, la faucheuse, le semoir et la herse à disques dormaient, semblables à des carcasses de vieillards écrasées par le labeur.

À la force des bras, on reculait la faucheuse à l'extérieur où l'on y attelait la paire de chevaux qui attendait en broutant l'herbe. Mais il fallait d'abord aiguiser la faux à la grosse meule. Une belle invention que cette meule montée sur une espèce de petit banc, munie d'un arbre de couche lui permettant de tourner en passant dans l'eau qu'une auge lui présentait sous la fesse. Au début de la saison des foins, c'était à qui tournerait la manivelle, mais au bout de deux semaines il n'y avait plus un seul volontaire. Il fallait un ordre venu de haut pour obtenir la force motrice dispensée par nos jeunes biceps.

— Viens tourner la meule.

— Raymond, qu'est-ce qu'y fait, lui?

— C'est pas à Raymond, c'est à toé que je l'ai demandé.

La meule était à l'ombre, en face du hangar, devant la porte de la «shed à bois». On sortait deux chaises de la cuisine sur lesquelles le jeune et le vieux s'assoyaient face à face. Le vieux, c'était Florian ou grand-père, qui tenait la faux dans l'angle voulu pour bien atteindre le fil du couteau. On entendait le grincement du fer contre la pierre, mouillé, irrégulier, car la meule s'usait toujours de façon inégale. Quand le rémouleur s'arrêtait pour voir le résultat, celui qui tournait la manivelle avait un moment de répit au cours duquel il regardait avec plaisir le tranchant du couteau devenu luisant, propre, nettoyé de toutes ses brèches.

Il fallait ensuite introduire la faux dans la coulisse, agripper la main de la «marchette» à la boule dont le talon de la faux était muni, mettre de l'huile dans tous les petits trous surmontant les engrenages, etc. Un vrai travail de mécanicien qui, le premier jour, avait le charme des grands départs. Puis on entendait le cliquetis d'embrayage, les cris adressés aux chevaux qui s'impatientaient, et en enfin le bruit de la machine en marche. Un bruit de fer qui chantait! Quelques minutes plus tard, l'odeur pénétrante de la luzerne montait jusqu'à la maison. Ainsi, même enfermées dans la cuisine, les femmes savaient que le temps des foins était arrivé, et c'était avec une joie renouvelée que ma mère faisait des tartes ou des galettes pour les «lunchs» de dix heures et de trois heures. Le temps des foins, c'était d'abord la chaleur, des odeurs de trèfle, des épis de mil qu'on arrachait de leur gorge pour mâchonner le bout de leur tige vert tendre. Pouvait-il y avoir quelque chose de plus pur que cette fibre subitement extraite de son utérus, qui laissait dans la bouche un léger goût de sucre?

Mais le temps des foins, c'était surtout du travail accablant sous un soleil implacable. Au nord il y avait le fleuve bleu, inatteignable puisqu'il était à cinq kilomètres au moins! À Sainte-Luce-sur-Mer, ses plages étaient fréquentées par des estivants venus de Québec ou de Montréal, autrement dit du bout du monde. Des gens qui ne travaillaient pas le samedi… Le temps des foins, c'était aussi le bruit de la petite faux qu'on aiguisait à la main, avec la pierre qu'on faisait aller et venir pendant que le bout des doigts vérifiait le fil du sabre à chaque coup, geste magique, véritable tour de prestidigitation que seuls les «vieux» savaient exécuter. Or, ce bruit de la pierre frappant le sabre tout en glissant était une musique rythmée, à deux temps bien sûr, dont la tonalité variait selon la lourdeur de l'atmosphère et les effluves du foin plus ou moins humide. Cela venait du bout d'un champ, pendant qu'à la maison de jeunes enfants se demandaient s'il n'y avait pas des fraises à cueillir sur le bord des fossés, à l'ombre d'un bouquet d'épinettes.

Après la luzerne, on s'attaquait au champ de trèfle qui achevait de mûrir au pied de la montagne. Le «pied de la montagne», c'était le dernier fond de notre terre, situé aux limites du quatrième rang, à plus d'un kilomètre de la maison. Quand la pluie était rare, cette terre «gravoiteuse» ne permettait pas au foin de pousser très haut avant de le priver de sève. Mais le trèfle avait un ennemi plus redoutable encore. C'était le silène enflé, une mauvaise herbe à la tige sirupeuse qu'il fallait arracher dès le milieu de juin. Tous les bras de la famille étaient requis pour cette opération de sauvetage qui avait des allures de pique-nique. Mais sous le soleil accablant, nous ne prenions aucun plaisir à marcher dans le foin pour arracher une à une ces tiges qui nous collaient aux mains, en faire des brassées que nous allions jeter dans le champ de pacage pour les faire brûler.

L'été battait son plein quand on arrivait au pied de la montagne, un bon matin, où on avait la joie de découvrir une longue nappe mauve, pure, odorante. Il fallait pourtant mettre la machine en marche et trancher dans cette virginité. Papa fauchait le tour des clôtures à la petite faux, tandis que grand-père ou mon oncle Tius s'asseyait sur le siège de la faucheuse. Bientôt, l'odeur forte des chevaux en sueur se mêlait à celle des fleurs sauvages et du foin coupé, ce qui avait pour effet d'ameuter les taons. Ils poursuivaient les chevaux, les dardant sans merci, jusqu'à leur faire prendre le mors aux dents si on n'y prenait garde. Parfois on entendait un hurlement qui enterrait le bruit de la faucheuse:

— Smatte, veux-tu avancer, maudite tête de Gargantua!

Smatte était un gros cheval qui avait toujours faim. Tout en tirant la faucheuse, il ne pouvait s'empêcher de baisser la tête de temps en temps pour attraper quelques tiges de trèfle à la sauvette. Alors mon grand-père le traitait de Gargantua, nom qu'il nous donnait à nous aussi quand il trouvait que nous avions trop d'appétit. Lui qui ne connaissait pas Rabelais, qui ne pouvait pas l'avoir lu, comment avait-il appris que Gargantua était un homme qui s'empiffrait? Qu'un personnage soit sorti de l'imagination d'un auteur du XVIe siècle, ait fait rire des générations de Français puis ait traversé les mers, se transportant de bouche à oreille pour tomber dans celle d'un paysan du Bas-du-Fleuve, il y a de quoi faire rêver...

Toujours est-il qu'au nom de Gargantua, le cheval boulimique redressait la tête brusquement, comme offensé, et continuait à tirer la faucheuse en compagnie de Prince qui était un cheval pataud, plus tranquille parce que paresseux. Parfois le juron habituel des vieux retentissait au loin, et le ronron de la machine s'arrêtait graduellement:

— Blasphème de marde!

La faux venait de mordre dans la terre soulevée par un sif-fleux. C'était le seul nom que nous connaissions pour désigner les marmottes, à cause du sifflement qu'elles émettent pour communiquer entre elles ou pour exprimer la peur quand on les chasse. Si le foin était abondant, il cachait le monticule de terre que la marmotte avait formé, et alors le faucheur n'avait pas le temps d'appuyer sur la pédale pour soulever la faux. C'était fatal pour les couteaux qui pouvaient se casser en coin-çant un caillou. Les marmottes sont des bêtes fort innocentes qui prennent la vie du bon côté, mais elles n'en étaient pas moins une peste à cause de ces trous qu'elles faisaient un peu partout dans les champs, sans compter qu'elles mangeaient une quantité importante de trèfle. Nous étions donc très heu-reux de voir notre chien Wester les attraper, les lancer dans les airs d'un coup de tête, les rattraper, les secouer avec violence pour enfin les étrangler d'un croc impitoyable. Nous les aban-donnions sur un tas de roches, éprouvant une répugnance invincible pour la viande d'une bête aussi nuisible.

Comme nous faisions les foins à la force des bras, nous pouvions faucher un seul champ à la fois. À la fin de l'après-midi, le cliquetis de la faucheuse s'arrêtait. La sueur dégoulinait du ventre des chevaux qui s'ébrouaient en faisant claquer leurs babines, et alors on pouvait dire que le champ de trèfle était «à terre». Au soleil de cinq heures, au moment où les ombres des épinettes couronnant la tête de la montagne commençaient à s'allonger, on repartait vers la maison, non sans avoir laissé traî-ner un long regard sur le champ d'où les odeurs montaient avec une force nouvelle, puisque le soleil ne les écrasait plus au sol. Une sérénité incomparable s'étendait sur la terre, sur les mai-sons du quatrième rang et sur les vallons qui bondissaient der-rière elles. Or, à cette heure où on avait envie de rendre grâce à quelqu'un, montait presque toujours, dans l'air devenu léger, la voix pure d'un petit oiseau dont je n'ai jamais su le nom, mais dont le chant sur deux notes avait été traduit de la façon sui-vante par l'invention populaire:

— Cache ton cul Frédéric, Frédéric.

Il n'était pas question de s'attarder, mais entre deux ordres gueulés aux chevaux, entre deux commentaires sur la quantité ou la qualité du foin, le chant divin de l'oiseau nous avait atteints, même grand-père Jos, qui prenait le temps d'allumer une pipe sous prétexte de laisser reposer les bêtes.

Le lendemain, si le temps était encore beau, on devait mettre le foin en «vailloches», c'est-à-dire en petites meules d'un mètre et demi de haut environ. Mais, pour ce faire, il fallait d'abord râteler, mettre en andains ce que la faucheuse avait étendu sur le sol. J'ai hérité du râtelage vers l'âge de dix ans, prenant la place de mon frère Raymond qui venait d'atteindre un âge auquel il pouvait s'adonner à des tâches plus difficiles. Mais il y avait longtemps que je lorgnais du côté du râteau, ayant déjà essayé de faire descendre mon frère de son siège, m'accrochant à la bride des chevaux, criant, pleurnichant, scène navrante au cours de laquelle je m'étais acharné sans aucune pudeur.

Il faut dire que notre râteau était un instrument plutôt fascinant. D'abord on y attelait une «time» (team) de chevaux. Conduire une paire de chevaux était un travail qui procurait un sentiment de virilité extraordinaire. Pour un adolescent, le fait de «mener» un attelage était le signe indiscutable qu'il avait atteint la maturité, même si la vue de n'importe quelle scène érotique ne pouvait encore faire dresser la tête de son membre viril. Et puis notre râteau était presque automatique. C'est-à-dire que lorsqu'il était plein, on n'avait qu'à appuyer sur une petite pédale qui se trouvait à portée du pied droit, devant le siège, et un mécanisme invisible s'enclenchait dans les roues pour faire lever les dents d'un seul coup. Il y avait de quoi être fier, si l'on songe que les autres cultivateurs râtelaient avec un seul cheval et devaient tirer de toutes leurs forces sur un levier de fer pour décharger leur machine.

Quand j'avais fini de râteler, je me joignais aux autres pour faire des vailloches, ce qui était beaucoup moins amusant parce que plus fatigant. La technique de la mise en vailloches devait être observée avec rigueur si on voulait obtenir des résultats satisfaisants. Au lieu d'enrouler le foin, il fallait le prendre à petites fourchées qu'on empilait les unes sur les autres, les aplatissant le plus possible. De cette façon, on empêchait l'eau de pénétrer et de provoquer la pourriture. S'il faisait beau, à dix heures papa donnait le signal de la collation. Assis tous ensemble le long de la clôture, nous mangions des galettes arrosées de thé froid que nous buvions à même un vieux cruchon, émaillant notre silence de propos inspirés par la réalité la plus tangible.

— Ç'a ben rendu, hein?

— Pas pire pantoute...

— On en a encôre pour deux heures avant d'avoir fini, les ondains sont collés à tous les dix pieds...

— Mais su'l p'tit buton, au nord, c'est clairaud pas mal...

Ou encore, la vue des maisons du quatrième rang, où les terres n'étaient qu'une succession de collines et de vallons montant vers le sud pour aller mourir dans la forêt, provoquait des remarques sur leurs propriétaires:

— Arcade a pas l'air d'avoer encôre commencé ses foins. Y est pas pressé c't'année...

— L'avoène à Ti-Philippe est pas mal belle, l'autre bord du fronteau, là...

Il y avait aussi Émile, qui ne pouvait pas se marier parce qu'il s'était fait «pogner» avec sa blonde la fille à Ti-Paul dans la batterie par la bonne femme... Un scandale!

— Veux-tu un autre galette? Y en reste encôre...

Pas question de nous priver, la bonté commençant par le devoir de nourrir ses enfants, d'autant plus qu'il est impossible de bien travailler avec des tiraillements d'estomac. Ces collations frugales, prises le long de la clôture à laquelle nous demandions un peu d'ombre, étaient des moments de fraternisation virile extraordinaires. Si j'ai encore dans la bouche le goût prononcé de la galette à l'anis ou du pain beurré avalé avec de la tomate en boîte, c'est probablement parce qu'à ces occasions nous mangions entre «hommes», loin de la maison imprégnée de «féminitude». Nous étions réunis dans un but commun, celui du travail à accomplir, et lorsque nos cinq ou six paires de bras se trouvaient rapprochées les unes des autres pour demander des forces au froment, nous goûtions un plaisir étrange à sentir l'odeur de nos corps, la force latente de nos muscles surchauffés, car nous existions pour la cause familiale, une cause dont la grandeur et la noblesse ne pouvaient faire aucun doute...

— Bon, ben on va y aller, j'cré ben...

Chacun reprenait sa fourche qu'il avait plantée dans «le» friche, repartait pour s'attaquer à un andain, et tout naturellement une compétition tacite s'installait entre nous. C'était à qui aurait fini son andain le premier. Non pas parce que des ordres avaient été lancés de haut, mais tout simplement pour prouver qu'on était le meilleur. Nous avions vraiment des âmes de travailleurs! Il était inimaginable que l'un de nous puisse dire: «Les vailloches, moé j'm'en sacre! J'vas aller manger des fraises le long du fossè...»

Nous avions un modèle, le père, qui maniait la fourche avec autant de dextérité que de célérité, et notre conscience nous imposait de l'imiter. La nature fait vraiment bien les choses...

Mais il y avait des jours où l'orage menaçait. Alors il fallait sauter le «lunch». Le temps était lourd, les mouches collantes et le trèfle mou comme de la guenille.

— Des nuages roses dans le su', on va avoer du tonnerre. Vite, ça se peut ben qu'on aye pas le temps de finir avant que ça tombe!

Sous la menace les fourches allaient plus vite, et dans le silence, car ce n'était pas le temps de faire des farces. Nous étions subitement transformés en galériens aux bras d'autant plus vigoureux que le maître de la galère était Dieu lui-même. Le nordet était bouché tandis qu'au sorouet il y avait encore un reste de lumière. Quant au nord, on ne pouvait pas savoir ce qu'il cachait dans son sein, à cause de la montagne qui bloquait la vue. Pas une feuille ne bougeait. On n'entendait que le bruit des fourchons raclant les glanures autour de la meule terminée, mais il fallait en commencer une autre, vite, un coup d'oeil vers l'ouest où des nuages se mettaient à rouler, puis un coup de fourche pour aplatir le foin. Tout à coup, dans la moiteur qui nous imprégnait jusqu'aux os, on entendait le bruit d'une grosse goutte s'écrasant dans l'herbe.

— Ça y est! Blasphème, on va se faire pogner!

Soudain, une bête invisible secouait les arbres du champ voisin qui était encore en boisé. Pendant quelques minutes le vent ne semblait pas savoir quelle direction prendre, car la tête des arbres s'inclinait dans plusieurs sens, feuilles en folie, tandis que les nuages roses du sud s'en allaient à la rencontre des nuages noirs venant du sorouet. Et tout à coup, une lueur vive zébrait le ciel, juste au-dessus de la maison à Philippe Desjardins. On s'attaquait désespérément à une autre vailloche, mais c'était inutile. La pluie se mettait à tomber en cataractes et il fallait courir vers un abri, la petite grange à Moléon. Trempés de sueur autant que de pluie, nous écoutions le fracas du tonnerre pendant que le toit crépitait au-dessus de nos têtes, secrètement heureux de ce divertissement que nous offrait la nature. Comme c'était le ciel qui nous mettait en congé, nous pouvions, sans nous sentir coupables, nous étendre sur une tasserie jusqu'à la fin de l'orage.

Mais la pluie pouvait aussi durer plusieurs jours. Dans ce cas, quand on revenait dans le champ pour défaire les vailloches, les mulots avaient eu le temps de s'y faire des nids et même parfois d'y mettre des petits au monde. Alors Florian se laissait aller à gémir:

— C'est tout moisi, tout pourri... Du foin qui vaut pus rien. Tu parles d'une maudite misére, toé, c't'année... On verra pas le boutte de ça...

Le soleil finissait quand même par sortir de sa cachette et il fallait engranger. Après avoir fané, attendu en regardant le ciel et en répétant toutes les cinq minutes: «Ça chesse pas; y a une heure c'était encôre en lavette», Florian en venait malgré tout à donner le signal. On allait charger. Pour les jeunes, c'était un mauvais moment à passer. Il nous revenait, en effet, de faire les tas que les plus vieux transportaient dans le «rack» où mon père foulait. Il y avait là quelque chose de servile qui ne manquait pas de nous échapper. Mais comme nous étions au monde pour servir à quelque chose, on se dépêchait de nous enseigner la technique du tas, toute différente de celle de la vailloche. Au lieu d'empiler le foin, il fallait l'enrouler sur lui-même pour qu'il tienne bien, ne pas fabriquer un amoncellement trop gros ni trop petit, plus aplati que rond. Surtout, il ne fallait pas lambiner parce que les deux chargeurs, placés de chaque côté de la charrette, pouvaient se présenter aux pieds de mon père à un rythme infernal, Florian était toujours prêt à les recevoir. D'un coup de fourche circulaire bien appliqué, il plaçait les fourchées de foin à la bonne place du premier coup en les chaînant, c'est-à-dire en les imbriquant les unes aux autres, de sorte que le chargement pouvait déborder du «rack» sans tomber par terre. Ainsi, sur une charrette d'un mètre et demi de large, on pouvait empiler des chargements de trois mètres quand le foin était long et que le chiendent était rare. Le chiendent, longue tige sèche, dure comme de la «broche à clôture», était l'épine au pied du fouleur parce qu'il glissait entre les fourchons. Si en plus le vent se mettait de la partie, Florian se lamentait comme si toute la misère du monde s'était abattue sur lui.

— Gârde-moé ça, blasphème, ça va prendre toute la journée pour charger not'voyage!

Mais grâce au criblage de la graine de foin, il obtenait en général du beau trèfle, même au pied de la montagne.

— Grouillez-vous, les jeunes, faut qu'on fasse deux voyages après-midi...

Cette apostrophe nous arrivait parfois au moment où grand-père faisait des tas avec nous, les jeunes. Mais, selon son habitude, le vieux travaillait en silence, le dos voûté, ne semblant rien entendre des propos échangés, joyeux ou plaintifs selon que le travail allait bien ou mal. La seule chose qui pouvait lui faire lever la tête, c'était un changement subit dans la direction des vents. Alors il scrutait le firmament pendant quelques secondes et retournait à son boulot, ayant sa petite idée sur ce qui allait tomber du ciel dans les vingt-quatre heures.

Puis venait le moment où Florian était juché sur un chargement de plus de trois mètres de haut par trois de large, débordant sur l'arrière pour lui donner une longueur de six mètres.

— T'en as assez, là, disait grand-père qui avait peur des excès, lui qui avait fait son temps avec la charrette à un cheval.

— On est encôre bons pour deux trois fourchetées. Envoye!

— Tu vas arracher les panneaux du fanil, ajoutait le vieux en se détournant, mais sur un ton qui signifiait: «Fais donc à ta tête».

Nous assistions à ce «conflit des générations» avec amusement, car rien ne nous rendait plus fiers que de quitter les champs avec des «voyages» plus gros que ceux des voisins, étant assurés que Florian était le meilleur fouleur de la paroisse avec Alcide Fournier et le père Ti-Quenne Banville. Il étendait les derniers tas au centre du chargement pour chaîner le tout, puis il disait avec un sourire de satisfaction:

— Bon, ça va fére de même. Emmène la parche.

La «parche» était une perche de sept mètres de long, faite d'une épinette écorcée, au gros bout de laquelle on avait pratiqué une entaille qui la retenait sous le dernier barreau de la ridelle de l'avant. On la rabattait sur le centre puis on l'attachait à l'arrière en l'entourant d'une corde ancrée à la ridelle postérieure, afin que le foin ne s'envole pas en cours de route. Quand les deux voyages étaient chargés, les attelages s'ébranlaient dans une atmosphère de satisfaction générale.

Il fallait d'abord monter la montagne. Mon père partait toujours en tête, comme si cette priorité lui revenait de droit, étant le maître des opérations. Je suivais derrière, à pied, pour mettre une roche sous la roue au moment où les chevaux allaient reprendre leur souffle. En regardant les bandages d'acier réduire en poussière le tuf rouge du chemin, j'essayais d'imaginer le poids de la charge, mais je n'y parvenais pas. Des milliers de livres, mais encore? En tout cas c'était «pesant en maudit», ce qui donnait une bonne raison d'être fier. On montait la montagne en décrivant un grand S étalé sur deux arpents, ascension qui prenait une bonne quinzaine de minutes en calculant les arrêts. Mon père ne se servait jamais du fouet, mais de l'arrière je l'entendais crier, au milieu du dernier raidillon qui nous amenait à la «ligne» du père Bilodeau:

— Smatte! Prince! C'est pas l'temps de dormir, mes blasphèmes!

Alors je savais que les chevaux s'écrasaient sur leurs pattes, le cou recourbé, plantant leurs crampons dans le tuf, dérapant, soufflant par saccades pour empêcher leurs muscles de prendre du mou, renâclant, laissant parfois échapper un pet sonore qui me faisait rire. Quand ce raidillon était monté, je pouvais rejoindre mon père sur le chargement pour le reste du parcours. Alors il disait, content de son exploit:

— On a un maudit beau voyage! Ç'a été hâle quiens bon là pour monter.

Assis dans le foin grésillant, plein d'insectes qui sautaient ou d'araignées qui ne savaient plus où aller, nous avancions lentement, rêvant à des plaisirs inaccessibles tout en regardant au passage les champs où l'avoine commençait à faire ses épis. Sur le dessus du rocher qui couronnait le haut de la montagne, une brise venue du sorouet nous atteignait en pleine figure, séchait nos fronts, emplissait nos narines d'odeurs emmêlées, car à cette époque de l'année toutes les fleurs sauvages étaient éclatées. On traversait le «deuxième fond», ou la «saison des terres fortes», puis on montait le coteau d'épinettes. Alors, du haut de notre chargement, nous pouvions voir le fleuve dans toute sa splendeur, le grand large teinté de bleu, des espaces infinis que je ne parvenais pas à mesurer ni à nommer. C'était l'inconnu, l'immensité de l'eau et des terres inhabitées, quelque chose qui avait toutes les apparences d'un mystère insondable mais qui, chaque fois que je le voyais, se présentait à mes yeux comme un appel à peine perceptible. Était-il possible qu'un jour j'aie la possibilité de savoir ce qu'il y avait dans cet ailleurs qui ne pouvait contenir que des merveilles, puisqu'il était si loin de nos champs?

On traversait le «fond de su'a côte» puis on arrivait sur la hauteur qui domine la grange, la maison et le hangar. Alors la vue était superbe! Par temps clair on pouvait voir la Côte Nord avec ses toits de tôle qui réfléchissaient le soleil, transperçant le ciel de rayons aigus, véritables épées de feu qui donnaient au paysage une touche de divinité, comme pour en rehausser la grandeur. Ce paysage grandiose était notre récompense. Mais il n'était pas question de s'attarder à la rêverie. Mon père arrêtait les chevaux en disant:

— Va sortir le brake.

Il était impossible de descendre la côte sans freiner. Nos charrettes étaient donc munies d'un système de freinage rudimentaire mais néanmoins ingénieux. Devant les roues arrière, un madrier de bois franc traversait la voiture de part en part, posé à plat. À chacune de ses extrémités, en face des roues, un morceau de bois qu'on appelait le «sabot» était fixé à la verticale. Sur ce morceau de bois, on avait cloué une langue de caoutchouc. Le madrier était relié à une tige d'acier recourbée en deux endroits, montant sur le côté, formant un levier qui se terminait par un gros oeil. Quand on ramenait ce levier vers l'avant, le madrier coulissait entre deux plaques de métal et venait placer les langues de caoutchouc contre les bandages de la roue. Quand on charriait du foin ou du grain, un petit câble était attaché au gros oeil du levier, longeait le cadre du «rack» au bout duquel une poulie permettait de le faire monter le long de la ridelle avant, en haut de laquelle il passait par une autre poulie. Ainsi, le conducteur pouvait actionner le système de freinage du haut de son chargement. Mais comme le foin débordait sur les côtés, il fallait d'abord dégager le levier de fer qui était coincé. J'arrachais quelques poignées de trèfle, donnais des secousses plus ou moins vaines pendant que mon père tirait sur le câble. Quand les deux sabots étaient bien écrasés contre les roues, Florian attachait son câble au montant de la ridelle et l'attelage s'engageait dans la descente, la charge poussant dans le cul des chevaux qui s'arc-boutaient, les fesses écrasées par les aculoires, faisant de longues égratignures dans le gravier avec leurs crampons, ouvrant la gueule et montrant leurs longues dents jaunes parce que le conducteur tirait sur les «cordeaux» en criant:

— Arrié! Beck up!

Il fallait une maîtrise formidable de l'attelage pour prendre les deux courbes sans verser et l'amener au dernier raidillon où, les rênes étant légèrement relâchées, les chevaux se mettaient au petit trot pour arriver devant la grange dans un joyeux déplacement de poussière, jetant de l'écume à pleines babines, dégoulinant de sueur. Celui qui tenait les cordeaux avait l'impression de rentrer dans Rome, soldat vainqueur acclamé par une foule imaginaire. Sans s'arrêter, l'attelage faisait un petit virage à droite puis obliquait tout de suite à gauche pour attaquer le pont du fenil. Le bruit des sabots s'agrippant aux madriers de cèdre sonnait à mes oreilles comme une explosion de violence heureuse, comme le couronnement d'une lutte dont l'issue devait être une belle victoire sur la pesanteur. Mon père devait se baisser rapidement s'il ne voulait pas se faire étêter par le toit de la grange, puis se redresser aussitôt qu'il se trouvait à l'intérieur afin de régler le pas des bêtes sur le plancher de bois, car si le devant du chargement s'engouffrait facilement, il en allait autrement de l'arrière qui allait en s'élargissant, faisait plier les panneaux qui parfois en arrachaient une partie. Mais pour bien réussir cette intromission gigantesque dans une ouverture toujours trop petite, il fallait jouer des rênes avec un art consommé pour empêcher les chevaux de déraper sur le plancher, dans lequel les crampons avaient peu de prise. Soudain un grand cri mettait fin aux secousses de la grange et au vacarme:

— Whoooo!

En face, il y avait un mur. Tout en piétinant pendant quelques secondes, énervés par l'effort et surtout par le fait de se trouver enfermés, les chevaux s'ébrouaient, ruisselants. On les dételait aussitôt pour les faire sortir au grand air. Sur le fenil, mon père déchargeait le voyage à la petite fourche pendant que tous les autres travailleurs de la famille foulaient dans la tasserie. C'était un travail de forçat qui le mettait en nage, surtout quand il devait lever ses fourchées à bout de bras parce que la tasserie était presque pleine.

— On va pourtant finir pas se greyer d'une fourche à foin, blasphème!

Pour nous les enfants, l'acquisition d'une «fourche à foin» était d'autant plus nécessaire que notre voisin Timoléon en possédait une. Cet argument avait plus de poids à lui seul que le temps perdu et l'énergie dépensée. Après en avoir parlé pendant des années, Florian s'est enfin décidé. Il a fabriqué un rail en bois, disant que le rail en fer, comme celui que possédait notre voisin, se tordait sous le poids des fourchées. Ce qui était vrai, mais le rail en bois ne coûtait que du temps et deux petites lames d'acier qu'il allait lui visser sur le dos pour faire rouler le chariot. Il était aussi une expression vivante de ce que ses mains pouvaient fabriquer. Nous avons monté ce rail dans le faîte de la grange à la fin de juin avec l'aide de notre deuxième voisin Georges-Émile, après avoir planté les patates. Pour ce faire, il a d'abord fallu couper les entraits pour les remplacer par des poutres de soutènement, afin d'empêcher l'effondrement du toit. C'est ainsi qu'au début des années quarante, le modernisme fit son premier pas sur la ferme. Quand le temps des foins est arrivé cette année-là, il y eut une joyeuse excitation dans l'air. Décharger nos voyages devint un exercice par lequel notre besoin de puissance s'exprimait avec frénésie. Celui qui plantait la fourche le faisait avec une espèce de violence libératrice, enfonçant les deux énormes dents d'acier au maximum, comme s'il avait voulu atteindre le fond du «rack» du premier coup. Cela fait, il bloquait le mécanisme en relevant une manette puis il lançait un grand cri victorieux:

— Envoye!

Dehors à l'autre bout de la grange, le plus jeune d'entre nous faisait partir les chevaux attelés au câble. Les murs de la bâtisse vibraient, la poulie grinçait, et on avait l'impression que tout allait s'arracher. Mais non! Le chariot finissait par s'enclencher sur le rail et la lourde charge se mettait à rouler vers la tasserie. Là cependant, le travail était plus épuisant que dans l'ancien temps. En tombant, le foin s'écrasait en une masse compacte qu'il fallait défaire à la petite fourche pour l'étendre avant de fouler, pendant que la sueur nous coulait dans le dos. Mais vite, la prochaine fourchée s'en venait, on devait se dépêcher parce que la pluie n'était pas loin.

— Faudrait ben fére un autre voyage avant de tirer les vaches...

Florian restait à la maison pour la traite pendant que nous repartions vers le pied de la montagne pour aller chercher un dernier voyage avant la tombée du serin. Quand le champ était vide, il fallait encore râteler les «glennes», c'est-à-dire les glanures, ce qui donnait seulement deux petits andains à chaque bout de la longue pièce, mais il n'était pas question d'abandonner ces quelques bouchées à la pourriture. La propreté de même qu'un sens aigu de l'économie exigeaient que le champ fût laissé comme un sou neuf.

Le soir, quand on arrivait sur le haut de la côte, le soleil rouge se préparait à plonger dans le fleuve. Dans sa chute lente, comme s'il avait voulu se faire pardonner de nous avoir écrasés durant le jour, il donnait au paysage une sérénité qui s'alliait parfaitement à sa grandeur, allongeant les ombres, caressant la pointe des trois clochers que nous pouvions voir, enveloppant l'île Saint-Barnabé d'une longue main veloutée, glissant sur l'eau calme qui, à cette heure d'abandon, se présentait à nous comme une mère dans laquelle nous avions envie de nous réfugier.

Le repas avalé, nous allions nous asseoir sur la galerie pour écouter le jour mourir dans son grésillement d'insectes. Le phare de Pointe-au-Père trouait la nuit de ses trois clignotements, s'arrêtait pendant la même période de temps, environ

65

cinq secondes, puis recommençait. La terre respirait la paix, une paix qui venait de la mer en face de nous, des arbres, de l'herbe maintenant imbibée de rosée. Soudain, un peu sur la droite, dans le prolongement de la ligne formée par les maisons du village, on voyait trembler une faible lueur. Alors grand-père disait:

— Quiens, le pére Gâspard est en train d'allumer sa pipe.

Le vieux Gaspard était sur sa galerie, lui aussi, prenant le frais, regardant vers le sud alors que nous regardions vers le nord. Face à face, invisibles les uns aux autres, nous pouvions quand même nous renvoyer notre image. Assis, nous voulions asseoir le temps, l'empêcher de couler, le garder avec nous encore un peu parce que la nuit était douce, tiède comme une eau dans laquelle on voudrait s'enfoncer jusqu'à la racine des cheveux. Venait un moment où le plein de quiétude était fait et nous allions nous coucher, heureux de la bonne fatigue qui nous engourdissait les membres, respirant les odeurs de foin dont la campagne était pleine.

À part les dimanches et la pluie, il n'y avait que la quête de la Sainte Enfance pour nous arrêter de travailler aux foins. Au jour désigné par le curé, même s'il faisait un soleil radieux, ce qui était presque toujours le cas parce que Dieu avait besoin de sacrifices, même s'il y avait dix tonnes de beau foin sec qui nous attendaient, il fallait nous laver, mettre nos habits du dimanche et attendre la venue du pasteur. Mal à l'aise dans nos chemises blanches au beau milieu de la semaine, nous faisions les cent pas sur la galerie en guettant le passage de la «machine».

— Ça sera pas ben long, j'pense qu'y est rendu su' Georges-Émile…

Florian soufflait, sortait sa montre de temps en temps, mais recevoir le pasteur était un devoir aussi sacré que d'aller à la grand-messe du dimanche. Enfin, la voiture bleue arrivait au pied de la côte, rutilante, avec le bedeau au volant. Monsieur le Curé en descendait dans un soyeux bruissement de soutane, on l'escortait à la galerie et on le suivait au salon où il prenait place dans la grosse chaise berceuse. Il fallait d'abord parler des enfants. «Encore un beau bébé c't'année… Ça continue! J'vous félicite. Une belle famille. Et pis ça grandit…» «Ah! Oui, ça grandit, monsieur le Curé! Ça grandit, mais ça les empêche pas

66

de mener le yâbe...» «Le bon Dieu vous rendra ça... Continuez, c'est ce qu'y a de plus beau, la famille...»

Monsieur le curé Plourde avait tous les signes en rondeur de la bonté plus une dent jaune qui bougeait et produisait un son particulier quand il marmonnait ses prières. Comme il ne voulait pas nous retarder trop longtemps, il passait vite au but principale de sa visite: la quête. Papa avait distribué des «cinq cennes» à toute la famille et chacun de nous donnait le sien au curé avec fierté, sans trop de regret parce qu'il le devait à Dieu. Le père donnait un dollar, après quoi tout le monde s'agenouillait. Le pécule empoché, nous avions droit à la bénédiction. Les mots latins nous pénétraient comme un baume... Le grand signe de croix à peine terminé, les mains du bonhomme atterrissaient sur sa bedaine pendant qu'il disait:

— Bonjour, merci de vot'bonté, bon courage, continuez...

Les bonnes paroles s'étendaient sur toute la longueur de la galerie, entrecoupées de «Farme la porte, les mouches vont rentrer.»

— À la revoyure, monsieur le Curé...

Sous les sourires de circonstance, il remontait dans la voiture dont le bedeau ouvrait la portière; on admirait la machine propre, et quand le représentant de Dieu était au pied de la côte: «Vite, les garçons, changez de culottes! Faut pas traîner si on veut fére un voyage avant de tirer les vaches.»

Dieu avait eu sa part, il était grand temps de penser à nous.

Quand nous avions fini la «saison des terres noères» où le foin était toujours plus abondant, où le bas des tiges était plus humide à cause de l'humus, l'été était déjà avancé, mais le temps des foins n'était pas fini pour autant. Il fallait nous transporter à Sainte-Luce où une vingtaine d'autres arpents nous attendaient. Nos travaux prenaient une allure nouvelle, probablement parce que tout changement à notre routine était considéré comme une fête.

À Sainte-Luce, nous avions une petite maison et une petite grange le long du chemin, au pied de la côte. Car il y a toujours une côte à monter au commencement des terres du Bas-du-Fleuve... La maison était toute d'une pièce avec une fenêtre à chaque mur. Elle était juste assez grande pour contenir deux lits, un poêle qui trônait au centre et une table à quatre places sous la fenêtre du sorouet. Il y avait une armoire accrochée au mur du nord, et sous la fenêtre du même mur on déposait le coffre en bois dans lequel on mettait le gros de nos provisions. Le point majeur des foins à Sainte-Luce était que nous y passions la semaine, Florian étant le seul à retourner à la maison pour la traite des vaches. Le matin, il revenait avec des tartes, du lard et du pain pour les exilés...

Nous y passions à peu près trois semaines, toujours selon les caprices du temps et l'abondance de la récolte, nous organisant une petite vie entre mâles, dont le principal divertissement était de faire la «cookrie» (cuisine). On m'appelait le «showboy» car c'était moi qui devais allumer le poêle, peler les patates, faire le thé, etc. La théière en granit bleu était sur le poêle depuis dix ans au moins, de même que la grosse bombe en fonte. Je faisais le thé selon une recette éprouvée par des années de pratique. Le lundi matin, je mettais une pincée de feuilles dans la théière, je remplissais d'eau froide et je portais à ébullition. À ce moment-là, une tasse d'eau froide ramenait la boisson à une température convenable. Chaque matin, j'ajoutais une grosse pincée de feuilles à celles de la veille, remplissais d'eau, reportais à ébullition, comme ça tous les jours jusqu'au samedi. Vers le milieu de la semaine, personne d'autre que nous ne pouvait boire de ce thé sans grincer des dents, mais c'était délicieux.

On allait puiser l'eau à une petite fontaine creusée dans le flanc de la côte, chez notre voisin d'en face, à une centaine de mètres de la maison. Une eau froide, pure, qui me semblait meilleure que toutes les autres et qu'il fallait charrier aux chevaux après le souper, ce qui était une distraction une fois la journée de travail terminée. On allait ensuite regarder le soir tomber chez mon oncle Jean-Baptiste, notre voisin du sorouet. Quand le soleil avait disparu, laissant dans le ciel une longue traînée rouge annonciatrice de chaleur pour le lendemain, nous regagnions nos lits de planches dans lesquels nous attendait une bonne paillasse, toute crissante. Étendu sur le dos, je n'entendais que le souffle court de grand-père, la respiration plus lente de mes deux frères et parfois, au loin, le meuglement d'une vache dont le veau avait été sevré. La nuit était noire, fraîche, imprégnée d'une telle innocence qu'il m'était impossible d'imaginer que le mal pût exister quelque part.

Le dimanche en été

La grand-messe était obligatoire. Pour y aller, il fallait faire une toilette en profondeur et mettre « sa belle habit». Nous y allions à pied, nous les garçons, tandis que papa attelait un cheval au boghei pour emmener les femmes. Sur le perron de l'église, les cultivateurs bavardaient en attendant que le bedeau sonne le dernier «coup», étranglés par leur col de chemise empesé, les pieds endoloris par ces souliers noirs dont les semelles craquaient à chacun de leurs pas, signe qu'ils étaient de bonne qualité.

Nous avions deux bancs à la mezzanine, de sorte que je pouvais voir le jubé et l'orgue où les chantres, fiers de leurs voix gutturales, munis de poumons que seul le pollen avait pollué durant la semaine, gueulaient magnifiquement le *Kyrie*, le *Gloria*, le *Credo* et tout le reste, heureux de chanter en latin, donnant à ces fragiles mélodies grégoriennes une vigueur dont elles auraient pu se passer. Mais le charme n'en était pas moins là, assaisonné de l'odeur d'encens et de cierge, rendu plus opérant encore par les chasubles ornées de dorures, les étoles rutilantes, les aubes, de même que par les gestes hiératiques de l'officiant qui écartait les bras pour dire à la foule:

— *Orate Fratres…*

Une bienheureuse torpeur envahissait les quinze cents paroissiens qui se laissaient emporter sur les ailes d'une rêverie ouatée, quelque chose qui les libérait momentanément de

71

l'obligation de travailler, ce qui était merveilleux car cela se confondait dans leur esprit avec la preuve que la divinité les protégeait tout en les ayant à l'oeil. Après l'Évangile, il y avait comme un temps de récréation quand le curé montait en chaire. Il commençait par le prône, c'est-à-dire une espèce de bulletin de nouvelles puisque c'est à ce moment-là qu'on était mis au courant des mariages à venir. Mais la publication des bans se terminait toujours par une phrase que je trouvais bizarre, d'autant plus que le prêtre l'articulait plus ou moins bien, obligé qu'il était de la répéter à chaque occasion: «Si quelqu'un connaissait quelque empêchement à ce mariage, il est prié de nous en avertir immédiatement.» Je n'arrivais pas à concevoir qu'un quidam pût se mettre le nez dans les affaires des autres, les affaires les plus intimes car se marier, cela voulait dire que telle ou telle fille allait se retrouver au lit avec son époux le soir du mariage. Comment une tierce personne pouvait-elle avoir la cruauté d'empêcher une chose pareille?

Évidemment, l'interdit qui pesait sur les relations sexuelles avant le mariage nous les rendait si merveilleuses, si piquantes, si alléchantes, si mauditement extraordinaires, c'est-à-dire cochonnes, que si la pauvre fille dont on publiait les bans se trouvait dans l'église à ce moment-là, la moitié de l'assistance se tournait vers elle pour détailler ses charmes physiques. Les vieux se disaient: «Un beau brin de fille…» Les moins vieux: «Un beau morceau…» Les jeunes: «Une christ de belle botte…» Et l'église se remplissait de sourires égrillards échangés en coin. Impassible, le curé mettait fin à ce moment de détente en lisant l'évangile du jour en français, puis il faisait son sermon en expliquant le passage qu'il avait lu. C'est ainsi que chaque année j'entendais des paraboles qui revenaient aux mêmes dimanches, comme par exemple le chameau dans le chas de l'aiguille. Une phrase, entre autres, m'a trotté dans la tête pendant des années sans que je sache exactement ce qu'elle signifiait: «Si le sel de la terre perd sa saveur, avec quoi le salera-t-on?» Décidément, les propos tarabiscotés du Christ me prenaient au dépourvu ou me laissaient pantois. Du sel c'était du sel et c'était forcément salé. Il était inutile de saler du sel tout autant que de sucrer du sucre… Mais le Christ se promenait avec ses disciples et il faisait des miracles, marchant sur les eaux, multipliant les petits pains, ce qui était la preuve qu'il était vraiment Dieu. Or, il faisait tout cela sans rire, jamais, jamais, ce qui était un avertissement: on ne devait pas trop s'amuser si on voulait aller au ciel.

Car il y avait l'enfer! Pour le désigner, le prêtre employait souvent un mot terrible: la géhenne éternelle... Cela sonnait à mes oreilles comme une menace épouvantable, allumait mon imagination. Je voyais des corps nus se tordre de douleur dans les flammes ou encore, ce qui était peut-être pire, dans du purin de cochon ou de la merde de vache. Des rochers énormes roulaient sur des hommes, leur broyant les côtes, les jambes, le bassin et les testicules. Dans ce lieu de tortures, il y avait aussi des corps de femmes, bien entendu, dont les seins généreux étaient mordus par des diables aux dents pointues, dont les vagins éclataient sous la poussée d'épieux que des monstres enfonçaient dans leurs ventres en ricanant. Une belle fête infernale! C'est ainsi que dès l'âge où mon corps, évoluant sous l'égide d'une conscience préfabriquée, s'ouvrait lentement au monde merveilleux de la sensualité, les notions de mort, de divinité et de sexe se trouvèrent emmêlées les unes aux autres de façon toute naturelle. Plus tard, quand j'eus l'occasion de chanter, sur la musique lumineuse de *Palestrina: «Aghios O Theos, Aghios O Thanatos...»*, je sentis d'étranges vibrations au fond de moi. Je devins un mystère à mes propres yeux, une espèce de caverne au fond de laquelle se cachaient des forces dont l'ampleur me parut insoupçonnable.

Le curé parlait pendant une éternité même si la chaleur était accablante. Quand il prononçait la phrase classique: «...le paradis à la fin de vos jours, c'est la grâce que je vous souhaite de tout mon coeur», on avait l'impression que Dieu lui-même nous délivrait de son emprise. Il y avait des bruits de chapelets contre les dossiers des bancs, des tintements de clochettes, le craquement de la grande hostie que l'officiant broyait, et finalement le prêtre se tournait vers l'assistance pour chanter: *«Ite missa est.»* On assistait alors à un joyeux mouvement de foule vers l'arrière de l'église pendant que le bedeau ouvrait les portes. Une brise fraîche entrait dans la nef et l'orgue se mettait à gronder quelque chose de martial pour accompagner notre sortie.

La personne qui touchait l'orgue était une belle grande fille aux cheveux relevés en chignon, et quand j'arrivais à la hauteur du jubé, tous les frissons provoqués par les visions de la fameuse géhenne me secouaient de nouveau, pour la simple raison que cette femme, portant des souliers vernis et des bas de soie qui moulaient ses mollets à la perfection, devait ouvrir ses longues jambes pour atteindre les pédales qui produisaient justement ces notes graves sous l'effet desquelles les murs tremblaient. Il y avait, dans la vue de ces jambes qui couraient de droite à gauche sur le pédalier, dans cette couleur de chair rehaussée par la qualité du vêtement, quelque chose qui me troublait au plus haut point: cette femme, la plus pure et la plus belle que j'aie jamais vue, pouvait se permettre impunément des gestes obscènes, me lancer des appels vers le centre de son corps, un lieu mystérieux où j'aurais pu sombrer en acceptant le châtiment éternel. Mais il fallait suivre la famille mêlée à la foule, et chaque dimanche cette délicieuse torture recommençait, me laissant désemparé devant une absurdité: comment une chose pouvait-elle être si attirante en même temps que défendue? Un jour, j'irais certainement en enfer...

Sur le perron de l'église, les hommes allumaient leurs pipes et parlaient pendant quelques minutes du foin engrangé, de la pluie, du temps sec, du garçon à Ti-Mile qui allait se marier, puis ils disparaissaient lentement, remontant dans leurs bogheis. Le marchand général, Edmond Saint-Laurent, n'avait pas le droit d'ouvrir ses portes le dimanche parce que l'Église l'interdisait, mais pour accommoder les gens du cinquième rang qui devaient faire une dizaine de kilomètres pour venir au village, il avait une permission spéciale. Au bout d'une petite demi-heure, le village sombrait dans un assoupissement de cimetière. On avait l'impression que le monde entier s'était endormi, parce que pour nous, il n'y avait rien d'autre sur la terre que Saint-Anaclet...

À la maison, on s'asseyait tous à table pour le repas, qui durait à peine une vingtaine de minutes. À midi et demi, le dimanche commençait à s'éterniser, lourd, écrasé le soleil, plein de vols d'insectes. Nous passions un moment sur la galerie à écouter cette espèce de bourdonnement infime, ce léger grésillement provoqué par la chaleur qui desséchait l'herbe et affolait les guêpes, espérant qu'une machine arriverait par le chemin. Car il nous venait parfois des visiteurs. Mon oncle Wilfrid, par exemple, qui habitait Saint-Valérien et qui possédait une automobile, emmenait sa famille en promenade le dimanche après-midi. Quelle joie que de voir arriver sa machine au pied de la côte, dans un tourbillon de poussière grise! Elle était pleine de nos cousins et cousines, avec lesquels on pouvait échanger des connaissances pratiques sur «les choses de la vie». Forgeron de son état, l'oncle Wilfrid ne possédait pas d'animaux. Alors on faisait voir nos merveilles aux cousins: les poules, les chevaux, et le gros verrat qui avait une grosse «poche» rougie par le soleil, ce qui était un tantinet excitant. Dans l'étable il y avait le «gros beu», attaché dans la stalle du fond. On s'approchait de lui avec une crainte qui n'avait rien à voir avec le «commencement de la sagesse», et quand l'animal se retournait en laissant échapper son souffle formidable, les cousines détachaient leurs yeux des énormes gonades qui pendaient entre ses cuisses pour détaler en mettant les pieds dans quelque bouse de vache oubliée sur le pavé. Comme l'oncle Wilfrid ne voyageait pas par temps de pluie, ces visites du dimanche sont toutes restées dans ma mémoire comme des moments où, écrasés de chaleur, nous courions sous le soleil, probablement pour dépenser une énergie qui parvenait à peine à masquer notre timidité.

Mais il y avait aussi les dimanches où personne ne venait, forcément plus nombreux que les autres étant donné que les machines étaient rares dans la parenté. Alors, après avoir passé une petite heure sur la galerie avec les vieux, il fallait trouver autre chose pour tuer ce temps qui nous pesait. On jouait au «pedleur». Les «pedleurs» étaient ces vendeurs qui faisaient du porte à porte dans les campagnes, soit pour vendre des produits pharmaceutiques, tel ce fameux liniment Randle, soit pour vendre de la lingerie, comme ce Syrien dont l'accent nous faisait rire: «Des zippeûrs, là, madame, des beaux zippeûrs...» Mais c'était le «pedleur» de poissons qui nous était le plus sympathique. Le printemps, il venait à deux ou trois reprises avec un tas de harengs ou de morues en vrac dans sa camionnette, et c'était une fête. On allait manger du poisson frais! D'ailleurs, le mot poisson était synonyme de hareng. Il y avait la morue et le poisson… Dans la mer, il y avait bien des requins et des baleines, mais comment se promener avec des «bibites» pareilles dans la boîte d'une camionnette!

Alors, par mimétisme nous jouions au marchand ambulant en utilisant la petite «wonguine» en guise de camionnette. La «petite wonguine» était une charrette miniature à quatre roues, peinte en rouge et très solide, à laquelle on attelait le chien pour aller au village quand il n'y avait pas un cheval de disponible. Deux ou trois enfants étaient disposés à des endroits différents, l'un devant la grange, l'autre au coin du hangar, un troisième derrière la maison, tenant en main une poignée de petits cailloux. Le plus âgé du groupe, agissant en maître, avait le grand privilège d'être le «chauffeur-pedleur». Il s'assoyait sur le devant de la charrette, relevait les «ménoéres» (limons) en les plaçant sur les arches de ses pieds, ce qui lui permettait de diriger la voiture à son gré. Derrière lui se trouvait un tas de cailloux qui représentait le chargement de poissons. Après des discussions acerbes, ce qui avait l'avantage de tuer une bonne partie du temps, on arrivait à la désignation du moteur, celui qui allait pousser la charrette. Alors on entreprenait la tournée des clients:

— Bonjour, madame. Voulez-vous du bon poisson frais pêché d'à matin? Toute du beau poisson, regardez-moi ça…

— Comment vous le vendez?

— Pas cher! Pas cher! Vingt-cinq cennes la douzaine…

— Ouais, y a pas l'air ben frais, mais j'vas en prendre une douzaine pareil.

Douze petits cailloux sortaient de la voiture en échange d'un autre caillou valant vingt-cinq cents au taux de la banque à charte du Bas-du-Fleuve, et le pedleur repartait, en faisant «vroum vroum», vers une autre madame qui habitait le cinquième rang, soit le devant de la grange. À cinq heures, la paroisse était inondée de nos poissons irréels.

— Les flows, c'est le temps d'aller charcher les vaches.

L'après-midi était fini. Puisqu'il n'y avait rien d'autre à faire, nous partions à deux vers le pied de la montagne où les vaches étaient au pâturage. Nous montions la côte en suivant le petit sentier qu'elles avaient tracé elles-mêmes, évitant les bouses à demi séchées, heureux de voir apparaître soudain le coteau d'épinettes baigné de soleil rougeoyant, paisible, habité seulement par les corneilles. Je ne sais pas comment la nature s'y prenait, mais le seul fait de marcher dans cet air pur, dans ces odeurs de foin mûrissant, le long d'un champ où le blé commençait à faire son épi, nous remplissait le coeur d'un contentement que je n'ai jamais retrouvé depuis. Il n'y avait rien d'autre à désirer à ce moment-là, comme si notre petit monde, que notre travail rendait presque autosuffisant, avait pu tourner éternellement de la sorte, privé de son principe de croissance.

Au temps des fraises, il m'arrivait de dépenser mon dimanche après-midi en allant cueillir ces petits fruits sur le coteau, me contentant d'une tasse à peu près pleine. Écrasées dans du sucre, je les mangeais comme dessert avec une tartine de beurre. Ou encore, quand je fus plus grand, je marchais jusqu'à Sainte-Luce à travers champs pour aller pêcher deux ou trois truites dans le ruisseau, ce qui me faisait une balade d'une dizaine de kilomètres, histoire de me dégourdir les jambes avant de retourner au travail le lendemain matin.

Il y avait parfois un voyage que l'on faisait en famille, entassés dans l'«expresse»: on allait au lac Blanc, petit étang situé sur notre lot à bois et qui exerçait sur moi une attraction étrange, probablement parce qu'il agissait comme un ersatz de mer. Après avoir cueilli des framboises dans les vieux «bûchés», on avait le droit de faire un tour de chaloupe, ce qui était extrêmement dangereux puisque personne ne savait nager. D'autant plus que la chaloupe ne nous appartenait pas! Elle était la propriété d'un homme du village à qui grand-père Jos avait cédé le lac pour un droit de passage sur sa propriété. Papier «crochu» que le vieux avait signé sans trop savoir ce qu'il faisait, mais nous considérions le lac comme notre propriété, puisque ce papier passait pour illégal… Les «faux» propriétaires avaient donc apporté une chaloupe au lac, mais ils n'y allaient presque jamais. Nous nous en servions de temps en temps, la conscience plus ou moins en paix, obéissant à un obscur principe relevant du droit des gens.

C'est sur ce lac que nous avons pu assister à un spectacle peu commun, au cours de l'un de ces voyages où les maringouins avaient l'habitude de nous distraire plus que tout le reste. L'oncle Albert était de la partie et il savait nager, lui, puisqu'il était allé en Afrique! Après une longue hésitation, il enleva ses vêtements derrière un buisson, gardant quand même sa longue combinaison Pennman parce qu'il n'avait pas de maillot de bain, monta dans la chaloupe et se fit conduire au milieu du lac. Là, il prit un long moment de réflexion comme s'il allait jouer à la roulette russe, se signa puis s'élança hors bord, tête première dans l'eau noire, sans fond. Il disparut! À ma grande surprise il refit surface, boulangeant l'eau à pleins bras, produisant un giclement de paillettes argentées qui valait bien un feu d'artifice, car nous n'avions jamais vu un homme nager... Une merveille!

Pour tuer les dimanches après-midi, il y avait enfin la «crème à glace». Georges-Émile, notre deuxième voisin, était l'heureux propriétaire d'un «frizeur» *(freezer)*, c'est-à-dire une cuvette de bois dans laquelle on pouvait faire tourner un récipient métallique dans la glace. Quand les parents de nos deux familles étaient d'accord, nous avions le droit d'ouvrir la fontaine qui se trouvait derrière la grange, dans laquelle on avait plongé la «canisse à lait» contenant la traite du dimanche matin. Au frais, le lait s'était décanté, de sorte qu'on pouvait ramasser la belle crème onctueuse avec la cuiller à pot. Portant cette richesse dans un cruchon, nous partions à cinq ou six sous le soleil pour nous rendre chez nos amis. Étant laitier, Georges-Émile gardait un stock impressionnant de blocs de glace enfouis dans le bran de scie. Dans sa laiterie, nous nous faisions une petite fête, tournant la manivelle, criant, nous taquinant en attendant que la crème durcisse. Comme nous n'avions pas le droit d'être inférieurs aux autres, nous la trouvions toujours meilleure que celle du magasin... Ce qui était probablement vrai d'ailleurs parce qu'elle était faite avec de la crème fraîche, un jaune d'oeuf, un peu de sucre et un soupçon d'essence de vanille. Tout se passait bien à condition qu'on se mette en branle pour l'heure des vaches, véritable métronome de notre vie quotidienne.

Le «train» du dimanche soir était empreint d'une atmosphère particulière, peut-être parce que, troquant notre «linge propre» contre notre «linge de semaine», nous nous sentions moins aptes à ce travail qui nous apparaissait alors, à nous les enfants, comme une corvée. Et c'est du bout des doigts que je distribuais la moulée aux vaches, que je faisais boire les veaux, trouvant écoeurante la façon dont ils avalaient leur bave quand ils arrivaient au fond du seau, et surtout quand ils se suçaient les oreilles entre eux, le mufle gluant, le dos couvert de mouches.

En été, le dimanche était une journée qui devait appartenir à Dieu. Elle appartenait malgré tout à notre imagination… et à la terre. La terre que la nécessité avait déifiée…

L'enclume

Au début du mois d'août 1944, nous étions en train de faire les foins sur notre terre de Sainte-Luce, comme tous les ans à pareille époque. Ce jour-là, il faisait un soleil splendide, le temps était sec et le trèfle grésillait sous la fourche qui l'enroulait, le tassait puis le soulevait pour l'emporter sur le «voyage» que mon père foulait. Je faisais des tas avec Marcel tandis que Clément et Raymond chargeaient. Tout allait bien et aucun malheur ne semblait pouvoir nous atteindre là, au milieu de ces champs où les grillons venaient d'arriver avec leur musique innocente.

Tout à coup, du haut de son chargement, mon père vit une colonne de fumée monter vers le ciel, là-bas, à l'ouest.

— Dis-moé donc, le yâbe, qu'est-ce que c'est ça? Y a queuqu'chose qui brûle. Ça m'a ben l'air d'être au village...

Nous étions à cinq kilomètres de Saint-Anaclet, et il était relativement facile pour Florian de localiser la source de la fumée, lui qui avait son pays dans l'oeil. Nous nous sommes arrêtés de travailler un moment pour regarder la «boucane» monter dans le ciel, formant un immense jet vertical, car l'air était calme, pur. On était aspiré vers le haut, comme si la voûte céleste avait été ouverte par une main divine dans le but de nous faire goûter les plaisirs de l'envol vers la lumière éternelle. Au-delà de cette colonne de fumée noire, on pouvait voir, à contre-jour, les collines du Bic lancer leurs têtes vers le ciel pour y cueillir cette teinte bleutée dont elles aiment tant se parer.

— Y a p'têt'ben queuqu'un qui a mis le feu dans'savane, suggéra mon père, probablement pour faire taire ses appréhensions.

La «savane» était un bouquet de broussailles sortant d'une terre noire mêlée de tourbe, située à quelques centaines de mètres au sud du village. Nous nous sommes remis au travail, nous attaquant au chargement de la deuxième «wonguine» (charrette), oubliant momentanément ce bras noir qui s'élevait dans les airs. Mais un feu «ordinaire», ça finit par s'éteindre. Or, une heure plus tard, la colonne de fumée était encore plus longue, plus noire, plus grosse. Le doute n'était plus possible, il se passait quelque chose de grave. Alors le paysage perdit son innocence pour devenir d'une beauté dramatique, et cette montée vers les sphères éthérées, à laquelle il nous conviait une heure plus tôt, devint comme un fruit défendu, un don du ciel accompagné d'une menace.

Nous sommes arrivés à la petite maison vers cinq heures, où ma tante Darilda, notre voisine, nous apprit que l'école du village était en feu. Au lieu de préparer le souper, nous sommes tous montés dans le boghei de l'oncle Jean-Baptiste pour trotter vers le lieu du sinistre, silencieux, le coeur serré, incapables de concevoir que le ciel pouvait nous accabler d'un tel malheur. Nous sommes passés devant la demeure de l'oncle Euclide, le frère de mon père et de ma tante Darilda. Quelle ne fut pas notre surprise de le voir assis sur sa galerie, regardant droit devant lui, ayant l'air de prendre le frais comme si de rien n'était.

— Y en a qui ont pas l'air de s'énarver, dit ma tante sur un ton de reproche.

Ce que nous ne savions pas à ce moment-là, c'est que l'oncle Euclide était épuisé, d'autant plus qu'il était la cause première de l'incendie. Ouvrier de son état, il travaillait ce jour-là à l'école pour y faire des réparations. Au cours de la journée, il s'était trouvé confronté à un gros nid de guêpes que les affreuses bestioles avaient accroché à une frise, tout près du toit. Comme il l'avait fait des centaines de fois auparavant, il mit le feu au nid, certain que cela ne pouvait avoir de conséquences fâcheuses. Mais ce jour-là, la règle ne joua pas. L'air était sec comme le dos d'un four à pain. La frise prit feu malgré lui, et c'est en vain qu'il tenta de l'éteindre. Au bout de quelques minutes le toit était en flammes. Il travailla comme un damné pour sauver ce qu'il pouvait de l'école puis, impuissant, épuisé, il rentra à la maison, laissant derrière lui la bâtisse en flammes.

Quand nous sommes arrivés, il y avait déjà deux ou trois maisons qui brûlaient, et tous les villageois affolés couraient dans un magnifique désordre, portant des chaises, des tables, des vêtements, un pauvre butin d'autant plus cher à leurs propriétaires qu'il était leur seul bien. Le vent se mit bientôt de la partie, s'amusant à faire courir les flammes d'une maison à l'autre, à embraser d'autres hangars, d'autres maisonnettes, puis à les faire monter dans le ciel en dessinant de superbes torsades rouges, pendant que le crépitement du feu dévorant le bois sec se mêlait aux pleurs des femmes qui voyaient disparaître leurs misérables nids dans un tournoiement infernal. La situation était d'autant plus désespérée que le village était alors dépourvu d'aqueduc et de pompiers. Plusieurs curieux accouraient d'un peu partout, surtout de Rimouski, où les propriétaires d'automobiles se laissaient attirer par ces lueurs qui illuminaient le ciel, et le brouhaha prenait des proportions fantastiques. La catastrophe tournait à la fête sinistre, aiguillonnant le besoin de drame qui sommeille au fond de toutes les consciences.

Vers dix heures du soir, alors qu'il n'y avait plus rien à espérer, un grand frisson parcourut tous les habitants de la place. Monseigneur Courchêne, archevêque de Rimouski, arrivait dans sa bagnole noire et se postait près de la maison du pére Ti-Ziârd Ross. Il était grand, sombre, d'une dignité qui pouvait en imposer aux éléments naturels. Du moins était-ce là ce qu'on pouvait croire: il fallait bien croire à quelque chose de divin puisqu'on ne pouvait plus croire à la force de ses bras. Personne n'osait approcher le prélat qui, conscient de la force que lui avait conférée cet appel de Dieu, se tenait debout près de la petite maison, regardant les flammes avec l'oeil tranquille de ceux qui ont la certitude de posséder la vérité. Au bout d'une demi-heure il déclara:

— Le feu va s'arrêter ici.

Je ne sais pas comment il pouvait affirmer une chose pareille alors que toutes les apparences disaient le contraire.

Pourtant, une heure plus tard, la rage qui soulevait les flammes s'apaisa et les villageois purent maîtriser la situation. Impassible, l'homme que la Providence avait appelé aux plus hautes fonctions ecclésiastiques remonta dans sa voiture, nous donnant l'impression qu'il avait commandé à l'«élément destructeur».

Une dizaine de maisons avaient été détruites en plus de l'école. Avec celle-ci disparaissait un endroit que j'avais fréquenté pendant plusieurs années. Une maison qui m'avait fait peur, qui m'avait attiré, que j'avais plus ou moins détestée, tout cela dans une espèce de confusion psychologique étrange.

Notre école était une grosse bâtisse carrée de trois étages, recouverte de bardeaux d'amiante, habitée par une douzaine de soeurs du Saint Rosaire. Elle était située à proximité du presbytère et de l'église, de sorte que les bonnes soeurs pouvaient aller à la messe tous les matins et, entre deux génuflexions soumises, dans un cliquetis de chapelets qui pendaient le long de leurs jupes, manipulaient les ornements sacerdotaux, les pliant, les déployant, les caressant d'une main qui semblait prendre tout son plaisir au contact de ces tissus épais, ornés de broderies dorées. Elles étaient au service du prêtre qui, mâle, enfilait les chasubles, les surplis, l'aube, l'étole, etc., et qui, porteur d'une consécration qui l'élevait au-dessus de tous, touchait l'hostie et les vases sacrés, bénissait, implorait le ciel en latin, bref, répandait le baume dans l'âme des fidèles.

Ayant accompli en silence leur travail de servantes, les religieuses retournaient à l'école en retenant à deux doigts leurs mantes noires croisées sur leurs poitrines, longeant l'église, passant devant la salle paroissiale, traversant la cour dans laquelle les enfants allaient prendre leur récréation deux heures plus tard. Puis, après un petit déjeuner pris en groupe dans un réfectoire où personne d'autre qu'elles ne mettait les pieds, elles montaient les étages, entraient dans leurs classes respectives où se rassemblaient une trentaine d'enfants plus ou moins éveillés, plus ou moins attentifs, car en général la mentalité de l'époque n'était pas tellement à l'étude. Il fallait apprendre, bien sûr, mais un minimum suffisait. Le maximum, les études secondaires, c'était pour ainsi dire du rêve. Bien des adultes se plaisaient alors à dire: «Moé, j'ai réussi à fére ma vie pis j'ai lâché l'école à l'âge de douze ans...»

Il en résultait que, pour la majorité des enfants, les garçons surtout, le «sac d'école» qu'il fallait traîner sur son dos soir et matin était un fardeau insupportable, un boulet qu'on rêvait de lancer au fond d'un placard une fois pour toutes, le jour où on aurait atteint la septième année. La vie allait enfin s'ouvrir devant soi, la vie d'homme avec du travail d'homme, de la bière le samedi soir, une femme, des enfants, etc. La vie, quoi...

Je suis arrivé à cette «grande» école à l'âge de sept ans, par un beau matin de septembre, rempli d'appréhension. Il faut dire aussi que les méthodes de l'époque étaient passablement punitives. En plus de sa claquette au son de laquelle elle nous faisait lever, agenouiller et asseoir, chaque soeur enseignante avait à sa disposition une verge en caoutchouc d'une trentaine de centimètres. Parfois la religieuse se trouvait en face d'un jeune homme de douze à quatorze ans, bien planté sur ses jambes, l'oeil plein de défi, la tête dure, réfractaire aux règles de la maison, en somme un vrai petit diable sinon un «bum» (voyou). Alors, devant toute la classe qui retenait son souffle, la scène suivante avait lieu:

— Viens ici!

Le garçon se levait puis avançait près du pupitre, l'air buté.

La «pisseuse» sortait sa verge.

— La main droite!

Vlan! Vlan! Vlan!

— La main gauche!

Vlan! Vlan! Vlan!

Il n'y avait que les «felluets» pour pleurer. Les vrais «hommes» ne bronchaient pas, et certains d'entre eux se vantaient d'avoir reçu douze coups dans chaque main sans avoir grimacé, tout en fixant d'un oeil provocateur la soeur qui faisait son travail. Quant à moi, ces histoires de verges, de règlements et de choses qu'il fallait apprendre me terrorisaient. Que m'arriverait-il si j'étais incapable d'apprendre par coeur les réponses du petit catéchisme? Question cruciale! Car on pouvait bien buter sur une addition un peu compliquée ou sur une division avec décimales, une opération pour savants, mais il n'était pas question de mélanger le mot «contrition» avec le mot «absolution» dans les cent cinquante réponses du catéchisme, lequel renfermait en ses pages toutes les connaissances religieuses dont un catholique avait besoin pour faire une bonne vie et entrer au paradis à la fin de ses jours. En plus de ces vérités qu'il fallait absorber à tout prix, planait la menace de l'enfer qui, justement à l'époque, ne laissait pas de me tourmenter. L'idée du «feu éternel», brandie du haut de la chaire, me hantait, d'autant plus que les péchés mortels qu'on pouvait commettre à partir de l'âge de raison me paraissaient innombrables. Or, il en fallait un seul pour brûler pendant toute l'éternité! Mener une vie sans taches me paraissait aussi difficile que de faire entrer un chameau dans le chas d'une aiguille. Je ne connaissais pas encore le mot «absurde», mais j'en vins quand même à la conclusion que le bon Dieu, si bon fût-il, nous avait peut-être joué un vilain tour en nous faisant venir au monde.

Tout cela pour dire que mon entrée à l'école était traumatisante (avant la venue des «psy»), car elle coïncidait avec le commencement de la connaissance, à cause de laquelle on ne peut pas vivre impunément. En pénétrant à l'intérieur de ces murs, je perdais mon innocence. Je devenais responsable.

Le seul souvenir qui me reste de cette première journée d'école, c'est ce qui est arrivé le soir, au moment de rentrer à la maison. Je ne sais plus pourquoi, mais Clément, Raymond et Thérèse, mes aînés, étaient partis sans s'occuper de moi, se disant probablement que j'avais déjà fait le trajet du village au p'tit troisième à maintes reprises et que je pouvais me débrouiller tout seul. Ce en quoi ils avaient absolument raison. Toujours est-il que les portes de l'école s'ouvrirent et que je partis au milieu du troupeau qui se dispersa dans les ruelles. Au bout de quelques centaines de mètres, je revins sur mes pas. J'étais perdu! À l'école, je croisai justement la religieuse qui enseignait à la première année, mère Marie de Jésus, une grande femme souriante dont l'ovale du visage était encore accentué par le col blanc qui entourait ses joues. Je lui déclarai:

— Ma soeur, j'suis écarté, nette, frette, sec.

Ce qui la fit rire, bien sûr, mais peut-être pas tant à cause de l'expression «nette, frette, sec» que du fait que je revenais vers elle pour quêter une protection. Elle m'accompagna de bonne grâce jusqu'à la rue principale où je fis semblant de me retrouver, heureux, non pas de me sentir en sécurité mais d'avoir auprès de moi cette présence, cette femme qui symbolisait l'autorité à laquelle j'allais devoir me soumettre durant toute l'année scolaire. C'était elle qui avait la verge dans son pupitre. C'était elle qui allait m'apprendre à quelles conditions je pourrais éviter les flammes de l'enfer. Mieux valait être de son bord...

Il fallut d'abord apprendre à lire, selon une méthode que les savants d'aujourd'hui ne savent peut-être pas apprécier. En choeur, nous répétions après la maîtresse:

— L-O LO, LO, C-O CO, LOCO, M-O MO, LOCOMO, T-I TI, LOCOMOTI, V-E VE, LOCOMOTIVE...

C'était infaillible! Le train démarrait, avec toutes ces syllabes en guise de pistons, avec sa chaudière qui crachait une fumée noire formidable, avec le sifflet qui hurlait, et nous étions lancés sur le chemin de la connaissance, roulant vers des pays merveilleux. C'est depuis ce jour-là que j'ai un train dans la tête, un train qui voyage au galop, tel une jument affolée traversant des nuits qui ne veulent pas finir. Car, avec le temps, la connaissance prend des allures de cauchemar...

Puis l'hiver arriva. On venait à l'école à pied quand il ne faisait pas trop froid, mais le midi, il fallait manger sur les lieux pour ne pas avoir à marcher les quatre kilomètres de l'aller-retour en une demi-heure. Alors on apportait une tourtière gelée qu'on donnait à la soeur cuisinière. Celle-ci la mettait au four, et le midi on allait la chercher, toute chaude. Nous étions une dizaine à manger sous la surveillance d'une religieuse qui retardait son heure de dîner pour ne pas nous laisser seuls. Les odeurs de cuisine montaient par les escaliers, et il me semblait que nous vivions dans un univers chaleureux grâce à cet endroit que je ne voyais jamais, où un gros poêle devait chauffer sans cesse, un poêle sur lequel mijotaient des ragoûts, des rôtis de porc, des soupes aux tomates, faisant de ce lieu privilégié un sanctuaire où les soeurs, des êtres pas comme les autres, se réunissaient dans le secret.

On montait les étages à mesure que l'on grandissait, passant d'un degré à l'autre année après année, peinant sur les dictées françaises, redoutant la visite de monsieur l'Inspecteur. Rien de plus traumatisant que la visite de ce personnage bien habillé qui venait de la ville et qui prenait un malin plaisir à nous poser des questions auxquelles il n'y avait pas de réponses. Il y en a un que je n'ai jamais oublié, pour la simple raison qu'il avait pris la liberté de corriger un mot de notre livre de lecture. Faisant lire un paragraphe à l'un de mes condisciples, il l'avait arrêté à la fin d'une phrase se terminant par «l'eau s'évapore».

— Qu'est-ce que l'auteur aurait dû écrire au lieu de «s'évapore»?

Silence de toute la classe évidemment, car ce qui était écrit dans notre livre de lecture ne pouvait être que correct. C'était notre bible. Voyant que nous restions muets, ce qu'il espérait d'ailleurs, le «monsieur» dit d'un air supérieur, détachant les syllabes:

— S'é-va-po-ri-se.

Nous étions sidérés. Comme cet homme au complet bleu était savant! D'autant plus qu'il portait une petite moustache... S'évaporise! Nous pouvions dormir tranquilles, notre Département de l'Instruction publique avait des hommes supérieurs parmi ses fonctionnaires! C'est grâce à cet inspecteur si j'ai fait quelque progrès dans l'étude de la langue française, car depuis ce temps-là je fouille, je cherche comme un damné pour trouver le mot «évaporiser»...

Avec les années, je parvins à traverser la labyrinthe effrayant constitué par l'écriture, la lecture, la dictée, les divisions, les soustractions et l'histoire du Canada avec ses quelques dessins illustrant nos pages les plus glorieuses: Jacques Cartier avec son drôle de béret, debout à la proue de son vaisseau, Dollard au Long-Sault avec le baril de poudre lancé par-dessus la palissade, Madeleine de Verchères se défendant contre une foule d'Indiens, etc. Et comme j'avais peur de l'enfer, je fis un effort surhumain pour apprendre par coeur toutes les réponses du catéchisme. Pas de chance à prendre de côté-là...

Puis ce fut la septième année, la dernière, et j'entrai dans la classe ensoleillée du troisième étage, dont les fenêtres s'ouvraient sur le sud. Par beau temps, le soleil entrait d'une seule coulée, omniprésent, réchauffait le côté gauche de nos visages, faisait grimacer mère Sainte-Flavie à son pupitre, et finalement allait caresser les blouses blanches des filles assises à droite, elles dont les poitrines commençaient à se gonfler, dont les lèvres avaient déjà cette forme appétissante que l'on voit chez les jeunes filles qui «vont bientôt se marier»... Ces bouches étaient un ravissement, mais en même temps une torture. Fermées, elles avaient l'air de beaux fruits que seuls les anges avaient le droit de toucher. Entrouvertes, elles devenaient des plaies suaves par lesquelles on avait envie de pénétrer pour aller découvrir, plus loin, au coeur de secrètes muqueuses, le mystère de toute la création.

Alors il y avait des moments où, mère Sainte-Flavie demandant à un garçon de se lever pour répondre à une question, celui-ci devait se tenir debout en croisant les mains de manière à couvrir le gonflement de son pantalon. Or, assez curieusement, cette apparition de la turgescence a coïncidé chez moi avec le commencement d'une grande aptitude à percevoir certains bruits, à écouter cette espèce de vibration qui monte de la terre, alimentée par le vent, la germination, la lumière, les odeurs, tout ce qui compose une certaine atmosphère à différents moments de la journée.

Vers le mois de mai de cette année-là, donc, alors que le soleil avait commencé à réchauffer la terre et que les chevaux traînaient les herses dans les champs, la lumière pénétrait dans notre classe avec une radiance toujours nouvelle chaque matin, illuminant le visage blanc de mère Sainte-Flavie, donnant un velouté de plus en plus appétissant aux bouches des jeunes filles, chauffant l'épine dorsale des garçons dont la jeune force n'avait pas besoin de cette chaleur pour se manifester. Alors, par la fenêtre ouverte entraient les odeurs de la savane qui se réveillait, parfois le chant d'un oiseau mais surtout, surtout le bruit de l'enclume à Thomas Croft: doung, doung, doung, doung-doung-doung-doung. Quatre ou cinq grands coups d'affilée appliqués au fer rouge, puis le marteau abandonné à son poids, tombant sur l'enclume et rebondissant à cinq ou six reprises, de moins en moins haut, produisant une note de plus en plus courte. C'était une vraie musique, quelque chose d'aussi frais que la voix de mère Sainte-Flavie qui, planant au-dessus de nos consciences en éveil, parlait du fleuve Saint-laurent, de Dieu, des pronoms relatifs et des compléments directs. Alors ces bribes de connaissance qui sortaient de ses lèvres pâles, même si elles me paraissaient très importantes, ne parvenaient pas à retenir mon attention. Le chant de l'enclume me tenait un langage tout aussi riche d'enseignements, m'emportait au coeur du village, dans la boutique de forge où Thomas, la chemise ouverte sur sa poitrine en sueur, chiquant un gros tabac brun, crachant une salive épaisse, tenait dans ses pinces un fer à cheval chauffé à blanc et cognait dessus en faisant voler des étincelles pour en retourner l'extrémité en forme de crampon. Autour de lui, deux ou trois petits vieux fumaient la pipe en attendant le tour de leur cheval. Ils parlaient des «sumences» qui venaient de commencer, de la pluie et du soleil, de la bonne femme Lévesque du cinquième qui avait mordu la joue de Ti-Paul avec sa dent jaune pour lui prouver qu'elle avait encore de l'«appétit». Ils saluaient la fin d'une histoire en riant de leurs bouches édentées, ou ils «faisaient étriver» (taquinaient) Thomas qui avait dû mettre la «joument du bonhomme Ti-Quenne» dans le travail parce qu'elle lui avait raboté les côtes avec son sabot. Impassible, Thomas replaçait le fer dans le charbon en fouillant deux ou trois coups puis empoignait sa manivelle de la main gauche et le vent soufflait par en dessous, avivait le feu, reportait le fer à la température convenable pour le travailler. L'enclume résonnait de nouveau, jusqu'au moment où les crampons étaient bien en place, acérés, et alors il s'approchait du cheval en lui passant la main sur la croupe, levait sa patte d'une poigne ferme et posait le fer sous le sabot pour voir s'il s'y ajustait correctement. Le métal encore chaud faisait grésiller la corne, dégageant une odeur de roussi écoeurante qui rappelait les origines du monde. Satisfait, Thomas plongeait le fer dans un tonneau d'eau froide pour le faire refroidir. Cela produisait un bruit de vapeur subitement échappée qui mourait aussitôt, et les petits vieux crachaient par terre avec satisfaction parce que c'était de l'«ouvrage ben faite».

Ce travail du forgeron, que je revoyais en imagination grâce au chant de l'enclume, m'apparaissait comme l'une des plus belles tâches du monde parce que reliée à la culture de la terre. Sans ces coups de marteau répétés, il eût été impossible de labourer, herser, semer, moissonner, etc. Or, aujourd'hui il me semble étrange que cette année-là, alors que mère Sainte-

Flavie me donnait de bonnes notes en analyse grammaticale, j'aie si bien entendu le marteau cogner sur l'enclume. On me laissait entendre que j'avais des aptitudes pour «étudier», juste au moment où ce bruit sonnait à mon oreille comme un appel irrésistible au travail de la terre, le seul qui me semblait digne d'un homme. Si j'étais bien heureux de saisir la différence entre un complément direct et un complément indirect, cela me paraissait bien mince en comparaison du plaisir que j'éprouvais à conduire une «time» de chevaux, à élever des veaux et à bûcher du bois.

Au mois de juin, quand vint le moment de quitter l'école pour toujours, mère Sainte-Flavie me regarda d'un air étrange. Dans ses yeux, il y avait une espèce de tendresse mêlée de compassion, comme si elle avait senti qu'un jour prochain j'aurais à subir une déchirure, comme si elle avait su que j'allais devoir partir, abandonner à jamais les rêveries que le chant de l'enclume faisait naître en moi.

Les enfants

Mes parents firent dix-huit enfants.

— J'ai l'impression que mon père a fait beaucoup d'enfants parce qu'il voulait toujours en avoir un à portée de la main pour le bercer, dis-je à l'un de mes amis qui trouvait ce chiffre astronomique. J'avais quitté ma famille depuis longtemps, mais cette image était gravée dans ma mémoire: chaque fois que Florian s'asseyait dans sa «chaise berceuse», il y avait un enfant qui grimpait sur lui pour se faire bercer. Souvent il en avait un au creux de chaque coude, la tête collée à sa poitrine, buvant la tendresse. J'imagine que le père y trouvait son compte aussi bien que les enfants.

Le premier qui vint au monde était un garçon qu'on appela Clément. Puis ce fut une fille qu'on baptisa Lucille, ensuite un garçon appelé Raymond, puis Thérèse et Marie-Darie. La machine était lancée, et ce fut mon tour. Pour faire face à la grande crise qui battait son plein, on faisait des enfants, étant donné que les enfants étaient une richesse, une bénédiction:

— Le bon Dieu vous aime...

Car c'était lui qui donnait les enfants à mes parents! Cette affirmation du curé et de plusieurs autres commis du «devoir conjugal» devait mettre ma mère dans une situation fort délicate. C'était elle qui endurait les grossesses successives, qui perdait ses dents, sa taille et ses attraits de jeune fille, mais c'était elle aussi qui couchait dans le même lit que le bon Dieu tous les soirs. Or, il était visible qu'elle aimait ce bon Dieu de toute son âme et de tout son corps.

L'entente charnelle de mes parents m'a été confirmée de façon indirecte par certains propos de ma mère, mais j'étais déjà au courant, ayant été témoin, alors que j'avais à peine six ans, d'une scène qui m'avait troublé au plus haut point. Au cours d'une belle matinée, maman vaquait à ses occupations habituelles dans le hangar. Florian est entré vers dix heures pour avaler une bouchée, et après un court échange de propos dont le sens m'échappait mais qui les faisaient rire tous les deux, il souleva sa femme d'un seul bras en la prenant sous les fesses, puis il la transporta de la table à l'évier avant de la déposer sur ses jambes. Les regards qu'ils échangèrent, de même que les rires égrillards fleurissant sur leurs lèvres, me pénétrèrent jusqu'au coeur. J'étais étonné de voir des adultes s'amuser comme des enfants, mais surtout, j'étais bouleversé par cette chose que je ne pouvais pas nommer: la complicité des gestes ébauchés préparant à l'union des corps. Dans ce cas, il me paraît évident que mes parents étaient tout disposés à croire que le bon Dieu les aimait vraiment et que les enfants ne pouvaient être que des cadeaux venus du ciel…

Après moi il y eut Janine, Andrée, Marcel, Jean-Marc, Gemma, Clémence, Denise, etc. C'est vers cette époque que j'ai connu la mère Tivier, la sage-femme. C'était une petite vieille à cheveux blancs relevés en chignon, qui avait l'air de toujours porter la même robe longue. Douce, discrète, elle avait le pas feutré des êtres sans âge qui se penchent sur le lit des mourants ou sur celui des bébés naissants avec la même tranquillité, comme si la mort et la naissance étaient le même phénomène.

Quand Alice entrait en douleurs, mon père allait chercher la mère Tivier au village, puis il partait pour la ville en quête du docteur. Souvent le médecin arrivait quand tout était fini. Il n'avait qu'à soulever les couvertures, constater qu'il n'y avait pas d'hémorragie ou d'autres complications, puis il repartait sous le regard satisfait de la sage-femme qui avait l'air de penser: «C'est un bon docteur. Y m'a pas dit que j'avais mal fait ça…» Emmailloté, le bébé dormait dans le ber près du lit.

Maman était dans la chambre où on mourait quand on était vieux, contiguë à la cuisine, elle aussi, mais du côté du nordet. Papa revenait de la ville avec la gâterie à laquelle sa femme avait droit pour la circonstance: une caisse de biscuits au thé, ces grands biscuits secs, ronds et plats, juste assez sucrés pour que nous ayons envie d'en soutirer quelques-uns à notre mère.

Comme il n'y avait jamais de complications, la mère Tivier repartait le lendemain, laissant derrière elle cette atmosphère veloutée qui convenait si bien aux langes de «flanalette» dans lesquels le bébé était enveloppé. Pendant quelques jours on parlait moins fort, on criait moins, on jouait moins, car souvent la porte de la chambre était fermée, ce qui voulait dire que le bruit était défendu. De temps en temps on avait le droit d'aller voir si le poupon ouvrait les yeux, et quand il pleurait on trouvait que sa petite bouche sans dents était plutôt laide. C'est ainsi que maman commençait ses «quarante jours». C'est-à-dire qu'elle se levait pour travailler dès la première semaine, mais elle ne sortait pas de la maison avant les quarante jours prescrits par la tradition. Il fallait faire comme la Sainte Vierge…

À la naissance de Gemma, le scénario varia quelque peu. Mon père partit à la recherche d'un médecin. Au village, le téléphone ne fonctionnait pas. Alors Ti-Mond Saint-Laurent, le propriétaire du magasin général, emmena Florian en voiture à Sainte-Luce. Mais là, le médecin fut introuvable. Il devait être en train d'accoucher une autre femme à l'intérieur des terres. On mit donc le cap sur Rimouski, où il y eut d'autres retards. Pendant ce temps, la maison avait été vidée des enfants, comme d'habitude. Pour la circonstance, on nous envoyait chez le voisin. Grand-père Jos se trouvait seul avec maman, la mère Tivier étant morte. Il fumait probablement sa pipe à côté du «centrifuge», comme à l'accoutumé, écoutant les gémissements de plus en plus rapprochés, espérant que le grondement de la voiture allait bientôt se faire entendre. Mais il entendit autre chose:

— Grand-pére, ça s'en vient! Venez donc!

Après avoir fourré sa pipe dans la poche de sa veste et lancé un jet de salive dans le crachoir, il a marché d'un pas lourd vers la chambre. C'est lui qui, de ses mains ankylosées, a cueilli l'enfant entre les jambes de ma mère, qui lui a donné la claque au cul réglementaire pour déclencher la respiration, qui a coupé le cordon ombilical, qui a ramassé «l'enveloppe» pour aller la jeter sur le tas de fumier, qui a lavé le ventre de sa brue, etc. Entre ses mains habituées aux mancherons de la charrue, la vie palpitait, insondable, et sous ses yeux travaillés par la pudeur, habituellement battus par le vent des tempêtes, le sexe épuisé de la femme se refermait sur son mystère, sanguinolent. Quand le médecin est arrivé, il a dit sans trop de fierté:

— Ç'a ben été… Une belle grosse fille.

Puis il est sorti de la maison pour laisser couler son émotion en pleine nature.

Jean-Marc eut une idée géniale: il vint au monde le 1er janvier. Comme d'habitude ce soir-là, les invités arrivaient à pleines carrioles car la tradition avait été établie depuis lontemps. Le soir du Jour de l'An, les enfants de grand-père Jos venaient souper à la maison, amenant autant d'enfants qu'ils le pouvaient. Au menu, du «sipâille» évidemment, que l'on trouvait toujours aussi bon. Mais cette année-là, au moment où les femmes se préparaient à «tremper» la soupe, maman dut s'asseoir. Elle regardait droit devant elle, aussi heureuse que troublée par le dérangement qu'allait provoquer l'évènement. Une naissance un 1er janvier, c'était quand même un bon présage. Alors on donna l'ordre aux enfants de s'habiller pour aller chez Timoléon. Seuls les adultes avaient le droit d'entendre les cris inévitables provoqués par la douleur «heureuse» de l'enfantement, d'assister à cette infraction capitale: l'irruption d'une vie nouvelle.

Chez le voisin, je me suis aperçu que ce soir-là on faisait à peu près la même chose que chez nous. Des hommes et des femmes emmitouflés arrivaient, se serraient la main et s'embrassaient en disant: «Bonne et heureuse année. — Toé pareillement», puis ils s'assoyaient au salon ou dans la cuisine, fumaient, racontaient des histoires qui devaient être drôles car il y avait des éclats de rire à profusion. Chaque fois qu'un visiteur arrivait, il demandait en nous apercevant:

— À qui c'est, donc, ces enfants-là?

— La femme à Fleurien est en douleurs…

— Ah! Bon! Ça commence à y fére une belle famille, lui là, Fleurien, hein?

— Ah! Y est ben proche de la douzaine, j'cré ben.

Et la femme à Timoléon, qu'on appelait la mère Motté, qui avait fini de mettre ses huit ou dix enfants au monde, allait doucement du poêle à la table, silencieuse, le sourire figé sur le «bonheur de la femme en travail», porteuse de son secret, pendant que les hommes parlaient des enfants de Fleurien sans mentionner le nom d'Alice... Nous avons partagé le copieux repas de fête, puis nous nous sommes couchés, abandonnant la famille à ses réjouissances.

Quand nous sommes revenus à la maison le lendemain matin, le ber était près du poêle. Dedans, il y avait un poupon qui dormait. Tout était calme, chaud, et il y avait des sourires sur toutes les lèvres. Une fois de plus la vie venait de se manifester, implacable dans son mouvement de rivière. La naissance était un phénomène qui semblait s'apparenter à tout ce qui sortait de la terre. On ne pouvait rien contre elle. Il fallait l'aimer. Or, ce bébé était le douzième et il était le dernier de la famille à venir au monde à la maison. Les six autres allaient voir le jour à l'hôpital. La machine s'était enrayée...

Il faut dire que l'hiver suivant nous prit dans ses pinces d'acier dès le milieu de novembre. Partis pour l'école le matin sous la pluie froide, une pluie serrée qui tombait de biais, poussée par un vent de nordet inlassable, nous sommes revenus sous la neige à la fin de l'après-midi. Nous en avions déjà presque à mi-jambe. Cette première «bordée» fut si énorme qu'elle n'eut pas le temps de fondre. Il fallut sortir les «sleighs», la carriole et le traîneau, en un mot changer de vie complètement en quelques heures. Ça ne roulait plus.

Je m'en allais sur mes dix ans, je crois. À la brunante ce jour-là, je travaillai avec mes frères à faire rentrer les «taurailles» qui pacageaient encore autour des bâtiments et dans le champ de luzerne au pied de la côte. Le dos rond, le derrière planté dans le vent d'est pour ne pas être aveuglées par les flocons, les taures restaient figées comme si la disparition de l'herbe avait été un présage de mort. L'étable s'emplit subitement de l'odeur lourde exhalée par les poils mouillés, de cris lancés aux mauvaises têtes qui refusaient de se laisser attacher, de bruits de carcans et de meuglements inquiets. L'hiver était bel et bien commencé.

Or, cette année-là, les tempêtes se multiplièrent. Dès le début de janvier, il y avait déjà un mètre de neige en forêt, si bien que la coupe du bois était une véritable misère. Les hommes revenaient du chantier les reins cassés, ayant dépensé la moitié de leur énergie à pelleter des chemins avant d'abattre quelques arbres. Chaque matin, mon père regardait le ciel en maugréant:

— Encôre du vent de nordet! Ça lâchera pas tant qu'y nous auront pas enterrés...

Il y avait dans son oeil quelque chose de sombre, comme si la Providence, par l'un de ces caprices que personne ne pouvait expliquer, avait décidé de l'abandonner. Vers le milieu de février, ça y était: ma mère tomba malade. Elle était déjà grosse et je n'ai jamais su le nom de la maladie qui la clouait au lit. Sans doute quelque complication en rapport direct avec le treizième enfant qu'elle portait. Toujours est-il que la maison fut subitement plongée dans une espèce de désordre où la tristesse se mêlait parfois à la peur. Notre univers était menacé. En évoquant ces jours difficiles, je suis frappé par la vanité de certaines expressions consacrées pour désigner la femme: «reine du foyer», par exemple, ou «âme du foyer». Ma mère était le moteur du foyer, pour employer le langage de notre siècle.

Thérèse, la plus vieille des filles, prit les choses en main pour ce qui était des repas et de la lessive des quinze personnes vivant à la maison. Elle eut aussi à boulanger la farine, avec ses bras de seize ans. Mais il fallait de l'aide et une cousine «ben raisonnable» vint s'installer chez nous, longue et lente, portant triste comme une madone des sept douleurs.

Florian alla chercher le médecin à Rimouski. L'homme «au capot de chat» s'enferma dans la chambre avec Alice pendant qu'un silence inquiet montait dans la cuisine, troublé seulement par les vagissements du bébé qui se traînait par terre. Rien ne transpira de ce que le médecin apprit sur l'état de la malade. Fatalement reliées aux organes sexuels, à la grossesse, les «maladies des femmes» étaient tabou.

Les jours passèrent, ma mère étant toujours au lit, et nous allions à l'école à pas lents, marchant nos quatre kilomètres sans enthousiasme. Cet hiver-là, mon père fit un long voyage en carriole pour aller chercher un cousin qui s'appelait Dominique, fils de son frère Wilfrid vivant à Saint-Valérien. On avait besoin de son aide pour couper du bois.

Cependant, les tempêtes s'ajoutaient les unes aux autres, si bien que près de la maison il y avait un «banc de neige» de trois mètres au moins. En forêt, il fallait pelleter pendant une demi-heure avant de pouvoir abattre un arbre. Jamais on n'avait vu un hiver aussi «cochon».

Vers la fin de février, un jour où le vent de nordet soufflait une neige molle, annonciatrice des adoucissements prochains, on fit chauffer des briques pour les placer dans le fond de la carriole. Ayant enfilé son petit manteau de drap noir à col de poil, par-dessus lequel on lui passa un gros «mackinaw» d'étoffe que les hommes portaient pour aller dans le bois, ma mère sortit de la maison. Les embrassades n'étaient pas de mode dans la famille, et je ne me souviens pas des adieux qu'elle fit à ses enfants. Elle se contenta probablement de nous dire, après avoir posé un long regard circulaire dans la cuisine où nous étions assemblés:

— Tâchez de pas être trop malcommodes.

Tout ce qui est clair pour moi, c'est qu'elle sortit et que le vide s'installa à sa place. Mon cousin Dominique, qui avait de gros yeux ronds, qui portait des lunettes et un sourire permanent, m'apprit alors un terme que je ne connaissais pas: salle d'accouchement.

— Qu'est c'est ça?

— C'est la place où c'que les femmes ont leux bébés. Y vont amener ta mère à salle d'accouchement pour qu'alle aye son bébé. Ça sera pas long, y sont ben organisés.

Un semblant de confiance me revint à l'entendre parler de la sorte, lui dont la mère était déjà allée à l'hôpital. Mais le vide n'en était pas moins là. Grâce à ma grande sœur et à ma cousine, nous avions réussi à nous faire une vie qui avait l'air normale. Les hommes allaient au bois tous les jours, le pain était boulangé, on avait des tartes et des tourtières pour dîner à l'école, et pour souper, le soir, la «fricassée» était aussi bonne qu'avant. Mais la preuve qu'il nous manquait quelque chose, c'est qu'un jour, au lieu de répondre à une question de grammaire même si je savais la réponse, je me suis mis à pleurer à chaudes larmes. Embarrassée, la bonne soeur se contenta de dire:

— Ta mère est encore à l'hôpital, hein?

Puis elle continua sa leçon avec les vingt-neuf autres élèves, me laissant pleurer tout mon soûl. La crise dura dix bonnes minutes, me soulagea, mais il m'en resta longtemps une honte cuisante: j'avais été faible alors que j'arrivais à un âge où ma conscience était déjà imprégnée de ce principe fondamental: un homme, ça ne pleure pas.

Vers le milieu du mois de mars, les tenailles de l'hiver se relâchèrent subitement. Le soleil se mit à cogner, désintégrant les congères, et le vent s'amusa à faire courir une douceur extraordinaire sur tous les champs. Les piquets de clôture apparurent et en quelques jours les chemins de neige s'écroulèrent. Il fallut penser à tondre les moutons car l'eau commençait à gargouiller sous la neige, dans le ruisseau qui coulait entre la grange et le hangar. Jamais le printemps n'avait été aussi subit, jamais nous ne l'avions attendu avec autant d'espoir. La débâcle des rivières, je la voyais aussi sur le visage de mon père qui regardait vers le nord, le soir, après avoir soigné ses cochons, alors que des traces de lumière s'attardaient encore dans le bas du ciel. Le sang du monde se remettait à courir, éternelle pulsion qui prend sa source dans ce qu'on appelle le divin, faute de mieux savoir le nommer. Puis la terre apparut. Comme d'habitude à ce moment de l'année, les chemins étaient boueux, sillonnés d'ornières qui s'entrecroisaient, tracées par les roues des bogheis et des «wonguines». Mais il y avait des odeurs qui montaient de partout, puissantes, libérées par la disparition de la neige, propulsées par la chaleur nouvelle.

Un jour, je suis revenu de l'école avec les autres, à pied, et quand je suis entré à la maison, il y avait une femme qui préparait le souper, marchant d'un pas alerte dans sa cuisine, portant une robe qui avait l'air d'être neuve. Dans le ber il y avait un treizième enfant. Ma mère s'avança vers moi en me disant bonjour, toute souriante, heureuse d'être revenue à ses enfants, à son labeur... Hélas, j'avais trop de pudeur pour me jeter dans ses bras. Je l'ai regardée sans dire un mot, comme pour la punir d'avoir été si longtemps partie.

Au cours des deux ou trois années suivantes, le ber resta vide. Dans la maison, on n'entendit plus ces pleurs auxquels nous étions si habitués, ces faibles déchirements de l'air provoqués par la voix informe du bébé naissant. Le devoir conjugal fut sans doute soumis aux ordonnances du médecin qui avait accouché ma mère à l'hôpital. Mais comment s'arrêter au chiffre treize? Toute superstition mise à part, le ventre de ma mère se remit bientôt à grossir et cinq autres enfants s'alignèrent pour porter la famille à dix-huit, ce qui était assez courant dans notre milieu. Ma tante Darilda en avait dix-neuf, de même que ma tante Blanche, et dans plusieurs familles on oscillait entre quinze et vingt. Rien ne pouvait arrêter cette poussée de la nature qui, par une conjonction de la morale, du devoir et des besoins primitifs de l'homme, faisait des femmes des reproductrices apparemment consentantes. Jamais on ne les voyait se plaindre de leur sort. Au contraire, c'est avec fierté qu'elles étalaient leur progéniture, et parfois je les voyais rire, quand deux ou trois de ces tantes étaient en visite à la maison, se rappelant les circonstances de telle ou telle naissance: il y avait eu une tempête, les douleurs l'avaient «pognée» au moment où elle se préparait à «tirer» sa deuxième vache, le docteur était arrivé en même temps que la tête du bébé, le troisième était venu au monde dans la semaine où la grange à Jos Brâillard avant été brûlée par le tonnerre, etc. Et un petit détail pénible, au lieu de les lancer sur la voie des jérémiades, les faisait éclater de rire: on était autour du poêle, il y avait des «pétates» dans la cave, du lard salé dans le «quârt» (tonneau), du lait chaud deux fois par jour, et c'était la vie.

— Tant qu'on aura la santé…

Plusieurs phrases commençaient de la sorte, mais elle étaient prononcées par des femmes de quarante ans dont la taille avait disparu, fières de leurs bras solides, de leurs jambes droites, de leur mollets endurcis. Ayant perdu leurs dents, elles arboraient toutes de beaux dentiers, beaucoup plus pratiques que les dents creuses, et elles riaient de bon coeur. C'est seulement quand elle eut atteint le milieu de la cinquantaine que ma mère, se voyant rongée par la maladie aussi bien que par ses vingt-cinq années de grossesse, se laissa aller à quelques phrases amères sur son état. Le regard tourné vers le passé, elle rêvait à cette jeunesse qui lui avait échappé, qu'elle n'avait pas eu le temps de voir partir. Assise sur la galerie, affaiblie, aux prises avec la succession du «bien paternel», elle regardait vers le nord où coulait le fleuve impassible. Sur son front on aurait pu lire ce vers qu'elle ne connaissait pas mais qui s'appliquait à elle de la façon la plus pathétique:

Mais où sont les neiges d'antan?

J'ignore par quelle force magique de la mémoire je me souviens particulièrement du 8 décembre 1940. C'était vers la fin de l'après-midi et je revenais à pied du village après un office religieux en rapport avec l'Immaculée Conception. La terre était couverte de dix ou quinze centimètres de neige. Au sorouet, dans le bas du ciel, traînaient encore quelques lueurs rougeâtres abandonnées par le soleil qui avait plongé derrière l'île Saint-Barnabé quelques minutes plus tôt. Le temps était clair et un froid sec faisait crisser la neige sous mes couvre-chaussures en caoutchouc. Tout à coup les cloches de l'église se sont mises à sonner, juste au moment où j'arrivais en face de la maison, au pied de la côte. Je me suis retourné vers le village où j'ai vu quelques lumières scintiller, surtout celles de l'église. Les cloches sonnaient pour le baptême de mon nouveau petit frère qui était né la veille. Je me souviens d'avoir pensé à ce moment-là que la vie était belle, chargée d'espoir. Si des enfants pouvaient nous venir comme cela d'année en année, c'était la preuve qu'il n'y avait pas de limites à la force qui entraînait le monde vers l'avant, pour tâcher de repousser le mur de la fatalité. Cette fatalité, d'ailleurs, qui n'avait pas de visage. C'était le futur, tout simplement, un futur qui s'apparentait aux monstres des légendes dormant au fond de l'inconscient collectif, quelque chose qui ressemblait à l'enfer, dont l'évocation du haut de la chaire avait commencé à me tourmenter. Sur ma droite, en haut de la côte, il y avait la masse sombre de l'étable où les animaux ruminaient dans leur chaleur, et un peu plus près, la silhouette de la maison où les fenêtres ornées de givre laissaient filtrer la faible lueur des lampes à huile. Là, il y avait la chaleur du poêle à bois, la bonne odeur des patates bouillies et la joie causée par la nouvelle naissance. Tout cela m'attendait. Rien que cela, mais tout cela, c'est-à-dire un univers.

On baptisa le nouveau-né du nom de Joseph-Marie à cause de grand-père Jos, mais aussi parce que son entrée dans le sein de l'Église coïncidait avec une grande fête de la Vierge. Mais comme son parrain s'appelait Ti-Pit Bouillon, on lui donna le surnom de Ti-Pit. Vers l'âge de deux ans, il eut une maladie qui nous inquiéta beaucoup parce qu'elle s'éternisait: deux grosses éruptions cutanées, une sur chaque joue, rondes, pustuleuses. Pour les faire disparaître on essaya les onguents qu'il y avait dans notre pharmacie, mais ce fut sans résultat. Je me souviens très bien de l'enfant dans sa couchette, sur le dos, conscient du malheur qui lui arrivait mais impuissant, regardant le plafond avec une tristesse dans les yeux qui faisait d'autant plus pitié qu'elle venait d'un être absolument sans défense. Puis un jour, alors que deux grosses gales collaient à ses joues depuis plus d'un mois, un médecin se trouva au village pour une séance de vaccination générale. J'ai attelé un cheval au boghei et je suis parti avec ma mère qui tenait l'enfant dans ses bras. C'était l'été, le soleil était beau et l'odeur du trèfle en fleur nous montait à la tête, cependant que les abeilles, ivres de lumière, emplissaient l'air de leur bourdonnement continuel, sans doute affolées par la quantité de fleurs sauvages qui s'offraient à leur fringale de sucs. Quand elle est sortie de son entrevue avec le médecin, ma mère avait l'air contente.

— Qu'est-ce qu'il a?

— En le voyant le docteur a dit: «Tiens, un p'tit bébé qui fait de l'eczéma.»

Or, à ma connaissance, le docteur en question n'avait prescrit aucun remède. Il m'a donc semblé bizarre que ma mère fût si contente, simplement parce que maintenant elle savait comment désigner la maladie de son enfant.

En revenant par le p'tit troisième, nous avons vu Blanche dans son jardin et j'ai dû arrêter le cheval pour permettre aux deux femmes de «placoter» un peu. Blanche était la femme de Georges-Émile, notre deuxième voisin et ami. Bien en chair, d'un teint de lait, cette mère de famille aux yeux rieurs allait mourir quelques années plus tard après un mois de souffrances atroces. Mais ce matin-là elle offrait ses bras nus au soleil et la vie qui sortait de ses yeux avait l'air d'une source joyeuse que rien ne pourrait tarir. Debout près du boghei, appuyée sur sa binette, elle était l'image même de la fleur éclatée.

— Pis, qu'est-ce que le docteur a dit?

— Paraît que le p'tit fait de l'eczéma.

— Pis, Fleurien, comment c'qu'y va?

— Ah! Toujours pareil, y travaille d'un soleil à l'autre.

— Ben oui, Georges-Émile c'est pareil.

Elles étaient riches des mêmes épreuves, des mêmes nuits, des mêmes levers de soleil. En se regardant, les deux femmes se trouvaient placées devant un miroir qui leur renvoyait la même image de la réalité. En somme, tout leur dialogue se résumait à ces questions posées à soi-même: «Combien de temps encore pourrons-nous rire sous ce soleil? Combien de jours encore aurons-nous à peiner joyeusement avant de disparaître sous la terre? Combien d'enfants faudrait-il encore mettre au monde pour avoir le droit de dire que nous avons accompli notre devoir?» Puisqu'elles donnaient la vie, année après année, est-ce que le ciel ne pourrait pas les épargner, les faire passer miraculeusement à côté de cette loi implacable, la mort?

Retourné à sa couchette, Ti-Pit continua de regarder le plafond de la chambre, posant lui aussi une série de questions muettes auxquelles son subconscient ne trouvait pas de réponses. Pourtant, les gales finirent par tomber, et la peau rose toute neuve fit graduellement rétrécir le cercle de l'éruption, jusqu'à sa disparition complète. S'il est permis d'affirmer que toutes les maladies sont psychosomatiques, je me demande ce que cet enfant avait pu voir pour que sa conscience lui pose deux simulacres d'yeux sur les pommettes, deux cercles aveugles par lesquels il refusait de voir...

N'ayant pas d'autre choix que d'obéir aux «lois de la nature» et à la morale alors en cours, ma mère donna la vie jusqu'au jour où elle avait ruiné la sienne.

Le battage de la graine

Quand on revenait de Sainte-Luce avec le dernier voyage de foin, on était parvenu au tournant de l'été, c'est-à-dire presque à la fin du mois d'août. Déjà la lumière n'était plus la même, comme si elle avait voulu prendre la couleur du grain qui tournait au jaune. Au lieu de tomber avec violence, elle coulait, oblique.

Sortie du hangar dans une fièvre joyeuse au début de juillet, la faucheuse nous puait au nez. C'est donc avec la plus grande joie du monde qu'on «jetait la graine à terre». La «graine», c'étaient deux ou trois arpents de beau trèfle rouge assortis d'un peu de mil qu'on avait laissé mûrir, soit dans les «terres fortes», soit dans «le fond de su'a côte». Maintenant les têtes étaient brunes, presque noires, et il fallait faucher au plus vite si on ne voulait pas que le vent emporte la précieuse récolte. Un beau jour, le bruit saccadé de la «marchette» s'arrêtait, et c'est avec un énorme soulagement qu'on reculait la faucheuse dans le hangar où, laissant tomber le lourd timon sur la terre battue, on lui souhaitait de beaux rêves jusqu'à l'été suivant.

Étendue, la graine de trèfle séchait pendant deux ou trois jours, après quoi il fallait la battre. Nous étions les seuls de toute la paroisse à posséder une batteuse qui pouvait battre le foin aussi bien que le grain. Au-dessus du tambour, on enlevait les dents d'acier qui servaient au battage des céréales, puis on les remplaçait par le décortiqueur, c'est-à-dire une rangée de grosses râpes en fonte, très rugueuses. Cette batteuse était munie d'un deuxième crible afin de faire subir une épreuve supplémentaire à la fine graine de trèfle ou de mil. Accroché au flanc de l'énorme machine, on l'appelait tout bêtement «le p'tit crible», parce qu'il était de petites dimensions. C'était un ensemble de poulies minuscules, de petites courroies, de petits dalots, de petites passoires, et tout cela tournait, secouait, pour enfin donner cette chose divine qui coulait dans un sac de toile blanche: la graine! Des grains minuscules allant du jaune tendre au brun foncé, lourds, qui coulaient entre vos doigts quand vous plongiez la main dans le sac pour en retirer une poignée. Alors vous aviez le sentiment de posséder une grande richesse, comme si des pépites d'or avaient pesé de tout leur poids dans la paume de votre main.

Dans mon souvenir, le soleil tendre du mois d'août est mêlé de façon indélébile au bourdonnement de la batteuse, à la poussière noire qui sortait du fenil, au bruit incessant du moteur à deux temps qui commençait à cogner dans l'air frais du matin dès qu'on avait «tiré» les vaches pour ne s'arrêter que le soir.

Mais comme notre batteuse était la seule existante à plusieurs kilomètres à la ronde, tous les cultivateurs de la paroisse s'amenaient chez nous avec leur graine de foin. C'était un événement qui durait plus de deux semaines, un va-et-vient d'attelages et de gens qui remplissaient tout l'espace entre la maison et la grange, dérangeant le cours normal de notre vie pour lui donner une petite touche d'importance qui me comblait d'aise. J'étais fasciné par ces hommes qui venaient chez nous avec leurs voyages plus ou moins gros, leurs chevaux plus ou moins gras, leur récolte plus ou moins abondante. Debout sur le devant de leurs chargements, ils passaient près de la maison dans un claquement de traits et un martellement de sabots qui exprimaient leur puissance et, fiers d'avoir monté la côte, ils lançaient à pleins poumons:

— Whoooo! Y en a-t-y ben gros avant moé?
— Deux voyages.

Pas de problème, la journée était réservée au battage de la graine. Alors on sortait la pipe ou on se fourrait dans la bouche une bonne chiquée de tabac, puis on s'assoyait à l'ombre avec les autres pour parler du temps, du lait, de l'avoine, de la pluie et de la femme à Ti-Paul qui avait «acheté» pas longtemps avant parce qu'on avait fait baptiser la semaine passée. J'aimais beaucoup regarder ces hommes qui étaient tous semblables, mais différents par leurs attelages, par les bottines qu'ils avaient aux pieds, par le chapeau de feutre qui les protégeait du soleil, par la chemise de «flanalette» qu'ils portaient toujours malgré la chaleur. J'étudiais le timbre de leurs voix afin de les imiter pour faire rire la famille, et je notais les jurons qu'ils employaient pour exprimer leur joie ou leur misère. J'étais toujours heureux de voir arriver le grand Willy et de l'entendre parler avec cette voix qui couvrait celle de tous les autres. C'était lui qui faisait la criée des p'tits cochons à la porte de l'église, besogne pour laquelle il fallait une grande gueule... Il riait pour un rien, faisait des farces à double sens que je ne devais pas comprendre, ce qu'il vérifiait en jetant des coups d'oeil furtifs de mon côté. Le père Ti-Quenne faisait le tour de son voyage et relevait son chapeau du bout des doigts en disant «batince» d'une petite voix nasillarde, pour exprimer son soulagement ou sa fatigue. «Batince», ça voulait tout dire. D'autres disaient «viarge», d'autres «ouais», d'autres «ouin», d'autres «bonyeu de toryeu», et certains autres, comme Alcide, qui conduisait un attelage terrible, deux gros chevaux noirs dont les harnais étaient faits d'énormes lanières de cuir, restaient silencieux. Ils se contentaient d'écouter les beaux parleurs en lançant leur filet de salive dans l'herbe qui commençait à durcir.

C'était toujours un divertissement particulier que de voir arriver Ti-François la Fiole, le chapeau de feutre bosselé, assis sur le devant d'une pauvre charrette dans laquelle il y avait autant de chardons que de trèfle.

— Na viarze, n'a pas beaucoup d'graine c't'année... N'a mouillé toute l'été...

Ti-François ne se plaignait pas vraiment. Ses collines du quatrième rang étaient sèches, il les labourait superficiellement et oubliait de les engraisser. Elles rapportaient peu, mais pour se consoler il buvait (d'où son surnom de la Fiole), ce qui lui procurait une merveilleuse euphorie, laquelle avait fini par imprimer un rictus indéfinissable sur son visage peu harmonieux.

Pendant ce temps, le moteur cognait sur le fenil: paf paf paf, et grand-père Jos «engrainait», debout sur la plate-forme, en face du tambour qui grondait. «Engrainer», c'était alimenter la batteuse avec les petites fourchées de foin qu'on plaçait sur la table, à sa gauche. Il fallait les écraser, les tourner en les poussant dans la gueule bourdonnante pour qu'elles soient happées par les dents du tambour, déchiquetées par les râpes du décortiqueur et poussées vers la sortie par un système de battes métalliques qui allaient de bas en haut, pendant que le gros crible allait et venait à l'horizontale, sans arrêt. C'était un travail aussi dangereux que fatigant parce que si on n'y prenait garde, on pouvait se faire avaler une main ou un bras en une fraction de seconde. C'était déjà arrivé ailleurs, à Saint-Gabriel je crois.

Quand je fus assez grand pour faire ce travail, je me suis trouvé bizarrement attiré par ces dents qui tournaient à une vitesse folle, produisant un vrombissement effrayant. Un jour, poussé par le mauvais génie, j'ai eu envie de défier cette machine qui m'attirait tout à coup comme un gouffre. J'étais en train d'engrainer et je poussais les tas de foin dans la gueule de la batteuse, avançant ma main droite de plus en plus loin, pour voir... Jusqu'au moment où une dent m'a heurté le bout du médius, le repoussant, comme si la gueule du monstre n'avait pas voulu de mon bras. Par bonheur j'avais touché le tambour à un niveau assez bas, de sorte que dans le cercle qu'il décrivait en tournant, il ne tirait pas encore vers les râpes du décortiqueur. J'en fus quitte pour un doigt foulé et une peur que je n'ai jamais oubliée, une peur qui alimenta mon imagination pendant des jours: subitement j'étais arraché de la plate-forme, les pieds dans les airs, parce que la gueule de la batteuse avalait mon bras. Quand je retombais sur mes pieds, je n'avais plus qu'un petit moignon sanglant au bout de mon épaule disloquée.

Tous les hommes qui défilaient chez nous était fascinants à regarder parce qu'ils avaient des allures différentes selon leur personnalité, mais aussi parce qu'ils étaient tous porteurs d'une grande beauté. Quelque chose de serein émanait de leur âme forgée au cours des ans par l'acceptation du soleil, de la pluie, du vent, du froid, en somme de la terre, cette femelle implacable qui leur faisait connaître toutes les humeurs de la mère, de la plus douce à la plus dure. L'harmonie était en eux, à leur insu. Cependant, aucun de ces hommes n'était comme mon père. Pour moi à l'époque, mon père était le maître. D'ailleurs, j'ai l'impression qu'il était conscient de jouer un rôle, devant nous et devant les autres. Quand il retirait une tête de trèfle du chargement d'un quelconque Ti-François et qu'il l'écrasait sous son pouce, il pouvait dire sans se tromper combien de livres il allait récolter:

— Les pucerons ont mangé ta graine, pauv'vieux. T'auras rien là dedans...

Mais il fallait battre quand même, à trois «cennes» la livre! Quand nous sommes devenus des hommes, mes frères et moi, nous avons voulu convaincre Florian de laisser tomber le battage pour les autres: «Trente-six métiers, trente-six misères», disions-nous, répétant un vieux dicton dont la sagesse nous semblait évidente. Mais non! Ça recommençait chaque année avec le mois d'août, et le soir nous sortions du fenil trempés de sueur, noirs de poussière, toussant à nous arracher les bronches, surtout quand il y avait de l'«éparvier» dans le foin. «Une maudite peste» disait papa, mais il se sentait obligé de faire ce travail quand même, ayant l'illusion de récolter quelques sous. Accordons-lui le bénéfice du doute: peut-être croyait-il que l'amélioration de la culture, chez les voisins, était à ce prix...

Quand on avait fini de battre le voyage d'un client, Florian allait couper les gaz de l'«engin» qui cessait de cogner. On n'entendait plus que l'eau bouillir dans le réservoir au-dessus du piston. Il se vidait les narines de leur contenu, décrochait le sac de toile attaché au dalot du petit crible pour l'emporter dehors. Il le posait sur la rampe du pont du fenil et là, en plein soleil, il plongeait sa main dedans pour faire couler la graine entre ses doigts.

— Est belle en blasphème, mon homme!

Le propriétaire se penchait au-dessus du sac, ébauchant un sourire à peine visible. Il était malséant de faire éclater sa joie au grand jour... Puis il en retirait une poignée lui aussi:

— Pas mal pantoute, hein? Pas mal...

Pendant qu'ils allaient au «hangar neu» pour mettre le sac sur la balance, nous allions à la maison pour avaler une tasse de thé avec une galette, et au suivant! Alcide montait sur le devant de sa charrette, tirait sur ses «cordeaux» pour diriger son attelage sur le pont du fenil qui tremblait. Le cul de la charge restait coincé entre les panneaux.

— Betty, ma maudite tête de cochon!

Peu familiers avec ce fenil où ils venaient une fois par année, les chevaux renâclaient, se rebiffaient, glissaient sur la balle qui recouvrait le plancher, et il fallait toute la science de leur maître pour les faire avancer dans ce trou noir qui s'ouvrait devant eux. L'«engin» se remettait à tourner, entraînant la batteuse dans ces secousses dont le rythme régulier était le signe que tout allait bien. Nous avions le sentiment de travailler pour le bien de l'humanité, ce qui était en soi une récompense.

Puis les rosées devenaient abondantes et on parlait des sacs d'école...

Les «travaux»

Rien qu'à respirer l'air frais du matin, on savait que le temps du tonnerre et des éclairs était passé. La lumière coulait sur les champs avec une espèce de langueur, enveloppant toutes choses d'une tendresse de bête qui se prépare à mettre bas. Le temps des «travaux» était arrivé. C'est ainsi qu'on désignait la récolte du grain. Il fallait sortir la moissonneuse, travail que nous ne pouvions accomplir sans un certain respect, sans quelque dignité dans le geste parce que le grain était sacré. Inconsciemment, nous savions que le froment nous reliait à des temps anciens, à ces époques reculées où la divinité imprégnait les êtres, s'infiltrait dans les choses, surtout celles qui étaient à la base de la nourriture. Le blé donnait le pain, et le pain était béni.

Mais avant de moissonner, il fallait faucher les tours, c'est-à-dire ouvrir un chemin pour la machine. En général, c'était mon père qui le faisait. J'ai l'impression qu'il se réservait ce travail comme un rare plaisir. Quand il aiguisait sa faux sur un rythme régulier, le bruit de la pierre contre le sabre était emporté par un vent chargé d'odeurs de pommes, de prunes et de miel. Penché, d'un geste large, il avançait en se balançant de droite à gauche, maintenant le talon de la faux au sol pour couper de façon égale, sans fléchir pendant une vingtaine de mètres. Puis il se redressait, regardait la distance parcourue, heureux de l'odeur qui montait de la terre fraîchement découverte, appréciant la qualité du chaume doré dans lequel restait la trace de ses bottes, jaugeant le petit andain qu'il avait formé sur sa gauche. Quand le grain avait poussé dru et long, lorsque le vent faisait onduler les épis emmêlés les uns aux autres, comme pour recevoir la lumière dans une communion plus intense, Florian regardait ses grands fonds de terre en disant:

— L'avoène est belle en blasphème dans les terres noères, mon homme. Une vrée mer!

Cette mer n'avait que sept ou huit arpents de long sur un de large, mais c'était quand même une mer: une matière flexible, ondulante, porteuse d'une richesse que le vent s'amusait à bercer, comme si, en creusant des vagues sur cette nappe mouvante, il avait voulu lui donner des poses avantageuses et provoquer notre admiration.

C'était toujours sous un soleil tendre, dans la lumière douce de septembre, qu'on sortait la moissonneuse. Et c'était un événement. Si bien que le matin, au lieu de partir pour l'école à l'heure habituelle, je m'attardais, sac au dos, regardant les hommes faire les préparatifs. Il fallait une apostrophe de Florian pour me faire déguerpir:

— Qu'est-ce que t'as à traîner icitte? Tu vas arriver en retârd!

Je descendais la côte à regret, jaloux de ceux qui avaient le privilège d'accomplir une tâche qui n'était certainement pas fatigante puisqu'elle se déroulait dans une atmosphère où régnaient la grandeur et la beauté.

Ce qu'il y avait d'extraordinaire avant tout, c'était qu'il fallait atteler trois chevaux pour traîner la moissonneuse. Conduire une «time» était déjà excitant, mais se servir de trois chevaux, cela supposait un travail dont l'importance était difficilement quantifiable. Les préparatifs immédiats se faisaient à l'entrée d'un champ, à l'heure où la rosée mouillait encore les bottines. En tournant une manivelle, on abaissait la petite roue qui supportait le bout de la table sur le devant de laquelle était placée la faux. On devait actionner une autre manivelle pour abaisser la grand-roue, cette chose énorme, large de trente centimètres, qui se trouvait sous le corps de la machine et qui commandait absolument tout: la faux, les râteaux qui tournaient à l'horizontale pour faire tomber les épis à la bonne place, la toile de la table qui roulait, amenant les tiges entre deux autres toiles qui roulaient l'une contre l'autre pour les faire monter jusqu'au «knotteur» (ficeleur), et tout ce système de baguettes qui les entassaient pour en faire des gerbes. Quand il y avait la quantité voulue, un être invisible déclenchait le «p'tit bonhomme» au nez crochu qui faisait un tour sur lui-même avec la ficelle dans la gueule au moment où une grande aiguille en forme de faucille venait le rencontrer, clac, la gerbe était ficelée et lancée dans le panier par une main à trois doigts métalliques qui tournait au moment opportun. Pour coordonner tout cela, il y avait, dans le ventre de la moissonneuse, une quantité incroyable de chaînes, d'engrenages, de rouleaux et de pédales qu'il fallait huiler, vérifier, nettoyer au besoin. Le plus difficile était d'installer les toiles sur les rouleaux qui étaient au nombre de trois.

— Ben non, pas çalle-là, innocent, c'est la toèle de la table, ça!

On se parlait parfois de façon un peu rude mais joyeusement, car on se préparait à un travail enchanteur. Moissonner, c'était nos vendanges à nous. Ce qui nous montait à la tête, c'était l'air pur de septembre et la vue des épis que la terre nous donnait.

— As-tu pésé su'l'binder?

— Ouais.

Les toiles étant bandées, Florian mettait deux «boules» de corde dans la «canisse» qui se trouvait sous le siège, en attrapait le bout et lui faisait parcourir un chemin dédaléen qu'il semblait être le seul à connaître, pour aller l'attacher au «p'tit bonhomme». La mise en place de toute cette mécanique était d'un charme sans pareil, car l'ensemble des travaux entourant le moissonnage avait pour moi un caractère quasi initiatique. Quand Florian avait attaché la ficelle au «knotteur», il faisait une dernière fois le tour de sa moissonneuse pour voir si tout était en place. Il ne restait plus qu'à accrocher l'attelage à son usine roulante. Les trois chevaux s'impatientaient, déjà attelés au «pôle» (timon). Il suffisait de lever ce dernier et de faire reculer les bêtes lentement:

— Arrié... Doucement, maudite grand-tête...

À la force des bras, on soulevait le devant de la moissonneuse, et la ferrure se trouvant au bout du timon entrait dans le trou qui l'attendait depuis l'automne précédent. On rabattait la lourde machine en la faisant basculer sur ses roues, et une ferrure trouée venait s'enclencher à une tige d'acier coulissante vissée sur le dessus du timon. Il ne restait plus qu'à enfiler les «cordeaux» dans le gros oeil situé au-dessus des toiles, et ça y était! Florian montait sur son siège avec l'air pénétré d'un chef d'orchestre qui se prépare à attaquer la neuvième symphonie de Beethoven. Sa voix claquait dans l'air matinal:

— Smatte! Prince! Paddé!

Pour lui, je crois que c'était l'heure de l'accomplissement, le moment où il était père de la façon la plus absolue. Toutes les sauterelles s'envolaient en faisant battre leurs ailes sèches, épouvantées par ce bruit de ferraille qui assaillait les airs, affolées par les douze sabots qui s'enfonçaient dans la terre humide. Celui des enfants qui était encore trop jeune pour travailler avait le privilège de se tenir debout sur la petite planche bordant la table, agrippé des deux mains au paravent de toile qui empêchait les épis égarés de tomber par terre. Émerveillé, les oreilles pleines de ce tintamarre magnifique, il pouvait voir l'avoine s'incliner une dernière fois en vagues dorées, pendant que la faux avait l'air de s'abandonner à un rire métallique.

Clément et Raymond, les deux plus vieux, s'étendaient dans l'herbe pour écouter les grillons, mâchonnant une vieille tige de mil difficilement arrachée à sa gorge. Il fallait attendre que le père ait fait au moins trois fois le tour du champ avant de commencer à «planter». Sans doute s'abandonnaient-ils alors à une rêverie qui les emportait vers le futur, même s'ils n'étaient âgés que de seize ou dix-sept ans. Pour échauffer leur imagination, il n'y avait rien de tel que de voir l'autre conduire les trois chevaux. Déjà, l'avenir les appelait. Il fallait penser au jour où les champs qu'ils allaient cultiver seraient les leurs, avec une femme, des enfants, une maison. À dix-sept ans on était déjà un homme puisqu'on pouvait tout faire à la ferme. Combien de temps encore leur faudrait-il dépenser leurs forces pour les «autres». Il ne pouvait être question de diviser le bien paternel afin d'installer le plus vieux. Mais où trouver l'argent pour acheter une autre terre? Florian était à peine monté sur son trône que déjà ses sujets commençaient à demander de l'espace, un espace à eux, une liberté que lui-même venait tout juste de conquérir. Et la source des enfants n'était pas encore tarie... Assez curieusement, en prenant de l'ampleur, la famille menaçait de se détruire, illustrant de façon parfaite une vieille vérité que nous nous acharnons à oublier: le principe de croissance contient en lui-même son principe de destruction.

Pour interrompre la rêverie de mes deux frères, il y avait parfois les cris de mon père houspillant ses chevaux, ou encore une explosion de colère plaintive que le vent emportait au-dessus des épis impassibles:

— Whoooo! Maudite marde de blasphème! C'est encôre bloqué c't'affére-là!

À coup sûr, c'était le «knotteur» qui venait de se coincer, et au lieu de lancer des gerbes, la main de métal envoyait des brassées d'épis en vrac dans le panier. Ou encore, tout s'arrêtait parce que les tiges étaient trop longues, sourtout quand on moissonnait dans les terres noires où l'humus donnait une paille plutôt molle. Alors il fallait s'arrêter, nettoyer, trouver le bout de la ficelle et le raccorder au «p'tit bonhomme».

— Venez m'aider, les garçons!

Ils devaient courir à lui, fouiller à pleines mains dans le corps de la machine pour arracher les tiges qui «bouchonnaient», les étendre sur la table pour les faire remonter au ficelage, etc. Autant il montrait un visage épanoui quand tout allait bien, autant Florian se répandait en jérémiades quand son «usine» roulante avait des ratés. Rien de plus frustrant que de se faire barrer la route quand on avance de façon royale sur son char. Lorsque tout était remis en place, papa remontait sur son siège et les habitants de l'Olympe s'inclinaient.

— Pieup, pieup. Smatte!

Il jetait un coup d'oeil du côté de son fameux «knotteur», la merveille mais aussi l'âme damnée de la moissonneuse, car s'il ne fonctionnait pas, il était inutile de se promener dans les champs avec un instrument aussi complexe. La faucheuse ordinaire eût été aussi efficace. Mais comparées au vulgaire foin, les céréales avaient quelque chose de noble, sinon de sacré. C'est pourquoi on devait les moissonner.

Quand Florian avait fait trois tours, les jeunes pouvaient commencer à «planter», c'est-à-dire construire une espèce de petite pyramide avec six gerbes qu'on faisait tenir debout en les posant sur le sol, la base légèrement écartée, les têtes se rejoignant au sommet. Ainsi, les épis s'emmêlaient les uns aux autres une dernière fois pour former une ogive grâce à laquelle le produit de la terre était offert au ciel. Mais on ne plantait pas n'importe comment. Il était essentiel d'aligner l'arête de ces constructions sur le soleil de midi, afin que les épis reçoivent le maximum de chaleur et de lumière.

Un jour, je suis rentré de l'école à l'heure habituelle, alors que le soleil était à sa place normale à ce moment de l'année, c'est-à-dire accroché au clocher de l'église dont l'ombre s'étirait vers notre maison du p'tit troisième. Je savais bien que j'avais autre chose à faire, mais le temps était tellement beau, et dans les terres noires la lumière rougeâtre se mariait si bien à ces tons de jaune émanant du chaume et des épis que je ne pus résister à la tentation. Ayant tartiné ma «beurrée de beurre», je partis d'un pas rapide vers la moissonneuse que j'entendais bourdonner, vers mes frères qui allaient et venaient dans cette mer de couleurs chaudes, prenant les gerbes à pleins bras pour les asseoir sur la terre humide. Heureux, je marchais en chantant le dernier cantique appris à l'école, ayant la sensation de participer, en allant me joindre aux autres, à quelque grand oeuvre mystérieux. L'air était frais, tellement enrichi des odeurs qui montaient du chaume fraîchement coupé qu'il me semblait palpable. D'ailleurs, quand il avait cette qualité qui le rendait capable de transporter les bruits en écho, il m'apparaissait comme une onde dans laquelle j'aurais peut-être pu nager, m'ayant pénétré par tous les pores. Jamais je n'avais éprouvé une telle sensation de plénitude, comme si j'avais été moi-même mêlé à la terre qui venait de donner une récolte abondante. Quand j'atteignis la moissonneuse, mon père dut descendre de son siège pour arracher quelques tiges coincées dans un engrenage. Il m'aperçut, jeta un coup d'oeil au soleil dont la position lui donnait l'heure avec une précision infaillible, puis il lança d'une voix rude:

— Qu'est-ce tu fais icitte? C'est l'heure des vaches! Envoye! C'est pas le temps de niaiser!

116

J'imagine que la journée avait été difficile, ponctuée de nombreux incidents mécaniques, car l'avoine était longue cette année-là. Mais je ne pouvais pas comprendre qu'il m'apostrophe de la sorte alors que l'atmosphère dans laquelle je le voyais évoluer me semblait édénique. Pourtant, je n'ai jamais oublié ce moment de beauté que je venais de vivre. Aujourd'hui encore, il m'apparaît comme une richesse, comme l'une de ces choses qui, à leur insu évidemment, forgent l'âme des paysans, les rendent capables d'endurer d'innombrables souffrances.

Le temps des «travaux» durait tout le mois de septembre et une partie du mois d'octobre, selon les caprices de la météo. Après avoir séché pendant une semaine, le grain avait durci dans les épis. Il était temps d'engranger. On jetait les pyramides par terre pour faire aérer la paille, puis on arrivait dans les champs avec les charrettes. Dans le «rack», mon père cordait méthodiquement les gerbes qu'on lui lançait à bout de fourche, pendant que grand-père suivait avec un petit râteau de bois pour ramasser les épis égarés. Dans les familles où il n'y avait plus de grand-père, c'était souvent une femme qui râtelait.

Si on moissonnait avec enivrement, on engrangeait le grain avec une joie légèrement teintée de gravité. Lourdes, les gerbes étaient un bien précieux qu'il fallait se dépêcher de mettre à l'abri des pluies qui n'allaient pas tarder à venir. Il nous arrivait donc parfois, les soirs où la lune était pleine, de rester dans les champs jusqu'aux abords de minuit pour ramasser un dernier voyage, débordants de reconnaissance envers le ciel qui nous faisait un si beau cadeau: du temps clair! Assis sur le devant de nos chargements, nous revenions vers la grange dans une atmosphère de sérénité extraordinaire, écoutant les grillons chanter, inondés de cette lumière froide que la lune laissait couler du firmament. Dans la nuit calme, le bruit des sabots, le tintement des traits de fer et le grincement des baculs devenaient distincts, aérés pour ainsi dire. Ils s'imprégnaient en moi comme une musique d'action de grâces qui montait vers les étoiles, cet espace si vaste que dans mon esprit il se confondait avec l'idée même de Dieu. Alors on parlait de la «fête de la grosse jarbe» (gerbe), réjouissances qui avaient lieu autrefois, «avant mon temps» disait papa, pour célébrer la fin des récoltes. Ce soir-là, on faisait un feu et on chantait. Le vin de cassis coulait et le diable en personne donnait son propre rythme à l'archet du violoneux. Mais c'était à une époque où il restait encore dans le peuple un certain sens de la fête, un rite de la célébration hérité de la France qui le tenait de l'antiquité, au temps où Dyonisos était un vrai dieu...

On entassait les gerbes sur le fenil, entre la batteuse et la grande tasserie du nordet qui était alors pleine jusqu'au faîte. La forte odeur du trèfle se mêlait à celle de l'avoine et du blé, plus délicate, éthérée. Les flancs bourrés de la récolte, la grange devenait une source de vie. C'est donc à juste titre qu'on disait alors: «La grange est pleine comme un oeuf.»

Et c'est avec une certaine nostalgie qu'on regardait les champs de chaume. Ils avaient l'air de grandes bêtes qu'on vient de plumer. Il y avait des jours où l'air était encore tendre, mais les corneilles étaient parties, et la voûte céleste commençait à s'écraser. C'était pour nous dire, de façon plus claire, que le temps s'engouffrait dans un tournant de saison.

Le pain

Un repas sans pain était inconcevable, de même qu'une collation. Il accompagnait tous les autres aliments, c'est-à-dire les viandes et les pommes de terre. Il devenait même un dessert puisqu'on le sauçait dans le sirop à la fin du repas. Florian, lui, qui devait avoir «du Chinois dans le corps», entrecoupait ses bouchées de viande de bouchées de pain plongées dans la mélasse. Comme ma mère qui le boulangeait, le pain était toujours à la maison. Comme ma mère qui le boulangeait, le pain était tendre, mais solide et nourrissant.

Pour avoir la farine avec laquelle on faisait le pain, il fallait aller faire moudre le blé au «moulin à farine» de Sainte-Luce. Cela m'a valu de bien beaux voyages en compagnie de grand-père Jos, quand j'étais jeune. Entre les «sumences» et le temps des foins, il n'y avait rien qui pressait. Le vieux laissait le cheval trotter ou prendre le pas selon sa fantaisie. Au passage, nous regardions les champs où le foin poussait. Grand-père Jos, dont le défaitisme ne se démentait jamais, avait toujours quelque chose à redire:

— Y a trop mouillé au printemps. Les fonds sont neyés...
Ou bien:
— La chesseresse a tout brûlé. On aura rien encôre c't'an-née...

Bien sûr, la vérité se situait quelque part entre ces deux extrêmes et, assis près de lui sur le devant de l'«expresse», une espèce de berline montée sur ressorts mous, je me laissais aller à de longues rêveries, goûtant l'odeur forte du cheval qui commençait à suer, odeur à laquelle se mêlaient celle des marguerites en train d'éclore et celle du trèfle dont les têtes rouges offraient déjà quelque liqueur aux guêpes et aux abeilles.

Pour aller à Luceville, on prenait un raccourci, empruntant l'allée qui longeait les champs du père Bilodeau, un bossu qui n'avait qu'un cheval et qui cultivait à la va-comme-je-te-pousse. Je le voyais toujours assis sur le devant de sa charrette, affichant un air heureux pour cacher ses maigres récoltes, chiquant un tabac fort qui lui laissait de vilaines taches jaunâtres sur la lèvre inférieure. Accompagner mon grand-père était un privilège. C'était donc moi qui ouvrais et refermais les barrières pour traverser les champs, heureux de payer par ce travail de subalterne, le plaisir qu'on m'avait accordé.

Puis on atteignait le deuxième rang, c'est-à-dire la continuation du village, et sur cette route de gravier le cheval se mettait à trotter vers l'est. On passait devant la maison du père Gaspard, et si par hasard le bonhomme était assis sur sa galerie, grand-père lui envoyait la main sans dire un mot: même s'ils se connaissait bien, les deux hommes semblaient renfermés dans le même silence, adossés à l'édifice de la même expérience faite de labeurs. Pour eux, les jours ne se mesuraient pas en moments de joie exprimés par des mots mais par des arpents de terre labourés, hersés, semés, récoltés.

Au bout du «deuxième», à l'école du rang, le chemin se divisait et nous prenions par la fourche du côté nord, pour traverser des terres basses qui m'étaient à peu près inconnues. Plats, les champs s'étendaient sur une dizaine d'arpents au moins, jusqu'au fleuve où l'eau scintillait, porteuse d'un mystère qui m'attirait tout en m'inspirant une crainte dont les causes me sont toujours inconnues. Dans ces champs découpés en longs rectangles par les clôtures de pieux traditionnelles, le foin alternait avec le grain et les pâturages.

— Quiens, le blé à Ti-Georges est déjà en train de fére sa gorge, à huit pouces de haut… Y récoltera pas grand-chose, disait grand-père.

Et en effet le soleil «plombait» sur ces terres sablonneuses, desséchait les tiges de mil qui se dressaient, clairsemées, comme pour laisser le champ libre aux marguerites qui s'accommodaient fort bien de la sécheresse. Loin en avant, il y avait la grosse cheminée du «moulin à scie» des Saint-Laurent qui lançait sa fumée noire dans le ciel bleu, symbole d'une puissance industrielle que Saint-Anaclet ne posséderait jamais. Pour moi, c'était surtout un endroit où des hommes supérieurs travaillaient au milieu d'un nombre incalculable de poulies, de roues, de courroies qui s'entrecroisaient, de scies qui tournaient à une vitesse fabuleuse, de chariots et de tabliers roulants qui transportaient des madriers pendant que la grande scie ronde, une scie dont le diamètre était formidable, fendait les billots les plus gros d'un trait impeccable. À mes yeux, les hommes qui travaillaient dans une scierie de cette importance devaient être des sorciers, ou du moins posséder des connaissances que seuls quelques élus sur la terre pouvaient rêver de posséder un jour.

Nous entrions dans Luceville, et ce village traversé par une voie ferrée m'apparaissait comme une ville énorme, un lieu de haute civilisation où il y avait plusieurs magasins, des automobiles en quantité, des garages et du bruit. Après avoir traversé plusieurs rues, tourné à droite, à gauche et encore à droite, si bien que je ne savais plus où était le nord, on arrivait enfin au moulin à farine. Grand-père descendait de son siège pour attacher son cheval à l'ombre, afin qu'il ne soit pas incommodé par les mouches. Je le suivais à l'intérieur de la meunerie où le bruit des meules, des cribles et des passoires se conjuguait magnifiquement au mouvement des poulies et des courroies. Le meunier était un gros homme tranquille qui souriait de temps en temps, indifférent à la poussière qui collait à sa moustache, conscient d'accomplir un travail qui le distinguait de tous les autres hommes: grâce à lui, le froment devenait fine fleur avec laquelle on allait pouvoir faire du pain. Le jour où on l'avait engagé, cet homme dont j'ai oublié le nom avait acquis une réputation prestigieuse en posant une petite question à l'ex-meunier:

— Les meules, on peut-y les serrer encore plus?

Et il avait serré la vis, ce qui l'avait fait monter dans l'estime de tous. Grâce à ce petit geste, nous obtenions une farine plus blanche et plus fine.

En attendant son tour, grand-père allait parfois à la froma-gerie pour acheter un morceau de ce gros fromage orange que je n'aimais pas tellement. Mais c'était le seul que nous connais-sions, et mon père le trouvait bon. Si le vieux était de belle humeur, j'avais droit à un bonbon d'une «cenne», ce qui faisait de mon voyage une réussite complète. Quand notre blé était devenu farine, nous nous remettions en route et de nouveau les champs se succédaient, écrasés de soleil. Parfois il m'arrivait de voir un troupeau de vaches se mettre à courir d'un bout à l'autre de leur pâturage, affolées par les mouches, ivres de lumière et probablement saisies d'une folie subite, d'un besoin incoercible de s'élancer, comme si tout à coup leur nature de bovidés leur devenait insupportable. Je n'ai jamais pu m'expli-quer ces courses folles des vaches autrement que par une mala-die psychologique propre à leur nature. Au plus fort de l'été, quand le soleil monte à son zénith, il y a des moments où la cha-leur semble déclencher un mouvement ascensionnel auquel ces animaux ne peuvent plus résister. Ils ont envie de se dépas-ser, d'aller au-delà de leur condition animale.

À la fin de l'hiver, les voyages au moulin à farine étaient fort différents mais tout aussi passionnants. Il y avait des jours où la neige tourbillonnait mollement en nuages de gros flocons, poussée par un vent de nordet qui n'avait pas envie de cingler mais tout simplement de folâtrer. Cela donnait des tempêtes molles. Alors on chargeait le traîneau de sacs d'avoine et de blé. Le cheval partait au petit trot, boulangeait la neige d'un boulet léger pendant que le traîneau semblait glisser sur une nappe ouatée dans laquelle on avait envie de se rouler comme sur un ventre, car tout à coup la neige n'était plus une ennemie. Avant de disparaître, elle se faisait douce, enveloppante. Dans cette humidité nouvelle, l'odeur du cheval se mariait merveilleuse-ment à la mollesse du vent et à la tendresse de la neige. Le ciel était bas, comme on le disait, et à cause de cette masse humide qui se refermait sur nous, sillonnée de flocons énormes, on avait l'impression que la nature avait envie de nous embrasser, de nous bercer pour nous faire oublier ce qui était arrivé, un peu comme la mère prend l'enfant nouveau-né sur son ventre pour tâcher de lui faire accepter l'expulsion de son sein.

En hiver, les jours où ma mère boulangeait, je sortais de mon lit un peu plus tôt pour la retrouver dans la cuisine. Une fois par semaine, elle devait cuire une vingtaine de pains pour nourrir toutes les bouches de la famille. La première chose que je voyais en descendant l'escalier, c'était le sac de farine sur une chaise, au bout de la huche à pain. La huche était près du poêle, devant la porte qui donnait sur la «salle», une espèce de salon où on n'allait pas souvent. Du milieu de l'escalier, je voyais ma mère plonger ses bras jusqu'aux coudes dans la pâte, brasser, remuer, retourner, pendant un temps qui me semblait infini. Comme il faisait encore noir au dehors, la lampe Aladin était allumée, mais ce coin de la pièce était sombre de sorte que je voyais trembler la flamme par les prises d'air du poêle. Tous les autres étaient à l'étable pour faire le «train», pendant que sur le feu les pommes de terre bouillaient, répandant leur bonne odeur humide dans la cuisine. De temps en temps ma mère puisait dans le gros sac de farine pour épaissir sa pâte. Quand celle-ci était assez consistante, elle mettait le couvercle pour l'abandonner à la chaleur ambiante. S'amorçait alors le mystérieux travail de la levure. On revenait de l'étable avec les seaux de lait, on déjeunait, et mon père allait allumer le four dans le hangar, avec de vieux piquets de cèdre que grand-père avait débités au cours de l'été.

Vers le milieu de la matinée, ma mère ouvrait la huche et j'avais la surprise de voir qu'elle était pleine. Elle enfonçait ses poings dans la pâte pour la travailler encore, remettait le couvercle et c'était le temps de badigeonner les «casseroles» avec une couenne de lard. Il y en avait une vingtaine, assez grandes pour faire des pains de deux kilos au moins. Un peu avant midi, elle ouvrait de nouveau la huche, dans laquelle la pâte avait retrouvé son ventre tendu, puis elle en coupait des morceaux qu'elle roulait sur une planche enfarinée, en faisait des boules qu'elle déposait deux par deux dans les moules. Suivait alors une transformation que je trouvais fascinante. Sous mes yeux, les boules se gonflaient, doublaient de volume sinon plus, prenaient la forme d'une belle paire de fesses blanches. Cela se passait pendant que ma mère préparait le dîner, lavait la vaisselle, etc.

Vers le milieu de l'après-midi, je la suivais au hangar où elle ouvrait la porte du four, une énorme maçonnerie grise qui dormait dans un coin. Alors je voyais le tas de braise grésiller, dégageant une chaleur dans laquelle traînait une vague odeur de cèdre brûlé. Munie d'un long grattoir de bois, elle tirait cette braise vive qui tombait sur le tablier de pierre, puis elle tendait le bras vers l'intérieur du gros ventre de brique.

— C'est un peu chaud, mais ça va baisser.

C'était le temps de transporter les casseroles de la maison au hangar, deux à la fois, en vitesse pour que la pâte ne s'affaisse pas sous l'effet du froid. Elle les posait une à une sur une palette de bois munie d'un long manche pour les pousser au coeur de la chaleur. La double porte en fer, de forme ovale et rouillée, grinçait quand elle la refermait du bout de sa palette. Ce bruit coïncidait avec le commencement d'une étape importante, empreinte d'un charme que nous ne pouvions pas exprimer par des mots. Je pouvais seulement le lire dans le regard de ma mère.

En général, c'était lorsque les «hommes» revenaient à la maison et que les enfants rentraient de l'école que maman retirait le pain cuit. Les grosses miches brunes grésillaient, se fendillaient en rides minuscules au changement de température, tout en répandant une bonne odeur de «pain chaud», ce point sublime où le froment est arrivé au terme de sa transformation. Ma mère renversait les moules, alignait les pains sur une planche d'épinette, et à ce moment-là il y avait dans ses yeux une lueur de contentement, un bonheur que je comparerais à celui que devaient goûter, en des temps anciens, les alchimistes qui voyaient le métal se transformer selon leurs voeux. C'était la fête de la semaine. Pour la collation en revenant de l'école, il n'y avait rien de meilleur au monde que des «beurrées de beurre» au pain chaud! Il est certain que, parmi les rares choses qui ont rendu ma mère heureuse, il faut compter le fait de nous avoir vus dévorer le pain qu'elle avait boulangé de ses mains. Entre elle et nous, c'était un lien de plus.

Les soirées d'hiver

Nos hivers étaient caractérisés par le fait qu'en général, tout le monde restait à l'intérieur après le souper. Dehors le vent s'adonnait à son divertissement préféré, la poudrerie. Dans le noir, il enjambait les clôtures, secouait les pommiers, courait entre la maison et le hangar, se cognait les dents contre la grange pour s'en aller mourir dans le coteau d'épinettes. Inlassable, il fabriquait des «bancs de neige» que nous trouvions intacts le lendemain matin, dessinés selon ses caprices. Dans la cuisine, il y avait le poêle à bois sur lequel maman avait fait cuire le repas et qui continuait à donner sa chaleur. Assis au centre de la pièce, sous la lampe Aladin, Florian lisait son journal pendant que ma mère lavait la vaisselle avec l'aide de ses filles les plus âgées. Pour se distraire, on chantait de vieilles complaintes venues je ne sais d'où:

Quand le marin revient de guerre, tout doux...

Ou encore:

Entendez-vous la mer qui chante,
De Saint-Malo jusqu'à...

Rien de tel que ces vieilles romances pour apprivoiser la nuit. Ma mère entonnait parfois une chanson qui avait probablement marqué sa jeunesse. Une chanson d'amour, d'espoir, avec des mots simples qui glissaient sur une mélodie facile:

Sur les coteaux le soleil brille,
Et là-bas le long du chemin,
Les garçons et les jeunes filles,
Vont gaiement se tenant par la main.
On entend, vers l'azur des cieux,
Monter des rires malicieux.
Cueillez, cueillez la cerisette,
Gais amoureux de vingt ans.
Mais en cachette,
Dans la cueillette,
Embrassez-vous de temps en temps...

Cette chanson venait peut-être de France, je n'en sais rien. Mais elle m'a frappé par ce qu'elle suggérait. Dans la bouche de ma mère, une femme qui ne vivait que pour son devoir, elle avait des accents d'une sensualité extraordinaire. C'était l'expression du désir, de l'ardeur qui vous poigne au ventre quand les fleurs bourgeonnent et que les abeilles butinent. L'amour! Oui, c'était l'expression de l'amour débridé, propre à la jeunesse. Quand ma mère la chantait, il y avait des vergers en fleur dans ses yeux, et sur ses lèvres il me semblait voir flotter des souvenirs de baisers. Elle «vivait» et nous donnait le goût, sans le savoir, de prendre la vie à pleines mains, d'embrasser le monde.

Une trentaine d'années plus tard, j'allais me trouver au pied de son lit, à l'hôpital, et son visage creusé par la douleur allait me transpercer jusqu'au coeur. Ses yeux allaient s'ouvrir une dernière fois pour me voir, tentant de me laisser un message, puis se renfermer pour toujours. Aujourd'hui, je me demande si son message n'était pas tout simplement d'avoir la force de chanter, jusqu'au dernier soupir, de ne jamais refuser le bourgeonnement, d'oublier son visage d'agonisante et de garder en moi celui qu'elle avait en ce temps-là, vibrant d'amour.

Mais les chansons ne suffisaient pas. Il fallait aussi inventer. Parfois, l'un des enfants se mettait à raconter une histoire qui commençait de la façon suivante: «Une fois, y avait une grosse maison rouge sur le haut d'une côte. Dans la maison, y avait beaucoup beaucoup d'enfants...» Bien sûr, il s'agissait de notre maison, de notre situation. C'était un beau point de départ et, un peu comme au théâtre, nous nous regardions, «les mains sur les genoux», singulièrement émus à l'idée que notre vie, dans toute sa simplicité, pouvait être transformée par le langage, devenir source de poésie.

Nous étions cinq ou six à courir, à monter l'escalier, à le redescendre, à nous chamailler et à pleurer. Quand il était à bout, Florian criait:

— Allez-vous vous arrêter de mener le yâbe!

— Y sentent la tempête, j'cré ben, disait ma mère avec indulgence.

Grand-père lorgnait du côté de la «strappe» (cuir à aiguiser les rasoirs), ce qui faisait rire les plus jeunes, et finalement on nous envoyait au lit. Mais dans les chambres la chicane continuait à coups d'oreillers. Dans le feu de l'action, il nous arrivait de vider le contenu de nos paillasses, ce qui nous valait quelques bonnes claques aux fesses.

Pendant que la famille s'endormait, ma mère s'assoyait avec son tricot. Elle devait faire des chaussettes de laine, des mitaines, des «p'tits corps», etc.

Comme distraction il y avait aussi les séances d'«échiffage». On prenait nos vieux vêtements et on les découpait en carrés de cinq ou six centimètres que l'on défaisait brin par brin. C'était fastidieux, mais cela nous tenait les mains occupées. Le tas d'«échiffes» que l'on récoltait était d'autant plus gros que la famille était nombreuse. On mettait ces résidus dans une baratte conçue à cet effet, on y ajoutait de l'eau bouillante et on barattait avec une espèce de pilon muni de dents. Cela donnait une masse de fibres informes, vaguement grises, que l'on pouvait filer et tisser de nouveau pour faire d'autres vêtements.

Au cours de ces longues soirées, l'oncle Albert m'a procuré de bien grandes joies. Sans le savoir, bien entendu. Le dimanche, il chantait à l'église, mais il rapportait son gros missel de grégorien à la maison. Parfois, à l'heure où mon père lisait son journal sous la lampe Aladin, il montait dans sa chambre et il solfiait. Alors je m'asseyais sur la première marche de l'escalier pour l'écouter. La-do-do-ré-mi-ré-do-do… Que pouvait-il y avoir de si troublant dans ces mélodies religieuses venues d'un autre monde? Je n'en sais rien. Toujours est-il que j'écoutais sans bouger, transporté par ces notes d'une fraîcheur extraordinaire, si fluides que je les assimilais aux volutes de fumée ou aux mouvements imprévus des feuilles emportées par l'automne. Ainsi je les teintais d'une nostalgie qu'elles n'avaient peut-être pas, mais qui se mariait à mes états d'âme de façon magnifique. Je crois que la première fois de ma vie où j'ai employé le mot «beauté», ces mélodies grégoriennes étaient pour moi un point de référence.

À l'époque, ma tante Marie-Louise avait aussi son trésor poétique, l'équivalent du solfège grégorien pour l'oncle Albert. C'était un petit panier d'osier, rond, dont la base était rouge et le couvercle de couleur naturelle. Or, ce petit panier avait une qualité magique: il sentait bon! Le soir après le souper, quand maman tricotait des bas de laine ou des mitaines pour sa famille, Marie-Louise sortait son panier et la cuisine embaumait le foin d'odeur. De ses mains blanches, elle étalait son oeuvre inachevée, un dessus de table circulaire, et avec un instrument qui me rappelait ceux du dentiste, elle faisait circuler du fil blanc entre ses doigts. Un luxe que cette dentelle, évidemment, puisque ça ne servait à rien, c'est-à-dire que ça ne servait pas à la famille. Ces nappes ajourées ne feraient jamais partie de ce qu'on appelait alors un trousseau de mariage, mais il est certain qu'en manipulant son crochet et en faisant glisser le fil blanc entre ses doigts avec application, afin d'obtenir quelque chose de beau qui allait être entièrement à elle, la tante Marie-Louise se donnait l'illusion de l'enfantement. Elle créait! Elle créait dans la propreté! Pas de sperme, pas de sang, pas de liquide amniotique, pas de douleurs au ventre, rien de toute cette boue qui rend la femme si semblable à la terre quand elle donne la vie. Rien de tout cela, et pourtant au bout de ses doigts quelque chose prenait forme. D'ailleurs, toutes ses «créations» commençaient par un petit point qui se développait de façon circulaire, un peu comme un embryon...

Un soir, grand-père Jos avait ramené sa fille à la réalité, si je puis dire. Au moment où elle rangeait sa dentelle et replaçait le couvercle sur son petit panier avant de monter se coucher, il avait enlevé ses chaussons de laine en disant:

— Marie-Louise, viens couper la corne de ton cheval...

Cela dit sur son ton habituel, bourru mais sans méchanceté. Toute la maisonnée avait ri, mais je crois que c'est moi qui avais ri le plus fort. J'avais même répété la phrase du vieux. Alors ma tante m'avait regardé en souriant, considérant qu'on pouvait me pardonner cette insolence à cause de mon bas âge. D'ailleurs, c'est sans hésitation qu'elle avait pris les ciseaux et s'était agenouillée aux pieds du grand-père pour lui couper les ongles d'orteils. Je regardais la scène avec une espèce de fascination: la vieille fille à genoux, sa main délicate tenant le pied blanc du vieillard, et les ciseaux qui faisaient un bruit métallique lorsqu'ils parvenaient à trancher la «corne», car il avait les ongles d'une épaisseur peu commune. La main pure et le pied laborieux. J'avais l'impression que c'était le seul lien qui restait entre le père et la fille. Tout avait été sublimé pour laisser place à une seule idée: le respect dû au père. D'ailleurs, il était assis et elle était à genoux. Même si ma tante s'exécutait de bonne grâce, il me semblait qu'il y avait là quelque chose de scabreux. Comme il savait que sa fille serait toujours vierge, il se peut bien que le vieux ait voulu lui faire prendre contact avec le mâle, dans la mesure du possible...

— Marci ben, dit-il simplement quand elle eut fini, puis il m'ordonna d'aller me coucher, comme s'il venait tout juste de se rendre compte que j'avais vu quelque chose d'indécent.

En général, c'est par les soirs d'hiver que la maladie nous rendait visite. Florian, par exemple, avait souvent mal à l'estomac: des spasmes terribles qui le clouaient au lit et le faisaient vomir. Alors ma mère lui préparait des compresses chaudes avec du liniment «Rundol» (Randle), la panacée du Bas-du-Fleuve qu'on achetait du marchand ambulant. Elle faisait chauffer le liniment dans un vieux moule à gâteau bosselé, trempait un morceau de flanelle dans le liquide bouillant, puis elle l'appliquait sur son ventre. Dans la maison, ça sentait fort et on était inquiet. Mais jamais il n'était question du médecin. Il fallait venir à bout de la maladie soi-même et c'est sur lui, le père, qu'on devait prendre exemple. Un soir, le liniment s'était enflammé, le feu du poêle étant trop vif. J'avais eu peur, mais maman avait maîtrisé la situation en rabattant vivement le morceau de tissu sur la flamme. Il y avait des moments, comme ceux-là, où je me demandais si la misère n'existait pas quelque part, mais ce mot ne faisait pas encore partie de mon vocabulaire. J'avais bien entendu mon père parler de «misére nouére» ou de «misère maudite», mais c'était pour qualifier un travail difficile à exécuter.

Comme notre maison était la dernière du p'tit troisième, les quêteux avaient un calcul facile à faire pour passer la nuit chez nous. Il leur suffisait de se présenter à la maison vers cinq heures et demie. Comment refuser un repas et un lit à ces pauvres diables, surtout en hiver? Cela nous valut quelques soirées passionnantes. C'est comme ça que j'ai eu l'occasion de voir un «nègre» alors que j'étais tout petit. Il n'y en avait pas un seul dans tout le Bas-du-Fleuve... Mais celui-là était fascinant à un double point de vue. En plus d'avoir la peau noire, il avait la lèvre supérieure complètement arrachée. Sur ce qui devait être une vieille plaie, il avait collé une bande de sparadrap. Nous n'avions d'yeux que pour cette lèvre inexistante, une espèce d'obscénité, et le bruit qu'il fit en avalant sa soupe ne provoqua par le rire, mais la gêne.

L'un de ces visiteurs que je n'ai jamais oubliés était un «affileur» de rasoirs. Chez nous, il trouva plusieurs rasoirs à aiguiser, mais il trouva surtout que mes soeurs étaient plaisantes à regarder. On lui donna le feu et l'eau pour salaire et il passa la soirée à parler, zieutant les créatures de la maison. C'était un homme qui avait la parole facile et le regard doucereux. Après le souper, alors qu'il procédait à l'affûtage de ces précieux outils sous l'oeil attentif de la famille, il déclara quelque chose qui ne manqua pas de surprendre mon père, au point que ce dernier abandonna son journal pour un bon moment:

— Un rasoir est ben affilé quand y coupe un cheveu au lieu de le fendre. Un rasoir, c'est fait pour couper, pas pour fendre la barbe.

Or, Florian prétendait que son rasoir était bien aiguisé quand il pouvait fendre un cheveu. Preuve à l'appui, le bonhomme prit un rasoir non encore affûté et fendit plusieurs cheveux, puis il le travailla avec sa pierre douce, une pierre qu'il gardait dans un tissu moelleux comme une pierre précieuse, un bijou originaire d'Ispahan... Ensuite il y eut le coup de la «strappe», un cuir beaucoup plus large que celui dont on se servait à la maison et dont grand-père nous menaçait si souvent. Il y glissait la lame du rasoir avec une précision fascinante, tantôt d'un côté, tantôt de l'autre, sans cesser de nous entretenir, fier de nous voir tous autour de lui, nous les enfants. De temps en temps maman levait les yeux de son tricot pour le regarder avec un sourire bienveillant, comme si elle avait subi son charme, elle aussi. Quel homme merveilleux! Il roulait ses cigarettes à une vitesse folle, les faisant bien égales comme des cigarettes achetées. Au lieu de se servir d'allumettes, il sortait un truc de sa poche, un «lighter» qui donnait de la flamme au premier coup de pouce. Cet homme était si habile qu'il aurait dû travailler pour une grosse compagnie, en ville...

Quand le rasoir fut aiguisé selon ses normes, il s'arracha de nouveau un cheveu, le laissa pendre entre son pouce et son index, puis il le coupa en plusieurs petits bouts, ce qui nous parut tout à fait convaincant. Mon père, qui ne fendait pas les cheveux en quatre mais en deux, se leva pour aller se coucher. Je remarquai un petit sourire dubitatif sur ses lèvres. Le lendemain, après le départ de l'«affileur de rasoirs», il remit les choses en place avec une logique qui nous avait fait défaut la veille:

— Si y serait si smatte que ça, y passerait pas son temps dans le chemin comme un quêteux.

Mais nous avions quand même passé une belle veillée à écouter un homme qui voyait du pays, qui parlait, parlait, comme si son plaisir avait été de nous faire voir les images amassées dans sa tête.

Nos plus belles soirées, nous les devons pourtant à l'oncle Ti-Phram. Il y en a une, entre autres, que je n'ai jamais oubliée. J'avais cinq ou six ans et je me trouvais près de la maison à la tombée de la nuit, regardant vers le village. Il faisait un beau temps sec, et sous les pas la neige crissait comme du sable. Alors, dans les dernières rougeurs du soleil, j'avais vu avancer la lourde silhouette du bonhomme, légèrement inclinée, produisant à chaque expiration une buée blanche que le froid dévorait dès la sortie de sa bouche. Débordant de joie, j'étais entré à la maison en criant:

— Heille, mon oncle Ti-Phram arrive!

Il s'agissait d'Éphrem, le frère de grand-père Jos, mais nous ne faisions pas la distinction entre oncle et grand-oncle. Comme on mettait des «Ti» devant le nom de n'importe quel vieux, cela avait donné Ti-Phrem, et avec l'usage, Ti-Phram. Ce personnage m'enchantait, d'abord parce qu'il était un conteur merveilleux, et aussi parce qu'il avait derrière lui un passé mystérieux. J'ai fini par apprendre ce qui lui était arrivé par petites bribes de confidences que mon père laissait échapper au cours de nos travaux. Quand on rentrait du foin, s'il n'y avait pas lieu de geindre contre le vent ou la pluie, Florian nous parlait des «anciens»... Il s'agissait parfois de la parenté, mais il y avait beaucoup d'autres figures originales. Par exemple, la Marloune, qui faisait cinquante milles en train et qui revenait chez elle en quêtant. Ti-Philippe Hudon, lui, était toujours malade, mais en réalité il ne voulait pas travailler:

— Y a la corde du coeur assez longue que le coeur y traîne dans marde.

Il y avait aussi mon oncle Cyrille Lavoie, du cinquième rang, le frère d'une certaine grand-mère Amanda, qui était le type même du pusillanime. Je le voyais parfois aller à la messe dans son petit boghei, portant moustache et grand chapeau, aux côtés de sa femme Émilie à qui il répétait, quand elle se plaignait de son sort:

— Nouru, Mélie, d'abord l'on vit...

L'oncle Cyrille était grand, mince, sec comme une queue de bardeau. On avait l'impression que le vent allait l'emporter. Il avait un cheval qu'il appelait Vaillant, un animal nerveux et trop fort pour son propriétaire. Dans le bois, il mettait seulement deux ou trois billots sur sa «sleigh» et il le conduisait par la bride, marchant à côté de lui.

— Chargez-lé donc, blasphème, vous allez voer qu'y va se tenir tranquille, disait Florian.

Quand il allait au village, s'il voyait une automobile venir en sens inverse, Cyrille descendait de son boghei et couvrait la tête de son cheval avec son chapeau.

Ces histoires faisaient passer le temps, ce qui n'était pas désagréable. Elles nourrissaient notre sentiment de supériorité, ce qui était fort stimulant.

À propos de l'oncle Éphrem, il fallut plusieurs voyages de foin pour en venir à la révélation la plus importante: sa femme l'avait quitté! À cette époque et dans ce milieu, c'était un malheur doublé d'une catastrophe, triplé d'une espèce de honte, si bien qu'il fallait avoir l'âge de raison pour en entendre parler. Il n'y avait que les femmes de la ville, et des Anglaises encore, pour se permettre une telle faute. Ce qui faisait rire mon père, c'était que Ti-Phram avait passé sa jeunesse à répéter:

— Quand j'vas me marier, moé, j'vas en prendre une belle...

Il en prit une belle, en effet, mais il l'emmena défricher une terre de misère dans une petite paroisse isolée au coeur des montagnes, qui s'appelait Saint-Joseph-de-Lepage. Pour toute richesse il avait ses bras, une «time» (paire) de boeufs, une charrette, une hache, un «sciotte», un poêle à bois et une carabine. Cette première «belle femme» eut la mauvaise idée de mourir assez tôt, ce qui porta Éphrem à abandonner son lopin de terre difficile à faire produire, sur lequel il avait plutôt le goût de chasser le chevreuil et l'orignal. Car c'était un chasseur hors pair. Après la mort de sa femme, il travailla comme «limeur» dans les scieries.

— Un maudit bon limeur, par exemple; adret comme le yâbe...

Si adroit qu'il dénicha une deuxième belle femme, emprunta cent vingt-cinq dollars à son frère Jos et se remaria. Puis il partit vers d'autres montagnes, vers d'autres arpents difficiles à défricher, mais où il y avait toujours des lacs pleins de truites, des «chevreux» à portée de fusil, quand ce n'était pas des orignaux avec un panache «large de même»...

En plus d'être envoûté par la forêt vierge, Ti-Phram était une espèce de poète, un chercheur, bref, tout sauf un vrai paysan. Un chercheur? Eh oui! L'une des premières révélations qui sortirent de la bouche de Florian, un jour où nous faisions des «vailloches» ensemble, c'est que le bonhomme avait passé une partie de sa vie à chercher le mouvement perpétuel. De quoi faire rire pendant des siècles, dans ce monde où il fallait se lever à l'aube pour répondre aux besoins des vaches, des chevaux et des cochons, si on voulait manger.

— Qu'est-ce que c'est ça, le mouvement perpétuel?

— Queuqu'chose qui marcherait tout seul, tout le temps.

— Y l'a-t-y trouvé?

— Si y l'aurait trouvé, on l'aurait su.

— Comment ça se fait qu'y a eu c't'idée-là?

— Ça... Y avait p'têt' ben envie de rester assis pis regarder l'ouvrage se fére tout seul... Dépêchons-nous, y a des nuages qui montent.

133

Toujours est-il que de chevreuils en rêves irréalisables, il renonça à sa deuxième terre, donna son vieux boghei à grand-père Jos pour rembourser les cent vingt-cinq dollars qu'il lui devait, puis il partit pour Beauharnois, à quelques kilomètres de Montréal. Il y travailla à la construction du barrage hydro-électrique. Et c'est là que le malheur survint: sa deuxième «belle femme» l'abandonna. Quand je l'ai connu, il était déjà un vieillard vivant avec sa fille dans un petit appartement de Rimouski, assis, engraissant, fumant des cigarettes qu'il se roulait lui-même. Ainsi, un jour d'automne, je l'ai vu arriver à la maison au beau milieu de la semaine, prenant tout le monde par surprise.

— Salut!
— Salut!

Les deux frères parlaient peu. Ils se regardaient, fumaient, l'un sa pipe, l'autre son tabac qui sentait bon, et en quelques secondes j'avais l'impression que leurs regards avaient tout dit: «T'as pas trop changé. — T'as pas trop vieilli, toé non plus. — Tu veux pas encore mourir toé, non plus. — Tant que j'pourrai sarvir à queuqu'chose.»

Le reste n'avait aucune importance. Ce soir-là, en avalant sa fricassée, Éphrem demanda à mon père:

— Fleurien, j'pourrais-t-y me sarvir de tes outils pour me fére une bonne pére de bottes?

Étonné, papa ne répondit pas tout de suite. Il ne reconnaissait pas beaucoup de talent à son oncle comme cordonnier, et en plus il ne savait pas ce qu'il allait faire d'une paire de bottes dans son appartement.

— Voulez-vous passer l'hiver au chantier?
— Non... Un p'tit tour de chasse, pour queuqu'jours...

Le lendemain on alluma la «truie» du hangar et Florian sortit de son stock une belle peau de vache tannée, lui donna ses alênes, son couteau bien aiguisé, etc. Éphrem passa deux jours assis sur le banc de cordonnerie, taillant, cousant à la «babiche» ou au ligneul, maugréant, clouant ses semelles de «goudrier» avec les minuscules chevilles de bois. Le résultat ne fut pas très heureux, mais satisfaisant pour lui. Florian le regarda partir avec un sourire condescendant.

— Une chance qu'y sera pas obligé de passer l'hiver avec ça dans les pieds...

Parti avec le sourire, Éphrem revint au bout de trois jours, la tête basse, les mains vides, les bottes crevées.

— Rien vu... Y a pus rien...

Ce soir-là, ce fut une belle occasion d'évoquer le temps passé. Il nous tint en haleine pendant plus de deux heures, apercevant un panache d'orignal au moment où il arrachait une souche avec son «beu», décrochant son fusil en vitesse, courant, dévalant des «coulées» embroussaillées qui lui barraient la vue, sautant des ruisseaux, contournant des rochers énormes, et soudain la belle tête de l'animal gigantesque apparaissait derrière un tronc d'arbre. Il épaulait, mais la bête avait senti une femelle vers le nordet, le vent soufflait du mauvais bord, un orignal «c'est quousiment aussi senteux qu'une créature», et il n'avait pas le temps de tirer, il fallait repartir, mais juste au moment où il allait se trouver en position de lui régler son compte, c'était un chevreuil qui débouchait d'un taillis ou d'un petit bouquet de «saint-michel» du côté nord. En une seconde il fallait se décider: l'orignal ou le chevreuil? Il optait pour les deux, en abattait un puis se mettait à la poursuite de l'autre, faisant des détours, rampant, s'écorchant, le coeur battant comme le jour où il avait connu sa première femme...

Quand il avait débité son gibier, il allumait une cigarette, deux ou trois semaines s'écoulaient au cours des premières bouffées, puis il était de nouveau à l'affût sous les pluies d'automne, dans la neige fondante, mais au bout d'une poursuite riche en imprévus que le hasard tricotait contre lui, pan! Une giclée de feu déchirait la nuit tombante, les montagnes se renvoyaient joyeusement le bruit de la détonation, et une silhouette élancée s'effondrait derrière un «corps d'âbe», un vieux cèdre haut de même qui était tombé depuis des années...

Quand mon oncle Ti-Phram était à la maison, les enfants étaient incapables de faire leurs devoirs et d'apprendre leurs leçons. Ils ne pouvaient faire autrement que d'écouter le récit de ces aventures embellies par le temps, gonflées par le souffle d'amour que le vieillard portait en lui. Il avait le génie de rehausser la réalité, d'organiser les événements, d'allonger un panache de chevreuil, d'amplifier les bruits, et quoi d'autre? Nous étions au théâtre sans le savoir.

Mais la plus belle soirée qu'il me fit passer est certainement celle où je l'avais vu arriver à la tombée du jour, sur la neige durcie par le froid. Il était entré à la maison avec des glaçons au bout de la moustache. D'ailleurs, cette moustache me fascinait parce que sous les narines elle était marquée de deux belles traces jaunes provoquées par la nicotine. Cet ornement me paraissait indissociable de sa personnalité. Je ne manquais jamais, non plus, de regarder longuement ses pouces que je trouvais énormes, armés d'ongles épais. Ses pouces avaient deux autres particularités qui excitaient ma curiosité: ils sortaient de ses mains en s'éloignant fortement de ses index, comme si une force mystérieuse les eût attirés vers son corps. De plus, je les voyais toujours droits, comme si leurs phalangettes avaient été paralysées. Ces détails ne m'apparaissaient pas comme des infirmités mais comme des atouts. Ils ajoutaient au charme du bonhomme qui entrait chez nous et qui illuminait nos veillées, dont l'électronique était alors totalement absente. Enfin, ce qui m'enchantait surtout chez lui, c'était sa voix. Une voix qui contrastait tellement avec celle de son frère qui était dure, ferme comme l'érable. La voix de Ti-Phram était feutrée, molle, comme si elle avait enveloppé les mots de pelage avant de les faire glisser sur sa langue. Il me semblait que cette voix ne pouvait dire que des choses agréables.

Ce soir-là, donc, je m'étais assis en face de lui dans ma petite «chaise berceuse» et, la tête levée vers ses yeux pétillants, j'avais bu ses paroles pendant plus d'une heure. Émerveillé par ses histoires «vraies», je l'avais suivi dans les forêts, attrapant des douzaines de «lieuvres» au collet, abattant des orignaux aux panaches démesurés et prenant par surprise, grâce à sa ruse, des «chevreux» comme il n'y en a plus. Évidemment, il ne pouvait pas manquer de voir l'intérêt que je portais à ses récits, ce qui était pour lui un stimulant non négligeable. Alors, comme dessert avant le pénible signal du coucher, il décida de raconter une aventure qui n'avait rien à voir avec la chasse, une «affére» qui était arrivée à quelqu'un d'autre, une histoire dont je fus incapable de comprendre la fin.

— Une fois, y avait un gars des Sept-Lacs, un homme solide, ben bâti pis toute... Y s'était marié dans le printemps avec une sacrée belle créature, une femme dépareillée, avec des beaux cheveux noèrs, une belle voix, pis des dents blanches comme y s'en fait pus. À part de ça on aurait dit qu'alle avait été taillée au couteau. Alle était quousiment aussi belle que les femmes qu'on peut voèr su'les peintures... Ça fait que leus afféres allaient ben, comprends-tu, pis y ont passé l'été comme deux pigeons qui font leu' nique, à travailler au foin pis au grain, pis tout le reste du varnoussage qu'y faut fére su'une terre. Mais quand l'automne est arrivé, y manquaient d'argent parce que dans ce temps-là la vie était dure, ben plus dure qu'aujourd'hui. Ça fait que le mari est parti au chantier bûcher du bois. La femme a pas dit non parce qu'a comprenait le bon sens... Pis le temps a passé, un mois, deux mois... Toujours que là, à peu près dans le temps des fêtes, on aurait dit qu'alle était tombée malade. Alle a écrit une lettre à son mari dans le bois pour y dire qu'alle avait mal aux dents... Alle avait mal aux dents, donc! (Ici, petit rire plein de sous-entendus dans ma direction, ce qui me fait rire.) Alle avait mal aux dents, donc! Mal au dandon...

Plus il répétait «dents donc» en prononçant «dandon», plus je riais parce qu'il fallait rire, et voyant que je riais comme un innocent, tous les adultes riaient de plus belle. À la fin, ayant plusieurs fois répété son jeu de mots, l'oncle Ti-Phram éclata de rire lui aussi. Mais j'étais insatiable:

— Qu'est-ce qui est arrivé?

— Ben, son mari a compris, lui, ça fait qu'y a lâché son sciotte pis y est venu la soigner!

Il me sembla qu'on riait beaucoup pour une histoire aussi banale. Une fois dans mon lit, heureusement que je pus ruminer celles qui parlaient des chevreuils, des ours, des lièvres et des orignaux...

La guerre

Le plus souvent, le mois de septembre était beau. Celui de mes dix ans fut particulièrement tendre. Mais c'est aussi celui au cours duquel j'appris une nouvelle désagréable. Ce jour-là, nous avions battu un peu d'avoine pour faire de la moulée, et j'étais sur la tasserie, poussant la paille à coups de fourches, lorsque ma soeur Thérèse est arrivée de l'école en disant:

— La guerre est déclarée.

Mon père était penché sur un sac d'avoine pour l'attacher. Il a relevé la tête:

— Bon, ça y est, blasphème! Encôre de la misére pour le pauvre monde!

FLorian lisait le *Soleil* tous les soirs et il s'apitoyait sur le sort des Polonais depuis plusieurs mois. Même si la Pologne était loin ainsi que l'Allemagne et tous ces «vieux pays», comme on les appelait, il m'apparut ce jour-là qu'un événement tragique venait de se produire.

Qu'est-ce que ça voulait dire, la guerre? Je le savais. Au bout de la ligne, cela signifiait qu'on se tirait dessus, froidement. On recevait une balle dans le ventre ou dans la tête, on tombait par terre et on était mort. Alors c'était l'enfer ou le ciel, mais jamais plus le soleil. Voilà qui était horrible.

— Le Canada va-t-y être en guerre lui itou?

— Le Canada est l'allié de l'Anguelterre... Si y a la conscription, on va y aller... Ça va fére comme en 14-18, vous allez voèr ça...

J'essayais d'imaginer la douleur qu'on pouvait ressentir au moment où la balle s'enfonçait dans la poitrine, ou dans le ventre, ou dans une jambe. Tout compte fait, mieux valait en recevoir une dans la tête. Dans ce cas, on devait perdre connaissance immédiatement. Mais finalement, c'était loin et j'étais jeune. Si ça ne durait pas trop longtemps...

— Pensez-vous que ça peut être long, la guerre?

— Ça peut durer une maudite escousse comme y sont partis là! Hitler est fort comme le yâbe. Y va envahir tous les p'tits pays autour de lui. C'est encôre les p'tits qui vont souffrir.

En attendant, il fallait traire les vaches et faire boire les veaux, comme d'habitude. Le Canada en général et le Bas-du-Fleuve en particulier se traînaient dans les séquelles de la grande crise qui s'éternisait. Ce malheur qui s'abattait sur le monde entier, auquel nos chefs d'États nous associèrent de la façon la plus machiavélique, allait transformer notre vie.

D'abord la radio! Oui, un jour l'oncle Aurèle est arrivé de Montréal dans sa petite Ford à deux portières avec une radio à «batteries», puisque nous n'avions pas encore l'électricité dans les rangs. Et le soir à six heures, au moment où on se mettait à table pour avaler notre fricassée, il fallait se fermer la «boîte» parce qu'une voix solennelle retentissait, sortant du petit haut-parleur:

— Radio-Canada présente son radio-journal.

Venait ensuite la voix grave de Miville Couture qui débitait les nouvelles de la guerre sur un ton qui voulait être neutre, mais qui n'en était pas moins dramatique. Tant d'avions abattus par les Alliés, tant de Français tués, tant de morts chez les ennemis, tant de chars d'assaut, tant de..., tant de... Chaque soir c'était l'apocalypse. Loin de nous, mais c'était comme si nous y étions. Au bout de quelques mois, nous étions sensibilisés au problème, si bien qu'on put parler de rationnement sans provoquer de révolte. D'abord le sucre. Il fallait des tickets pour avoir du sucre. Tant de tickets par membre de la famille. Or, la maison était pleine de monde! Jamais nous n'avons acheté autant de sucre, jamais nous n'avons fait autant de confitures, avec des fraises et des framboises qu'il fallait aller cueillir, évidemment. Chez nous, ce n'était pas trop mal parce que Florian, à l'instigation de son frère Albert, avait commencé à cultiver les fraises de jardin. Une bénédiction! Bien arrosées au purin, elles devenaient grosses et juteuses. Alors nous avons vendu des fraises à vingt-cinq «cennes» le gallon, pour que les pauvres villageois puissent faire des confitures, eux aussi, et dépenser le sucre qu'ils avaient le droit d'acheter. L'opération avait réussi! L'argent commença à circuler...

Un jour, on parla de sous-marin allemand aperçu dans le fleuve Saint-Laurent. Alors un zigoteau du «ministère» eut l'idée d'alimenter notre peur de façon fort subtile: ordre fut donné de peindre en noir la partie supérieure des phares de voiture! Il ne fallait pas trop faire de lumière la nuit, pour ne pas attirer l'attention... Si quelqu'un a mis les Allemands au courant de cette précaution hautement inutile, on a dû rire un bon coup dans la langue de Goethe... Mais tout cela nourrissait l'atmosphère de menace, de sorte qu'on pouvait nous demander notre «effort de guerre».

Il y eut ensuite le rationnement de l'essence. Ce qui eut pour effet de faire rouler les voitures comme elles n'avaient jamais roulé, de même que l'argent, ce qui était le but premier de l'opération, il va sans dire.

Des hommes arrivèrent chez nous en jeep, portant des culottes courtes, kaki bien sûr, accoutrement dont le ridicule provoqua les oeillades moqueuses de toute la marmaille qui les entourait.

— Avez-vous du vieux fer, monsieur Fournier?

— En masse! Su'a côte on a des vieilles charrues, des vieilles faucheuses, toutes sortes d'afférés...

— Une cenne la livre.

— Envoyez fort.

C'était pour faire des canons qui allaient tirer sur les Allemands. Une bonne oeuvre qui rapportait!

— Avez-vous de la paille?

— Un peu...

Qu'est-ce que l'armée pouvait bien faire avec de la paille, elle qui n'avait pas de vaches à nourrir? Secret de guerre.

Il fallut construire un camp militaire à Rimouski. Construction veut dire ouvriers. Comme des centaines d'autres qui avaient passé l'âge, l'oncle Wilfrid entra dans l'armée avec son fils Dominique pour jouer du rabot et de l'égoïne, affublé d'un costume de soldat. Les affaires allaient bon train. À Mont-Joli, ce fut le camp d'aviation. Les aéroplanes commencèrent à tourner au-dessus de nos têtes pendant que les «invitations» arrivaient sous l'appellation de «carte». Untel a reçu sa carte... On était appelé à l'âge de dix-sept ans, mais si on était fils de cultivateur on pouvait être exempté. Il fallait des bras pour nourrir les soldats. C'était vrai. Mais il était vrai aussi que l'assistance sociale n'existait pas pour les gens de la campagne. La plus grande farce à ce sujet est arrivée à un brave type du cinquième rang. Ayant reçu sa carte, il partit à pied pour Rimouski afin d'y subir ses examens médicaux. Il marcha donc une quarantaine de kilomètres dans sa journée pour faire le voyage aller-retour. Or, les résultats de ses examens furent négatifs: «Pieds plats. Inapte à la marche.»

Un jour, onze aéroplanes passèrent au-dessus du p'tit troisième à basse altitude. Le bruit affola la mère Motté, notre voisine. Elle rentra à la maison en catastrophe, le souffle coupé. Onze! On n'avait jamais vu ça! Il fallait nous tenir au courant, nous faire savoir un peu ce que devaient être les bombardements dont on parlait à la radio.

Des hommes partirent pour «l'autre bord», chômeurs heureux d'avoir enfin un job, ou conscrits n'ayant pu éviter l'appel sous les drapeaux. Et les complaintes arrivèrent à nos oreilles, aussi gnangnan les unes que les autres, mais dont la plus célèbre restera sans doute *Le Petit Kaki.*

Je suis loin de toi, mignonne,
Loin de toi et du pays.
Mais je resterai, madone,
Toujours ton petit kaki.
J'ai dû partir, c'est la guerre,
Et te quitter brusquement.
Quelque part en Angleterre,
À toi je pense souvent.

Adorable! On trouvait ça tellement beau que Charles Trenet passait pour un poète hermétique...

En général, ceux qui étaient appelés acceptaient de partir, quand ils ne pouvaient pas faire autrement. Mais il y eut un gaillard du village qui refusa de se laisser embarquer. Cet objecteur de conscience sans le savoir se construisit une cabane dans le coteau d'épinettes chez Gaspar Fournier, à quelques arpents de chez nous, pour y vivre en cachette. Si on ne l'a pas trouvé, c'est qu'on n'a pas fait beaucoup d'efforts parce que toute la paroisse était au courant. Mais il avait la sympathie de la plupart des gens.

Finalement, malgré tout ce branle-bas, le peuple sentait bien, au fond, que cette guerre n'était pas la sienne. Si on y allait, c'était surtout parce qu'il n'y avait rien d'autre à faire. La guerre réglait le problème du chômage. Une vraie bénédiction! Une bénédiction qui allait éclater en forme d'ostensoir géant sur les plages de Normandie, un certain jour de juin… En ajoutant à cela le champignon d'Hiroshima, il y eut assez d'émotions pour alimenter toutes les poitrines du monde pendant une génération au moins. La guerre, dieu aussi difficile à circonscrire que le vent, avait atteint son but. Nos «petits kakis» revenaient et les femmes pleuraient. Dans les journaux, il y avait des photos de villes détruites, de belles vieilles églises éventrées, de têtes de nazis responsables des atrocités vécues par les Juifs dans les camps de concentration. Tout le monde avait son compte d'horreurs et il n'y avait rien de plus beau que de se sentir tous unis dans ce sentiment de paix universelle, dans cette haine commune de la violence. Sur toutes les lèvres, le mot paix avait le goût des baisers pudiques échangés par les amoureux qui subliment leurs «vils instincts»… Enfin, la grande crise économique de 1929 était surmontée!

Or, cette embardée de l'histoire avait commencé au moment où mon père attachait un sac d'avoine, sur le fenil. Dehors, la lumière de septembre était dorée comme le blé mûr. Elle coulait en nous à la manière d'un philtre magique, pour nourrir notre désir de vivre.

Le beurre

Le beurre était au pain ce que la main droite est à la main gauche. L'un n'allait jamais sans l'autre.

Mais il y avait deux sortes de beurre. Le beurre d'été, que l'on prenait à la «beûrie», et le beurre d'hiver, que ma mère faisait à la maison. Il a passé bien vite, l'âge où j'accompagnais grand-père Jos à la beurrerie, debout sur la charrette, me tenant à la poignée d'un couvercle de «canisse», balancé par le pas du cheval. Je ne l'ai pas oublié pour autant.

Ce que nous appellions «charrette» était une voiture à un cheval et à deux roues comme le tombereau, mais contrairement au tombereau, boîte montée sur deux roues, la charrette était une longue plate-forme dont les côtés étaient fermés par des ridelles. Il n'y avait plus que le père Bilodeau pour transporter le foin dans ce véhicule, lequel datait du déluge mais était idéal pour porter le lait à la «beûrie».

La beurrerie était un endroit fascinant. D'abord parce que je pouvais y voir des hommes dont le visage et les allures m'enchantaient. J'étais comblé quand je pouvais y retrouver Willy Roy, dont les grandes narines avaient toujours l'air de s'ouvrir à des vents que lui seul pouvait sentir, dont la voix sonore éclatait en rires aussi réjouissants qu'un soleil matinal. Voir arriver Ti-Françoès la Fiole assis derrière sa «picouille», crachant sa salive jaune et murmurant ses «guézi-guézi», était aussi un spectacle qui ne laissait pas de me réjouir. Un autre dont j'ai oublié le nom avait le visage plat, une seule dent plantée entre les lèvres et le blanc des yeux énorme. Il fumait sa pipe en silence, riait seulement quand Willy faisait une farce. Il y avait aussi Ti-Quenne Banville, minuscule, portant une étroite moustache blanche, lent mais imposant le respect, sans doute parce qu'il arrivait toujours avec une quantité de «canisses» supérieure aux autres, mais aussi parce qu'il avait la certitude d'être un cultivateur important. Cela lui donnait une tranquillité qui faisait plaisir à voir. D'autres m'étaient inconnus, venant du fond des rangs ou des extrémités du village, mais tous étaient intéressants à regarder, soit à cause de leurs chapeaux, soit à cause de leurs attelages, soit à cause de la façon dont ils fumaient leurs pipes ou crachaient. Enfin, même si aucun d'entre eux n'avait l'air prospère, car les temps étaient difficiles, ils aimaient tous à rire et c'est toujours avec fierté qu'ils empoignaient leurs bidons pour les verser dans le grand réservoir circulaire près duquel se tenait le beurrier, monsieur Rioux, un vieil homme très calme et plein de dignité. Il plongeait une louche à long manche dans le lait, brassait, puis en versait le contenu dans une petite bouteille numérotée. C'était à des fins d'analyse car les revenus de chacun étaient calculés selon le taux de gras combiné au poids.

Mon plus grand plaisir était de pénétrer à l'intérieur de la beurrerie où le plancher de ciment était toujours mouillé d'eau fraîche. Il y faisait une chaleur humide, dans laquelle traînaient des odeurs de vieux lait. Là, je pouvais voir un nombre considérable de courroies qui tournaient, de tuyaux qui montaient le long des murs, de poulies qui faisaient un ronron plus ou moins rassurant. Mais le plus impressionnant, c'était l'énorme moteur à vapeur qui actionnait toute cette machinerie, trônant au centre de la pièce, giclant, toussant, laissant échapper des jets de vapeur dont le sifflement m'inquiétait. Dans un coin il y avait la chaudière, une grosse maçonnerie qui me rappelait notre four à pain. Quand on ouvrait la porte pour y jeter des «croûtes» (dosses) achetées à la scierie, je pouvais voir un tas de braises effrayant. Alors l'idée de l'enfer enflammait mon imagination, et une odeur de chair roussie m'emplissait les narines. Décidément, le châtiment éternel dont nous étions menacés était impensable. Il y avait quelque chose qui ne tournait pas rond.

J'étais quand même heureux de me trouver dans cette «usine» où on faisait le beurre pour toute la paroisse.

On rapportait le lait écrémé à la maison pour faire la «bouette» (pâtée) des cochons et pour le donner à boire aux veaux. Mais il fallait d'abord s'arrêter chez notre voisin Timoléon parce qu'on «portait à la beûrie» à deux, alternativement. J'aimais beaucoup passer chez notre voisin parce qu'un joli ruisseau coulait sur leur propriété, et pour aller de l'étable à la maison on devait franchir un petit pont, ce qui me semblait être la chose la plus charmante du monde. En tout cas, ce ruisseau et ce pont donnaient à leur environnement un aspect harmonieux dont j'étais jaloux. Dans l'eau qui coulait, jasant une partie de l'été, je voyais de loin la mère Motté laver ses seaux, portant sa longue robe noire, marchant lentement, et il me semblait que de cette façon elle se trouvait en contact direct avec des éléments de la nature qui m'échappaient, quelque chose de mystérieux ou de plus beau que tout ce qui existait chez nous. Pour décharger les «canisses» au hangar, il fallait passer sur le pont, ce qui me procurait un plaisir chaque fois renouvelé, comme si à cette occasion j'avais pu participer à l'alchimie dont la mère Motté était dépositaire.

Pour le beurre d'hiver, il en allait autrement puisqu'on écrémait le lait à la maison. Une fois par quinze jours environ, le soir, on rentrait les seaux de crème qu'on avait mis à geler dans la «dépense». Au cours de la matinée suivante, après la tétée du bébé, ma mère versait la crème dans la baratte, fermait le lourd couvercle en faisant pivoter les ferrures d'acier, puis elle jetait un coup d'oeil vers grand-père qui fumait sa pipe dans sa «chaise berceuse». Le vieux se levait sans dire un mot, venait s'asseoir sur une chaise droite, prenait la manivelle et se mettait à tourner. J'écoutais le joyeux clapotis de la crème dans le ventre de ce petit tonneau peint en rouge qui tournait assez vite pour devenir tout rond, cependant que le soleil entrait par les fenêtres et s'épandait sur le plancher. La lumière blanche coulait sur les planches de bouleau laissées au naturel, où celui des enfants qui n'avait pas encore deux ans traînait ses fesses.

Impassible, grand-père Jos actionnait la manivelle pendant une demi-heure environ. Tout à coup, le bruit n'était plus exactement le même. Alors une infime pointe de satisfaction apparaissait sur son visage: ça commençait à prendre. Il fallait changer de rythme, ralentir. Graduellement le gras s'épaississait, formait une agglomération molle qui retombait dans le liquide à chaque tour de baratte, produisant un bruit mouillé qui me paraissait être le symbole même de la richesse. Grand-père cessait de tourner, enlevait le couvercle, et j'allais me pencher au-dessus de l'ouverture pour voir le résultat.

— Ôte-toé de là, tu vas fére tomber des saloperies... Quiens, Alice, tu vas en avoir queuques livres à mettre dans l'moule. Autant d'acquêt.

J'avais quand même eu le temps de voir la masse informe baignant dans le petit-lait. Le miracle avait eu lieu une fois de plus et, mine de rien, j'apprenais à faire confiance aux choses. À cinq ans, je ne savais rien mais j'avais la certitude que la nature ne peut pas nous tromper.

Grand-père prenait un seau, le plaçait sous la baratte, ouvrait un robinet et le petit-lait sortait, d'un blanc plus tendre que le lait ordinaire. Ensuite il enfilait sa «froc d'ovrall» et allait porter le seau à la porcherie. C'était pour les cochons, les gros seulement, parce que si on le donnait aux petits ils attrapaient la diarrhée.

La dernière opération revenait à ma mère. S'étant enveloppé les cheveux dans un filet, elle se penchait sur le tonneau et pétrissait l'énorme motte pour en extraire les restes de liquide. Ensuite elle ajoutait le sel, pétrissait encore, puis elle emplissait son moule en bois, battait de la main pour bien tasser, puis elle retournait le récipient, appuyait sur la tige centrale qui servait de poignée, et la brique sortait lentement, blanche, intacte, pour se poser sur le papier ciré qui l'attendait. La première fois que j'ai vu la livre de beurre sortir du moule, une certaine idée de la plénitude a pris naissance dans mon esprit, quelque chose qui ressemblait vaguement à l'absolu...

Le lin

Le lin prend racine dans l'âme de la terre. Quand il fleurit, c'est la déesse Cérès en personne qui sourit à l'humanité entière.

C'est en octobre, au coeur d'un automne plus doux que les autres, que j'ai vu ma mère sourire de la façon la plus touchante. J'avais sept ou huit ans et nous étions tous les deux dans le hangar. Elle venait d'ouvrir son grand chaudron de fonte dans lequel mijotait un «sipâille». Elle avait humé l'odeur de ce plat qui était le nec plus ultra de notre cuisine, puis elle m'avait regardé en refermant le couvercle, heureuse, satisfaite. Ensuite, elle avait repoussé le chaudron au milieu du four à pain. Un bonheur paisible imprégnait son visage, comme si elle avait été en possession d'un grand secret ou d'une richesse que personne ne pouvait lui ravir. C'est que le «sipâille» en question était destiné à l'événement du lendemain: une partie de broyage de lin.

Or, la culture du lin, plus encore que celle du blé, était empreinte d'un charme qui gonflait le coeur de tous ceux qui y participaient, depuis le moment des semailles jusqu'à celui où ma mère le dévidait pour faire la trame de son métier à tisser. D'abord, on devait le semer à la main, la graine étant minuscule, mais aussi parce qu'il en fallait à peine trois cents mètres carrés pour donner une récolte suffisante. Ainsi, dès le départ, il y avait dans cette culture un aspect artisanal qui rapprochait

149

l'homme de la terre: il n'y avait plus d'intermédiaire entre la main et la mère fécondée.

Mon père choisissait un endroit frais mais bien exposé au soleil. D'habitude c'était une petite lisière de terrain près du ruisseau, sur notre terre de Sainte-Luce. Cette petite «planche» était exposée au soleil, protégée du nord par les collines «gravoiteuses». Cette terre, Florian la hersait deux fois plus longtemps que pour les autres cultures. Elle n'était jamais trop déliée. Puis le «geste auguste du semeur» s'accomplissait lentement, de façon appliquée, car la graine était lisse et glissait trop facilement entre les doigts.

Ça poussait dru, fin, vert tendre, formant une nappe douce qui ondulait avec délicatesse. Il aurait fallut y marcher pieds nus pour apprécier la finesse de ce tapis végétal. Au milieu de juillet, l'apparition des petites fleurs bleues était un enchantement. Il était impossible de passer près du champ de lin sans s'arrêter. Appuyés à la clôture, nous regardions les millions de petites corolles avec ravissement. Alors, nous avions le sentiment d'être rattachés par un fil invisible aux mystères qui entourent la naissance du monde. Le soir, nous avions la surprise de voir les petites fleurs bleues se fermer au moment où le serein tombait. Le lendemain matin, le soleil les faisait ouvrir de nouveau, comme par magie. C'était bien la preuve que le lin n'avait rien de commun avec les céréales.

À la fin d'août, je crois que c'était à la Saint-Pierre, il fallait arracher le lin. Cela se passait toujours par une belle journée lumineuse et toute la famille participait, y compris ma mère, qui riait en montant dans la charrette pour aller aux champs. La fibrille du lin était reliée à ses fibres les plus intimes, dans une espèce d'échange amoureux qui la ramenait inconsciemment aux heures primitives de l'humanité, alors que les relations homme-terre avaient quelque chose de sacré.

On arrachait le lin par petites poignées, secouant la motte de terre contre nos «pichous», et on en faisait des bottes que l'on entassait dans la charrette pour aller les étendre sous les pruniers. Là, on le laissait rouir pendant des semaines, jusqu'à ce qu'il devienne sec, cassant, presque noir. Alors c'était le temps du «brayage», opération qui prenait des allures de fête, car pour ce faire on allait s'installer dans la clairière du coteau, à l'abri du vent. Ce travail mobilisait plusieurs personnes, c'est-à-dire tous les adultes de la famille plus quelques voisins qui avaient des journées de travail à rendre. Le broyage se transformait donc en une sorte de pique-nique en forêt, même s'il avait lieu à un kilomètre seulement de la maison. Comme c'était pour le lin, l'atmosphère était différente. Dans l'air, il y avait un mélange de joie et de respect.

Au milieu de la clairière, grand-père avait construit des supports sur lesquels on étendait les tiges. En dessous, il allumait un petit feu avec des branches d'aulnes. Quand les tiges étaient bien séchées, on en prenait une poignée et on la couchait sur le bois de la «braye» (broie), puis on actionnait le levier d'érable pour casser, faire tomber l'enveloppe qui recouvre l'intérieur des tiges, c'est-à-dire la fibre qui plus tard allait passer dans l'«écochoir» pour devenir chevelure blonde. Au cours de l'hiver suivant, ces multiples «chevelures» allaient s'enrouler sur le fuseau du rouet, filer entre les doigts de la femme rêvant de nappes, de linges à vaisselle ou de draps.

Toutes ces promesses du lin étaient dans le sourire de ma mère au moment où elle humait son «sipâille», et jamais comme à cette occasion je n'avais senti le plaisir qu'elle prenait à fabriquer de ses mains, à partir de ce que la terre donnait, les objets dont sa famille avait besoin pour se vêtir, manger, travailler, etc.

Les années où il avait lieu, le broyage du lin était la dernière «fête» de la saison. On était au coeur même de l'automne et les grandes pluies froides ne tardaient pas à nous tomber dessus. Mais pour nous réchauffer, il y avait au fond de notre coeur le souvenir de ce moment où la divinité nous avait touchés, du bout de son doigt capricieux.

Entre deux saisons

Vers le milieu d'octobre, quand les céréales étaient engrangées, tout devenait sombre. Le soleil avait perdu ses complices, les épis. Il y avait alors dans la nature une espèce de flottement, comme si elle avait hésité à se lancer dans le tourbillon de l'hiver. Pendant ces quelques jours où le balancier du temps avait l'air de rester au point zéro, on en profitait pour arracher les pommes de terre et faire les labours.

Le «temps des patates» était plus ou moins une fête parce qu'il coïncidait avec celui des pommes et surtout parce que nous passions deux ou trois jours sans aller à l'école. Pour la cueillette, toutes les mains étaient requises.

On plantait toujours les patates au pied de la montagne, dans l'une ou l'autre pièce, selon une rotation de quatre ans que mon père avait adoptée depuis de longues années. Au cours de l'été, on les avait sarclées, on les avait «renchaussées» avec la houe, un instrument que Florian avait fabriqué lui-même, et on les avait arrosées. Arroser ne signifiait pas qu'on leur donnait de l'eau mais qu'on les traitait contre les «mouches à patates», ces magnifiques doryphores dont les larves sont si voraces qu'elle peuvent dévorer un plant en quelques jours. L'arrosage avait lieu au coeur même de l'été, en plein dans le temps des foins. Un bon matin, et c'était obligatoirement un jour de grand soleil, mon père déclarait qu'il fallait arroser.

— C'est le temps plus que jamais, blasphème, y sont en train de tout manger, les maudites chârognes!

Subitement, l'atmosphère se contractait dans une étrange nervosité parce que, d'un côté, il y avait le foin qui attendait et, de l'autre, les fanes de patates qui disparaissaient. Or, la pomme de terre était l'aliment de base de notre menu, comme partout ailleurs dans le Bas-du-Fleuve. Quelque part entre Saint-Jean-Port-Joli et Gaspé, je suggère qu'on élève un énorme monument à Parmentier, car sans la pomme de terre il n'y aurait pas eu de Bas-du-Fleuve…

Donc ce matin-là, dès la dernière gorgée de thé avalée, on attelait une «time» de chevaux et on montait sur la côte pour sortir l'arrosoir du hangar. Cet instrument était une espèce d'araignée à gros ventre dont les pattes étaient des bouts de tubes recourbés, le tout monté sur deux roues de fer. Il passait l'hiver dans notre hangar mais il n'était pas notre seule propriété. Nous l'avions acheté avec notre voisin, qui s'en servait presque toujours après nous. D'un oeil aussi attentif que suspicieux, Florian faisait le tour de la machine. Déjà, il était certain que la journée ne se passerait pas sans anicroches. On descendait l'arrosoir à la maison pour le remplir d'eau. Comme le réservoir était en bois, il y avait des fuites, après tous ces mois passés au sec. Cette eau qui pissait joyeusement sous le ventre de l'araignée était une première source d'inquiétude:

— Y en a ben pour deux heures avant de renfler, maudite marde!

On gardait le poison dans la cave. Un sulfate de je ne sais trop quoi, une poudre légère d'un si beau bleu que nous avions envie d'en manger.

— Ôtez-vous les enfants, c'est poison vif, ça!

Malgré toutes les précautions, il y en avait quand même un peu qui tombait à côté du trou, ce qui était une perte exaspérante parce que les «toryeuses de mouches» avaient besoin de tout prendre dans la gueule afin d'être exterminées de la façon la plus absolue. Le réservoir plein, la poudre «poison vif» ajoutée, on replaçait le couvercle et Florian montait sur son siège. Il fallait commencer par le petit morceau qui se trouvait dans le champ de sable au pied de la côte, près de la maison. C'étaient les premières patates qu'on arrachait quotidiennement, dès le milieu du mois d'août, en attendant les grandes récoltes. Florian alignait ses chevaux entre les sillons, embrayait, et la pompe se mettait à pisser.

— Pas de pression, maudite marde de blasphème! Y ont dû me briser ça l'été passé, encôre… Ou ben c'est le paquetage qui est fini…

Évidemment, le presse-étoupe de la pompe était séché lui aussi, mais il était plus commode de mettre ça sur le compte du voisin que sur celui du temps, cet être invisible dont l'indifférence n'avait pas d'égal. Papa sortait ses outils du coffre, déboulonnait, jurait, serrait, paquetait.

— On va ben voer si tu vas pisser toute la journée, ma maudite tête de cochon!

De nouveau sur son siège, il remettait l'attelage en marche. Miracle! Il y avait de la pression! Alors il ouvrait les valves et en suivant à courte distance nous pouvions entendre d'étranges borborygmes précédant le bruit intermittent des jets d'eau qui giclaient contre les fanes. Les chevaux n'avaient pas fait vingt pas qu'un grand cri retentissait:

— Whooo! Y en a la moitié qui marchent pas! Venez les ouvrir! On va pardre not' journée avec c'te maudit gréement-là!

Nous courions entre les sillons pour rejoindre la machine et dévisser les gicleurs bouchés par la poudre desséchée. Mais il y avait aussi de l'oxydation, de sorte qu'il fallait se servir d'une clé à tube, et le soleil montait dans le ciel.

— Déjà dix heures pis on a rien de faite!

Il fallait au moins deux heures pour mettre l'arrosoir en état de fonctionner convenablement, ce qui était normal mais que Florian trouvait inadmissible. Si bien que l'on partait pour le pied de la montagne, où le gros du travail était à faire, seulement après le dîner. La journée y passait, riche en cris d'impatience et en jurons que le beau ciel bleu recevait avec indifférence.

Mais au mois d'octobre, quand nous arrivions dans le champ de pommes de terre pour l'arrachage, mon père avait oublié cette journée difficile. D'ailleurs, les fanes avaient fait leur temps. Les doryphores ayant été détruits, elles avaient séché sur pied. Florian montait sur l'arrache-patates, une machine en forme de dinosaure dont les roues étaient munies de longs grappins de fer, parce qu'elles commandaient le tablier

155

sur lequel montaient les tubercules, de même que les «pattes de coq» qui s'agitaient à l'arrière pour rejeter les vieilles fanes au loin. Le nez de cette bête hideuse était une plaque de métal triangulaire qui s'enfonçait sous le sillon, et à mesure qu'il avançait, la terre meuble montait sur le tablier roulant, se défaisait en poudre d'une belle couleur ocre, et les pommes de terre apparaissaient, ballotées, nettoyées, pour tomber ensuite derrière l'instrument.

— Y a encôre de la gale c't'année, disait grand-père Jos.

— Pas trop, pas trop, pis la récolte est bonne. Ça minote en blasphème!

Moins pessimiste que son père, Florian voyait en général les choses de façon plus juste. À moins de grandes catastrophes, comme par exemple un été pluvieux amenant la «brûlure» (mildiou), maladie contre laquelle il n'y avait pas de remède à l'époque, nos récoltes de pommes de terre étaient abondantes. C'est pourquoi ma mère restait seule à la maison avec les jeunes enfants.

— Envoye, prends ta chéyére pis grouille-toé.

Impossible de ramasser des patates sans se pencher, de sorte que le mal de dos nous prenait au bout de quelques heures.

— J'ai mal aux reins.

— Ça fait cinquante ans que j'me penche, moé, pis j'le fais encôre sans rechigner…

Pendant quelques jours il n'y avait pas d'école et nous partions pour le pied de la montagne après avoir bourré nos poches de pommes cueillies dans le jardin, mais ce n'était pas sans douleurs. Au mal de dos il fallait ajouter les gerçures aux mains. Florian et grand-père Jos, eux, avec leurs grosses mains calleuses, n'avaient pas de problèmes de ce côté-là. J'étais presque jaloux de les voir tripoter les pommes de terre, les faire tourner entre leurs doigts pour en faire tomber les restes de terre tout en appréciant leur consistance. Dans la paume de leurs mains, chaque tubercule devenait un bien précieux, un fruit, un don de la terre, une future source d'énergie. Voilà sans doute pourquoi ils poussaient le peloton familial à travailler avec ardeur, comme s'il se fût agi d'une urgence. Il est vrai qu'il fallait sauver la récolte avant les grandes pluies d'automne.

Les plus jeunes des enfants ramassaient les «gorlots», c'est-à-dire les petites patates, que l'on gardait à part pour les cochons. On les faisait bouillir dans la maçonnerie de l'abattoir et on les pilait pour les mélanger à la moulée. Cela donnait une «bouette» délicieuse, apparemment...

Il fallait toute la journée pour remplir les «quârts» (barils) qui étaient alignés sur les panneaux des charrettes. À la brunante, nous revenions à la maison dans un air plus frais que celui du matin, comme épaissi, sous un ciel généralement chargé de nuages, travaillé par le futur hiver qui déjà pointait le nez.

— Ça sent la neige...

Le cliquetis des traits de fer était mat. Il n'y avait plus d'écho, et déjà on sentait qu'une force invisible se préparait à peser sur nos épaules. Mais chaque soir les hommes déversaient le contenu des barils dans les deux carrés qui se trouvaient dans la cave, et le roulement sourd des pommes de terre devait résonner dans la cuisine, aux oreilles de ma mère, comme une promesse de sécurité. L'hiver allait venir, mais elle aurait de quoi faire sa «fricassée» tous les jours.

À cette période de l'année, nos repas du soir se déroulaient dans une atmosphère particulière. D'abord il y avait le fait que la noirceur venait vite. Un beau jour on s'apercevait qu'il fallait allumer les lampes avant même de se mettre à table. À cause de cela, on n'avait plus envie de s'attarder dehors. Et puis les odeurs étaient différentes, surtout le vendredi. La qualité de l'air n'était plus la même à cause de la saison, mais il y avait aussi le fait que ce jour-là on mangeait du poisson.

Vers la fin de septembre, mon père achetait un petit baril de harengs salés qu'il rangeait dans la cave. Chaque jeudi soir, maman en mettait une bonne douzaine dans l'eau froide. Le lendemain, elle mettait ses pommes de terre à bouillir dans un grand chaudron, et elle plaçait les harengs dessalés au-dessus des pommes de terre, dans une assiette. Ainsi les harengs cuisaient à la vapeur, remplissant la cuisine d'une odeur humide extraordinaire. À six heures, au moment où on fermait la porte une dernière fois, après avoir fait le «train», nous nous sentions vraiment unis, assemblés dans un nid bien chaud, avec le bruit des fourchettes, les rires, et cette vapeur odorante qui montait du chaudron quand ma mère enlevait le couvercle pour l'apporter sur la table. Ces soirs-là, j'avais l'impression que nous étions riches, que le bonheur ne pouvait pas être plus grand ailleurs que chez nous.

Quand la récolte de patates était dans la cave, on barrait les panneaux avec un madrier. Mais cela ne suffisait pas pour arrêter le froid. Comme nous n'avions pas le chauffage central, il fallait recourir à un moyen naturel pour empêcher le froid d'entrer dans la cave: du fumier de cheval. On en mettait une épaisseur de cinquante centimètres environ à l'extérieur des panneaux. Au bout de quelques jours, il commençait à chauffer, et le tour était joué. On profitait de l'occasion pour mettre un peu de fumier sur les racines des pommiers. Ces petits travaux étaient exécutés par les «jeunesses», dans une espèce de lenteur morose. Il y avait quelque chose de flou dans l'air qui enlevait la pression. Ce n'était plus l'automne, mais ce n'était pas encore l'hiver.

C'est dans cette grisaille et ce dénuement de la terre que les hommes sortaient les charrues. Le matin la terre était «gelôdée», c'est-à-dire légèrement durcie par les premiers gels qui s'évanouissaient au cours de la journée. Quand on partait pour l'école, les hommes s'en allaient lentement à l'étable pour atteler les chevaux, marchant tout naturellement au rythme du laboureur: la charrue allait toujours au pas.

Soir et matin les chevaux avaient droit à un gallon d'avoine et à un coup d'étrille supplémentaire visant à extraire la sueur séchée de leur poil. Florian avait découvert depuis longtemps qu'une raie de labour doit être large et profonde si on veut obtenir une bonne récolte. Le devoir des «mâles», c'était d'ouvrir le ventre de la «mère». Le coutre fendait la friche avec un bruit de déchirement qui avait quelque chose de définitif. La pointe de la charrue s'enfonçait sous la couche arable, avançait avec peine, soulevait cette chair grise et humide que l'«oreille» renversait. Alors, une odeur d'humus frais montait jusqu'aux narines de l'homme qui, les poings fermés sur les mancherons, avait besoin de toute sa force pour diriger son instrument. Parfois le laboureur était soulevé dans les airs et il laissait échapper un juron: la pointe de la charrue venait de mordre dans une roche. Alors il fallait s'arrêter, tirer de toutes ses forces sur les mancherons pour dégager la charrue.

Vu de loin derrière sa charrue et son attelage, avec les rênes passées autour de la taille, le laboureur faisait ce qu'on appelle une belle image. Vu de près, c'était du labeur.

Chose curieuse, je n'ai jamais vu les hommes rire en accomplissant ce travail. Il est vrai que c'était l'un des plus pénibles. Mais je me demande s'ils n'étaient pas conscients, à ce moment-là, d'accomplir une espèce de viol...

La lessive

Les couches du bébé, ma mère les lavait à part, dans une cuve, en les frottant contre une planche à laver. C'était comme un hors-d'oeuvre…

Le vrai jour de lessive revenait une fois la semaine, avec la ponctualité d'un métronome. Comme la maison était pleine, il s'agissait alors d'un travail harassant, même si nous avions une lessiveuse à moteur. Ce petit moteur préhistorique, probablement l'ancêtre de celui qui fait rouler les motocyclettes, était caché sous une grande cuve en granit dans laquelle s'agitait un «brassant» en métal gris. Au-dessus de la cuve il y avait le «tordeur»: deux rouleaux en caoutchouc blanc dans lesquels il fallait bien faire attention de ne pas se prendre les mains. De la haute technologie!

Il fallait d'abord pomper l'eau, la mettre à bouillir sur le poêle dans un grand «bâleur» *(boiler)*, ramasser le linge sale dans les chambres, verser l'eau chaude dans la lessiveuse. Comme détergent, on employait le «savon du pays», c'est-à-dire celui que l'on faisait avec les tripes et les panses de cochon. Quand tout était prêt, je voyais ma mère faire quelque chose qui était plutôt masculin. Pour faire démarrer le moteur, elle devait se pencher, tirer à grands coups répétés sur une corde qui s'allongeait et que le ventre de la machine ravalait aussitôt. Le moteur toussait une fois, deux fois, trois fois, puis la pétarade montait, emplissant la maison d'un bruit infernal. Pour ajouter au plaisir, il y avait aussi les exhalaisons de gaz, car cet engin primaire fuyait en quelques endroits, malgré le tuyau d'échappement qui partait de son cul pour aller sortir par un trou pratiqué dans le cadre de la fenêtre. Ce bruit et cette odeur inondaient la maison une grande partie de la journée. Cependant, je voyais ma mère porter des seaux d'eau, monter à l'étage pour étendre le linge ordinaire sur des cordes tendues dans le passage ou sur les marches de l'escalier menant au grenier, pomper de l'eau, remplir le «bâleur» une deuxième fois, sortir sur la galerie pour étendre le linge blanc, etc. Un véritable marathon sur place qui se déroulait sous mes yeux pendant que la maison s'emplissait d'une humidité dans laquelle baignait l'odeur de la sueur extraite des chaussons de laine et des «p'tits corps» tricotés à la main.

Mais il y avait des jours où le moteur refusait de partir. Alors il fallait aller chercher Florian. S'il était au bois, c'était la catastrophe. La lessive était remise au lendemain. S'il était dans le hangar pour cause de tempête, il arrivait avec ses tournevis et s'accroupissait près de la machine en maugréant:

— Qu'est-ce qu'y a à fére la tête de cochon, lui, à matin?

C'était la magnéto ou la bougie. Au bout de quelques minutes, il y avait des petites vis sur le plancher, de minuscules plaques de cuivre, des boulons, un tas de merveilles auxquelles il ne fallait pas toucher. Accroupi, le nez dans le ventre ouvert du moteur, on entendait Florian dire joyeusement:

— J'pense que j'ai trouvé le bobo...

En attendant, ma mère prenait de l'avance pour le dîner en pelant les pommes de terre, ou bien elle torchait le bébé qui se traînait à quatre pattes. Puis Florian se relevait, donnait deux ou trois vigoureux coups de «crinque», et le bruit prenait toute la place dans nos oreilles. Fier, il ramassait ses outils en disant:

— Quiens, sa mére, y roule comme un neu...

Elle souriait, «sa mére», heureuse de pouvoir reprendre son boulot, fière d'avoir épousé un homme qui savait tout faire.

Au bout de la journée, il y avait une belle récompense, à part le fait d'avoir passé à travers. C'était l'odeur répandue dans la maison par le linge blanc que l'on rentrait, gelé, battu par le vent du nord. Une odeur pure que je trouvais miraculeuse parce qu'elle venait de nulle part, étant entendu dans mon esprit d'enfant que les grands espaces couverts de neige, c'était nulle part.

En soi, la lessive était une corvée. Mais une corvée, c'est ennuyeux. Comme la Providence nous aimait beaucoup, elle s'arrangea pour y ajouter un peu de piquant, à deux ou trois reprises. En effet, il y eut quelques hivers où le froid fut si intense que la conduite d'eau gela, à deux mètres sous terre. Alors notre pompe à bras ne servait plus à rien. Pour les besoins de la maisonnée, il fallait remplir une «canisse à lait» à la pompe de l'étable, l'apporter à la maison sur le traîneau à chiens, la mettre dans le tambour où il en gelait une partie, et c'est dans ce réservoir éphémère que les femmes allaient puiser. Les jours de lessive, ma mère n'était pas seule à se démener: grand-père Jos passait la journée à tirer le traîneau de l'étable à la maison.

Grâce à cette besogne qui pesait sur les épaules de ma mère, je fus témoin d'une petite scène qui m'a beaucoup impressionné. J'avais cinq ou six ans et, comme il faisait très froid ce jour-là, je restais à la maison, regardant les préparatifs de la lessive. Ma tante Marie-Louise avait fait le tour des chambres, à l'étage, pour ramasser le linge sale et le mettre en tas avant de le balancer dans l'escalier. Ma mère, qui connaissait la «manie» de Marie-Louise, reprit chaque morceau de linge un à un et l'examina attentivement. J'eus la surprise de la voir en mettre plusieurs de côté, ne les jugeant pas assez sales pour avoir droit au lavage.

— Quiens, ç'a été mis rien qu'une fois, ça...

Je trouvais qu'elle avait raison, parce que c'était elle qui avait la plus grande part du labeur sur les épaules, mais il me paraissait étonnant que des adultes puissent avoir des avis diamétralement opposés sur des choses aussi simples. Les enfants ne devaient-ils pas être les seuls à avoir le droit de se chamailler, puisque les grands avaient le droit de les faire taire?

La cabane à sucre

Les Français font du vin, nous faisons du sirop d'érable. Curieusement, il y a quelque chose d'enivrant dans les deux cas. Bien sûr, c'est au printemps que les érables se mettent à couler. Et la montée de la sève est toujours excitante. Mais que l'on fasse du vin ou du sirop d'érable, on participe, dans un cas comme dans l'autre, à quelque mystérieux travail de la nature. Comme si, avec ses grosses mains, le mâle aidait la femme à mette son enfant au monde.

— Veux-tu monter à la sucrerie pour passer la semaine avec grand-pére pis ton concle Aurèle?

— Oui.

Ce fut l'un des rares printemps où l'on a entaillé l'érablière, qui se trouvait sur notre lot à bois, à cinq kilomètres de la maison. Grand-père Jos se trouvait là depuis plusieurs jours parce qu'il fallait «bidonner» et «bouillir» sans arrêt. Cette année-là, les érables coulaient abondamment. J'entendais des phrases dont l'intonation exprimait un contentement à peine retenu, un émerveillement prudent devant les espérances comblées:

— Une année pas pire pour les érables! Ça gèle la nuitte, ça dégèle le jour, pis y neige pas. Ça coule, mon homme, ça pisse…

Aller passer la semaine au «tombshit» (*township*) avec l'oncle Aurèle et grand-père Jos, c'était un cadeau que je ne pouvais pas refuser. Mais il y avait le départ... Il eut lieu le dimanche après dîner. Presque toute la famille monta dans le grand traîneau rouge. La carriole, c'était pour la messe. Maman s'installa sur le siège à dossier flexible qui glissait sur les rebords en bois franc du véhicule. On la couvrit de la peau de mouton, de même que ma soeur Thérèse qui prit place à ses côtés. Il y avait Clément et Raymond, puis mon père qui tenait les «cordeaux», comme d'habitude. L'équipage se lança joyeusement dans la côte, ce qui voulait dire que je me séparais de la maison, et je me mis à «lirer» tout de suite. Étant donné l'air de fête que revêtait notre voyage, mes pleurs ne firent qu'accentuer les rires des autres. On se moqua de moi plus que d'habitude:

— Arrête de brâiller! Tu vas geler comme ça, la gueule ouvarte, pis tu vas fére peur aux corneilles.

Je pleurai pendant les douze arpents du p'tit troisième, mais comme par enchantement, je me mis à rire et à chanter lorsqu'on amorça le virage à gauche pour monter les côtes chez Philippe Heppell.

— Celui-là, j'sais pas c'qu'on va en fére...

Aucune logique dans mon comportement! Subitement soulevé par une exubérance incoercible, je me tenais debout à l'avant du traîneau et je lançais des invectives au vieux Paddy, un cheval brun à tête longue qui ne marchait plus assez vite, selon mes goûts. Mais les chemins de neige ayant commencé à défoncer, il fallait y aller avec prudence.

J'ai tout oublié de cette fête dominicale au cours de laquelle on a fait de la «tire d'érable» qu'on a mise à refroidir sur la neige tassée dans des seaux de bois. J'ai même oublié le départ de la famille, le soir du même dimanche. Mais je me souviens de tout le reste.

Au «campe», construction en bois rond qui se trouvait au bord du lac, à quatre ou cinq arpents de la cabane à sucre, je couchais dans le même lit que grand-père quand il ne passait pas la nuit à la cabane pour «bouillir», relayé par l'oncle Aurèle. À cinq heures du matin, il se levait pour allumer la «truie». Le froid et le bruit me réveillaient. Comme il faisait encore noir et que je me sentais perdu dans la forêt, j'échangeais toujours les même phrases avec le vieux:

— Grand-pére, c'est pas le jour qui s'en vient, c'est la nuitte.

— Ben non, c'est le jour.

— Non, c'est la nuitte, y fait encôre noer.

— Ben non, la barre du jour est pas loin…

Dialogue qui m'a aidé à apprécier celui de Roméo et Juliette quelques années plus tard, à propos de l'alouette…

Grand-père faisait bouillir de l'eau pour le thé et allumait sa première pipe. La chaleur rampait jusqu'à mon lit comme une bonne grosse bête. Alors je me levais pour avaler une assiette de «binnes» (haricots) avec du pain et du beurre, puis nous marchions entre épinettes et sapins jusqu'à la cabane où nous attendait l'oncle Aurèle. Le soleil se levait, allumait les diamants qui pendaient au bout des branches, et l'odeur fraîche de la neige qui avait commencé à fondre depuis quelques semaines nous emplissait les narines. Une odeur de printemps qui se mariait magnifiquement à la lumière du jour nouveau, quelque chose d'une pureté originelle qui dilatait la poitrine, qui donnait envie d'aimer la terre entière. J'ai retrouvé cette odeur et cette lumière plusieurs années plus tard, en écoutant *La Grande Pâque russe* de Rimski-Korsakov.

Il fallait «bidonner», c'est-à-dire attacher une paire de raquettes à ses bottes et faire le tour des érables entaillés pour recueillir l'eau des seaux, la vider dans un bidon installé sur une espèce de traîneau à deux membres qu'on appelait la «chienne», véhicule qu'on traînait à la force des bras jusqu'à la cabane. Quand la neige était molle, on s'enfonçait jusqu'aux genoux ou davantage. On sortait de là trempés comme des lavettes, mais ça ne faisait rien. «Faire du sucre», ce n'était pas un travail; c'était une occupation qui tenait de la fête.

J'étais émerveillé par l'installation de la cabane. D'abord, son toit en pignon très abrupt était percé en plein centre: un grand trou qui s'ouvrait sur le ciel bleu. Juste au-dessous, il y avait une crémaillère en pièces d'érable équarries à la hache, à laquelle était suspendu un énorme chaudron noir. Et, c'était là le côté merveilleux de la chose, on allumait un feu sous le chaudron, à l'intérieur de la cabane! J'avais le sentiment que les adultes s'amusaient. Dans le chaudron on versait du sirop d'érable, plus ou moins brun selon la qualité de l'eau cueillie.

Grand-père brassait avec une longue palette de bois, le visage empreint d'une gravité qui conférait une valeur hiératique à chacun de ses gestes. Il se passait quelque chose d'important, je le sentais bien... Tout à coup, le vieux pouvait dire avec certitude, même s'il ne se servait pas de thermomètre:

— Quiens, là y est en tire...

Il laissait bouillir encore un peu, puis il déplaçait le bras de la crémaillère pour enlever le chaudron du feu. Il brassait encore un moment, puis ses connaissances artisanales lui disaient que c'était fini.

— Viens m'aider, Aurèle, faut le mettre à terre.

À eux deux ils sortaient le chaudron dehors où grand-père continuait à remuer avec sa longue palette. Muet, je regardais la transformation s'opérer. La matière devenait presque dorée, s'épaississait graduellement, jusqu'à former une pâte assez consistante, fumante, riche. Alors il remplissait les moules en bois, sans montrer trop de satisfaction bien entendu, car si l'exubérance n'était pas un péché, elle pouvait être une imprudence: on ne sait jamais... Tout au plus songeait-il, en plongeant sa longue palette de bois dans la matière dorée: «Autant d'acquêt pour manger avec nos crêpes l'hiver prochain». Il mettait les moules à durcir sur une tablette, après quoi il allumait sa pipe avant de tisonner le feu de la bouilloire.

Cette dernière était l'accessoire de la cabane qui me fascinait le plus. C'était une casserole en fer-blanc de forme rectangulaire, longue de près de deux mètres, large de soixante centimètres, haute de cinquante environ. Elle reposait sur une maçonnerie en briques rouges dans le ventre de laquelle on pouvait enfourner une grande quantité de bûches d'érable mesurant plus d'un mètre de long. Et ça chauffait comme un enfer! Avec un seau en bois, on puisait l'eau d'érable dans le gros tonneau qui était à la porte de la cabane, et on la versait dans la bouilloire. La vapeur montait, chargée de sa bonne odeur sucrée, une odeur qui est restée dans mon souvenir comme un synonyme de printemps, de renouveau, de recommencement. Pendant un certain temps, il fallait remplacer l'eau évaporée, mais venait un moment où l'on devait s'arrêter: le sirop commençait à se faire! Mais c'était long, «bouillir», et quand les érables coulaient abondamment, il fallait le faire jour et nuit. C'est pourquoi il y avait une espèce de grabat dans le coin de la cabane, quelques planches assemblées et de vieilles couvertures sur lesquelles se reposait celui qui passait la nuit, entre les moments où il devait se lever pour faire du feu. Dehors, tout en se vidant la vessie, il jetait un coup d'oeil aux étoiles qui répandaient leur lait dans le ciel de mars. «Ça gèle solide, demain on va pouvoir bidonner su'a croûte…» Puis il rentrait s'étendre sur le grabat, caressé par la lueur des flammes, bercé par le ronron des bûches qui se consumaient sous la bouilloire. Avant de retomber dans la somnolence, seul au coeur de la forêt, alourdi par la chaleur, il se laissait aller à savourer la satisfaction du travail accompli, de même que la joie de voir ses efforts récompensés. La nature était avare, mais si on la prenait par le bon bout, elle finissait par donner. Et puis, au fond, ce sucre d'érable était quelque chose qu'on percevait comme un cadeau: on n'avait pas défriché, on n'avait pas labouré, on n'avait pas semé, et on récoltait! Alors il fallait être reconnaissant envers quelqu'un, le bon Dieu par exemple, et laisser fleurir un sourire sur ses lèvres. Un sourire que seules les flammes de la maçonnerie pouvaient voir.

J'étais donc en train de passer une semaine merveilleuse avec l'oncle Aurèle et grand-père Jos lorsqu'un «messager de malheur» nous tomba dessus. Je ne sais plus si c'est papa ou le plus vieux de mes frères qui arriva un beau soir au moment où, disparu derrière la montagne, le soleil permettait à la neige de se ressaisir, mais il était porteur d'une nouvelle qui m'accabla: l'oncle Aurèle devait partir tout de suite parce que son bateau appareillait le lendemain matin. Fort en maths, Aurèle avait réussi à faire une année à l'université après son cours classique, mais par la suite il lui avait été impossible de trouver les fonds nécessaires pour poursuivre ses études supérieures. Sa brillante carrière d'ingénieur fut donc anéantie au départ par le manque d'argent. Ma semaine à la cabane se trouvait anéantie elle aussi. Dès que le sirop fut coulé dans le coton à fromage pour qu'il perde ses impuretés, l'oncle Aurèle mit ses affaires dans un sac de jute et il disparut dans le petit chemin qui contournait le lac. La nuit tombait, et en même temps que l'ombre s'épaississait autour des grands sapins, montait en moi un désarroi qui me paraissait sans fond, semblable à ces parties du lac où l'eau était noire, insondable. Je fus inconsolable, c'est-à-dire que je «lirai» une partie de la nuit. Le lendemain, comme je «reniflais» encore, grand-père Jos me donna une petite palette de bois qu'on utilisait pour manger de la tire d'érable, me disant que je pouvais «lécher» la grande bouilloire dont le fond était garni des restes de sirop. Ensuite, il chaussa ses raquettes et partit «bidonner», la conscience en paix. Seul dans la cabane, je plongeais le bras dans la grande casserole renversée sur le côté, me gavais de sucre pour adoucir ma peine, jetant de temps à autre un coup d'oeil aux glaçons qui pendaient du toit, dégoulinant sous l'effet du soleil. La lumière était pure, éclatante, et lentement le visage du printemps commençait à prendre forme dans les arcanes de mon subconscient. J'assistais à la naissance de mon désir le plus profond, celui de vivre éternellement pour goûter la beauté qui m'entourait.

Les boucheries

Il y a des moments difficiles pour la «tendre enfance», même à la campagne. Lorsque mon père disait: «J'pense ben que demain on va se tuer un cochon», je passais le reste de la journée dans un état lamentable. Le lendemain, quand approchait le moment fatidique, j'allais me cacher. Au moment où les cris de la bête me remplissaient les oreilles, je me mettais à pleurer.

Une fois, le jour de boucherie tomba au lendemain des élections provinciales. Alexandre Taschereau venait d'être élu Premier ministre du Québec. C'était en été, nous étions à table pour le dîner, et comme je ne savais pas comment conjurer le sort pour empêcher la lame de provoquer ces hurlements qui allaient me déchirer les oreilles une heure plus tard, j'avais fait rire toute la maisonnée en disant d'une voix timide:

— On pourrait p'têt' ben demander à Taschereau de venir nous aider...

Mon père trouva la repartie d'autant plus amusante qu'il était «libéral». L'élection de Taschereau l'avait mis en joie. Après avoir mangé, il saigna probablement son cochon d'un coeur plus léger que d'habitude: son parti était au pouvoir, le soir même on aurait de la viande fraîche, il faisait beau, etc. Vraiment, il y avait des jours où la vie n'était pas mal du tout.

Pendant que Florian enfonçait son couteau dans la gorge de l'animal, Taschereau s'enfonçait dans la corruption à l'insu de ses partisans du Bas-du-Fleuve, préparant la voie au futur «cheuf» Duplessis qui allait ensuite gouverner avec une poigne de fer en brandissant l'étendard du nationalisme. Pendant vingt ans, tout allait marcher sur des roulettes avec l'Église d'un côté et l'État de l'autre, les deux institutions se donnant la main pour tenir le peuple dans la bonne voie. Grâce aux efforts conjugués du «père» et de la «mère», les braves Canadiens français allaient être protégés contre tous les «méchants» susceptibles de les faire dévier: les Anglais qui étaient protestants et qui divorçaient, les Juifs qui ne pensaient qu'à les «fourrer» pour faire de l'argent, les immigrants qui arrivaient chez eux avec des noms, des idées et des moeurs qui n'étaient pas les leurs. La ville aussi était «méchante», même s'il y avait des Canadiens français qui s'y trouvaient. À l'époque, deux phrases se ressemblant comme deux petites soeurs tombaient souvent du haut de la chaire: — «Vous êtes bien chanceux de vivre à la campagne où la vie est si belle!» Et: «Vous pouvez remercier le bon Dieu d'être venus au monde dans un pays catholique…»

Nous étions sauvés! Le ciel nous attendait, à condition de fréquenter l'église et de continuer à faire beaucoup d'enfants. Si nous avions des épreuves, c'était parce que la divine Providence nous aimait davantage que les autres… ceux qui pensaient à faire de bonnes affaires!

Et le cochon hurlait comme un damné, étendu dans l'herbe quelque part sur le bord de la côte près de la maison, pendant que je pleurais sur une tasserie de la grange. Car c'était avant la construction de la porcherie-abattoir que mon père allait réaliser plus tard. Nous étions encore au temps où notre porcherie était collée au derrière du hangar, et en été on «saignait» dehors. En hiver il fallait le faire dans l'allée de la porcherie elle-même. C'était «malcommode comme le yâbe», parce qu'on manquait d'espace. Ça sentait la misère, en plus du reste…

Quelques années plus tard, Florian s'est fâché et il a construit la porcherie de ses rêves. Une bâtisse en deux parties, dont l'une était plus élevée que l'autre. C'était l'abattoir, avec plancher en ciment, grande roue pour «palanter» les animaux, crochets aux murs pour attacher les pattes des bovidés au moment de l'écorchage, etc.

— Blasphème, on va s'organiser comme du monde, vous allez voer...

L'érection de ce bâtiment s'étala sur une bonne partie de l'été, entrecoupée par les foins et les «travaux». Au début de l'hiver, quand vint le temps des boucheries traditionnelles, nous avons inauguré l'abattoir dans la joie et la chaleur. Rien n'était plus facile que de faire sortir l'heureux élu de son enclos après lui avoir passé une corde à la patte, de le pousser dans l'allée en lui donnant de gentilles petites tapes sur les fesses et de lui faire franchir la porte pratiquée dans le mur mitoyen. Sans avoir subi les rigueurs de l'hiver, notre cochon se trouvait dans l'abattoir comme on passe de la cuisine au salon. Là, il n'avait pas le temps de grogner ni de frôler le plancher avec son groin en quête de nourriture. On lui faisait faire demi-tour afin de lui placer la tête dans le sens des égouts, le long du dalot creusé dans le plancher. Raymond lui empoignait une patte de devant pour le faire basculer pendant que Clément, attelé à la corde, tirait sur l'arrière-train. L'animal se trouvait sur le côté, poussait son premier cri, un cri de surprise ou d'inquiétude, pendant qu'on emprisonnait les deux pattes postérieures au coeur d'un même noeud pour les tirer vers l'arrière, afin de lui enlever toute force. J'avais alors traversé ma période de peur et, au lieu de pleurer, je halais la corde avec mon frère. Raymond s'était assis sur le thorax de l'animal et lui repliait les deux pattes de devant en les maintenant d'une poigne solide. Alors mon père s'approchait avec son grand couteau, posait le talon de sa botte contre la mâchoire inférieure pour ne pas se faire accrocher par les crocs, tâtait le cou pour localiser l'«harbiére» (oesophage), plaçait la pointe de sa lame du côté gauche et l'enfonçait d'un petit coup sec. Pendant que le sang giclait dans la poêle que tenait ma soeur Thérèse, les hurlements de la bête atteignaient leur plus haut registre et une réaction de tous ses muscles nous secouait, ce qui nous faisait rire nerveusement car il eût été inopportun de l'échapper à ce moment-là... Quand le poêlon était plein, Florian stoppait l'hémorragie en pinçant les deux lèvres de la plaie de part et d'autre de sa lame, et Thérèse vidait le sang dans le seau au fond duquel on avait jeté une poignée de sel. Un plus jeune brassait avec une grande cuiller afin d'éviter la coagulation le plus possible. Graduellement, mon père enfonçait sa lame en direction du coeur, et les hurlements de la bête s'étiraient, déchiraient l'air, mais ce bruit sinistre avait pour nous quelque chose de joyeux: la viande fraîche s'en venait! Les cretons, les tourtières, les rôtis de lard, le ragoût de pattes, etc. Il fallait environ huit minutes pour que la lame parcoure son chemin, c'est-à-dire pour que le cochon se vide de son sang. À la fin, le couteau entier étant plongé dans la gorge, mon père donnait une dernière poussée, l'animal avait un soubresaut, un dernier râle, puis il devenait flasque.

— Je l'ai atteint, là, disait Florian, car on croyait que la bête mourait seulement quand la lame atteignait le coeur... Un maudit beau cochon, ça, mes enfants! Au moins deux cents livres de viande...

Thérèse partait vers la maison avec le sang pour qu'on fasse le boudin. Contrairement à sa voisine la femme à Timoléon, maman ne grattait pas les tripes pour faire du vrai boudin. Elle le faisait cuire dans une lèchefrite et on le mangeait découpé en carrés. C'était bon quand même, à cause des petits morceaux d'oignon que l'on croquait.

Cependant, à l'abattoir il n'était pas question de chômer. L'eau bouillait depuis longtemps dans la cuve enchâssée dans une maçonnerie. On plaçait une grande cuve de bois au centre de la pièce, juste sous la trappe qui était pratiquée dans le plafond, et on transvasait l'eau bouillante à laquelle on ajoutait un peu d'eau froide. L'eau de la baignade devait être chaude mais pas trop, pour ne pas brûler la peau. Évidemment, c'était mon père qui était le seul juge. Il y trempait le bout des doigts et les retirait vivement en disant:

— Est jusse bonne, là. À pique la racine des ongles.

Alors la grand-roue entrait en action. On déroulait le gros câble qui était enroulé autour de l'arbre de couche, un tronc d'arbre placé à l'horizontale et ancré dans le moyeu d'une vieille roue de charrette placée, elle, à la verticale. Au bout du gros câble, un énorme crochet de fer venait s'amarrer à un autre crochet en forme de S qu'on avait planté entre l'os et le tendon du jarret. Il ne restait plus qu'à tirer sur le petit câble enroulé autour de la grand-roue et, sans le moindre effort de notre part, le lourd cadavre de lard montait dans les airs.

— O.K. Tu peux descendre à c't'heure!

Celui qui était affecté au petit câble donnait du mou et le cochon plongeait dans l'eau chaude. Plouf! En haut, en bas, sur les côtés. On le retournait en le soulevant avec un bout de bois, jusqu'au moment où l'épiderme s'arrachait entre le pouce et l'index. Alors il fallait le retirer au plus vite:

— Envoye! Monte-lé, y va brûler, blasphème!

Une vraie partie de plaisir! On plaçait une échelle de huit pieds de long sur la cuve de bois pour y coucher l'animal. Alors les couteaux se mettaient à gratter: crouche, crouche, crouche… La belle peau blanche apparaissait, propre, pure, si bien nettoyée qu'on avait envie d'y mordre. Quand la bête avait perdu tout son poil, Florian nettoyait son couteau pour procéder à l'opération la plus délicate: l'extraction de la panse. S'étant placé sur le côté du corps, il faisait une incision qui partait du thorax et qui descendait jusqu'à l'anus. Le lard apparaissait, encore fumant, dégageant une odeur grasse.

— Pas mal beau, ça, mon garçon! Trois pouces de lard…

Florian salivait. Avec les précautions d'un chirurgien taillant dans la chair humaine, il coupait ainsi jusqu'au péritoine, sans toutefois le transpercer. Quand il l'avait atteint, il y pratiquait une petite ouverture à la partie supérieure, y insérait deux doigts pour le soulever, et en plaçant sa lame entre les deux doigts, il la faisait glisser jusqu'au bas, de sorte qu'il ne touchait pas les intestins. À mesure qu'il effectuait cette longue incision, l'odeur écoeurante des viscères encore chauds nous emplissait les narines, mais j'étais fasciné par la longueur et la disposition de ce réseau interne, dont les couleurs pâles et incertaines se mariaient si bien avec les senteurs qu'il dégageait. On prenait ensuite une nappe blanche pliée en quatre et on la plaçait sous le cul du cochon dont les pattes postérieures avaient été largement ouvertes. Par petites touches de la pointe de sa lame, mon père dégageait les entrailles et les faisait basculer dans le creux de la nappe. On les emportait à la maison où maman les «déraillait», c'est-à-dire qu'elle enlevait le gras qui adhère à l'intestin grêle. Ce gras servait en particulier à faire des cretons. Avec une vraie scie de boucher, Florian ouvrait la cage thoracique, et alors apparaissait le merveilleux assemblage des organes qui, à ce qu'on me disait, ressemblaient le plus à ceux de l'homme. Les poumons, qu'on appelait la «forçure», étaient donnés au chien qui les dévorait à belles dents. Je crois que les rognons prenaient le même chemin, car en général on ne prisait pas tellement les abats. On gardait le foie, mais c'était pour le mêler au ragoût de pattes.

Bien entendu, notre voisin assista à la première boucherie qui eut lieu dans l'abattoir. Il avait besoin de savoir. Il fut enchanté de voir comment les choses se passaient, et mon père lui offrit tout naturellement de venir «tuer» chez nous. Deux ans plus tard, les boucheries du temps des fêtes duraient plusieurs jours, nos quatre voisins ayant trouvé le chemin de l'abattoir à Fleurien... Il y eut des journées de douze cochons et quatre boeufs! C'était une belle occasion de rire, de conter des histoires salées. Les bêtes égorgées, rendues impuissantes par l'ablation de leurs organes les plus intimes, travaillaient les hommes, allumaient en eux des désirs plus ou moins confus où la mort et l'accouplement se trouvaient emmêlés, un peu à la manière de ces viscères palpitants qui s'offraient à leur vue. Les manches relevées sur leurs bras velus, ils maniaient leurs couteaux d'une main sûre, soit pour arracher un ergot, soit pour gratter le poil, pendant que dans l'atmosphère embuée, lourde d'humidité et des odeurs provenant de toutes ces tripes étalées, montaient des éclats de dire, des cris, des ordres joyeux ou des allusions obscènes, surtout quand venait le moment de dégager un «pisseux» ou un trou du cul.

Mais le plus excitant, c'était l'abattage des bêtes à cornes. Tuer un veau, c'était insignifiant. Innocent et stupide, il recevait un coup de masse sur la tête sans offrir la moindre résistance. Avec la vache, c'était à peu près la même chose. Encore que... De méchantes langues m'ont raconté que deux garçons, vivant pas très loin de chez nous, avaient vécu une expérience pénible. Ils avaient amené leur vache sur le pont du fenil, l'avaient assommée de leur mieux et lui avaient tranché la gorge. Fiers de leur force, les deux matamores attendaient la fin en se préparant à la «pleumer». Mais tout à coup ils prirent la fuite: la vache s'était relevée, gorge ouverte, râlant, éparpillant son sang en produisant des borborygmes absolument sinistres. Évidemment, ce genre de mésaventure ne pouvait arriver qu'à des «amateurs»...

Quand il y avait un gros taureau à l'ordre du jour, c'était une autre histoire. D'abord on était convaincu que le taureau sentait le sang, de sorte qu'il pouvait refuser d'entrer à l'abattoir. Ça s'était déjà vu! Alors, pour l'empêcher de sentir, selon une logique que seuls les esprits tatillons vont contester, on lui attachait un sac de jute sur les yeux… «Autant d'acquêt», comme disait grand-père Jos. Pour le sortir de l'étable, on lui mettait le «bâton». Le bâton était une tige de bois franc longue d'un mètre et demi, munie d'un crochet fermé par une vis. On passait ce crochet dans l'anneau que le taureau portait au nez, et ainsi on pouvait conduire la bête où l'on voulait en lui tenant la tête relevée, afin de la priver de toute la puissance enfermée dans les muscles de son cou. S'il y en a qui ne savent pas encore d'où vient l'expression «mener quelqu'un par le bout du nez», il ne faut pas chercher ailleurs. Quand le taureau était devenu adulte, on lui passait aussi le bâton pour le mener aux vaches en chaleur. De cette façon, on ne perdait pas de temps en batifolage. Le mufle du géniteur était amené directement au derrière en état d'expectative, qu'il respirait deux ou trois fois pour trouver son inspiration, puis il prenait son élan, soulevant son énorme carcasse d'un seul coup de reins. La vache, qui n'avait rien vu venir, avait l'heureuse surprise de se trouver «pleine» dans le temps de le dire.

Pour mener le taureau à l'abattoir, en plus du bâton dans le nez, on lui passait aussi une corde dans une patte de derrière. Aucune précaution n'était inutile. C'est ainsi qu'on le sortait de l'étable et qu'on se mettait en route vers le lieu d'exécution, marchant joyeusement dans la neige de décembre, riant à cinq ou six derrière la bête qui ne savait pas où elle allait. Plus elle était formidable, plus notre fourberie était amusante, car elle nous protégeait contre une peur d'autant plus grande. Les yeux bandés, l'animal était dérisoire, et sans le savoir, nous participions à ces fêtes anciennes où les premiers hommes revenaient en cortège des forêts primitives après avoir vaincu les taureaux sauvages. Il y avait aussi, dans cette marche triomphante de deux cents mètres, quelque chose qui nous reliait aux grandes fêtes populaires de pays que nous ne connaissions pas, car la mort du taureau avait lieu à l'approche du solstice d'hiver, et par cela même elle se trouvait inscrite dans notre inconscient comme une fête païenne, une fête qui nous remuait jusqu'au fond de l'âme. En marchant vers l'abattoir, maîtrisant ce symbole des premiers ennemis de l'homme, nous marchions vers la joie libératrice, vers le triomphe de l'homme sur la bête. Et comme chez nous les corridas n'existaient pas, toute la symbolique de la lutte contre l'animal dangereux se trouvait concentrée dans cette boucherie organisée, où la part du jeu, en réalité, n'existait plus.

— Un maudit beau beu, hein Fleurien!

— Oui, mon homme, pas loin de deux mille livres deboutte! Envoye par là, tu vas voer qu'on va t'arranger le portrait...

On tuait avec plaisir, même si la bête avait bien servi de son vivant. Elle avait fait son temps, et dans le coup de masse qu'il se préparait à lui administrer, mon père allait goûter un étrange assouvissement. Parvenu à la porte de l'abattoir, il y avait parfois du «tirâillage». Le gros «beu» s'arrêtait, soufflait, appliquait les freins en plantant ses sabots dans la neige.

— Y sent queuqu'chose, j'cré ben...

On commençait par lui tordre la queue en lui poussant dans le derrière, pendant que mon père tirait sur le bâton, mais pas trop fort parce qu'il ne fallait pas lui déchirer le nez; c'eût été la catastrophe. S'il s'entêtait à refuser d'avancer, on employait un moyen de pression capable d'abolir toute résistance bovine: un coup de fourche dans les fesses.

— Envoye, piques-y le cul un peu. Pas trop fort. Fais attention au steak!

Ainsi, le sadisme se trouvait tempéré par la nécessité. Sous la brûlure des fourchons qui lui entraient dans la peau, le mastodonte enjambait allégrement le seuil de la porte et là, je me trouvais ébahi par la place qu'il prenait dans la pièce. Mais on n'avait pas le temps de mesurer l'espace qu'il occupait. Il fallait faire vite pour ne pas lui laisser le temps de réfléchir à ce qui lui arrivait. Rapidement, mon père lui approchait le nez du gros anneau qui se trouvait pris dans le plancher et il l'attachait solidement, le mufle par terre. Ensuite il prenait sa masse de cinq livres, crachait dans sa main, reculait d'un pas pour «s'aplomber», puis il dirigeait son arme entre les deux cornes, en plein centre. On entendait un coup mat, un craquement d'os amorti par la touffe de poils, et le «beu faisait la toile», c'est-à-dire que les yeux lui tournaient pendant qu'il tombait sur les genoux.

— Tu l'as eu du premier coup, Fleurien!

— On a déjà vu ça, des têtes dures de même!

Il y avait des rires nerveux qui marquaient la fin de la tension, et on se mettait à l'oeuvre. La parade était finie. On attachait une patte du taureau à une chaîne que l'on reliait au crochet de la grande roue. Le derrière énorme montait dans les airs, de sorte qu'on pouvait amener la tête de l'animal près du dalot creusé dans le ciment pour faire couler les égouts vers l'allée des cochons. Alors, Florian prenait son plus long couteau, tâtait le cou, toujours dans le but de ne pas trancher l'«harbiére»:

— Blasphème, t'as la couenne épaisse, mon garçon!

Mais la lame avait raison de la chair endurcie par les ans. On entendait un gargouillement épais et le sang noir, fumant, se mettait à cascader, poussé par chaque expiration de l'animal qui vivait encore. Par cette plaie irrémédiable, la force de l'animal le plus puissant s'en allait, encore palpitante, et les borborygmes qu'on entendait sonnaient à mon oreille comme des appels dérisoires, pathétiques. Cette masse de chair et de muscles aurait pu nous anéantir quelques minutes plus tôt, fière de ses formes, et elle n'était plus maintenant qu'un épouvantail ridicule, avec ces longues pattes tendues vers le plafond, cette queue qui pendait, cette panse qui refluait vers le «coffre», enlevant toute harmonie à la charpente magnifique un instant auparavant.

Pour nous, c'était le triomphe. Nous regardions le sang couler dans le dalot, interminable, noir ou vermillon, avec un sentiment de fierté auquel on ne permettait aucune infiltration de tristesse. Il fallait que notre joie fût totale, sans doute parce qu'elle constituait un des rares moments de notre existence où nous pouvions participer à un exploit assouvissant avec la plus grande impunité du monde. À cause de ces tueries sporadiques, les cultivateurs pouvaient atteindre un équilibre que les citadins leur enviaient.

Le sang des bêtes à cornes s'en allait donc dans l'égout, vers le tas de fumier. Je ne sais pas pourquoi, mais on ne le mangeait pas comme celui des porcs. «Le sang de beu c'est pas mangeable.» Dans cette idée reçue, il y avait peut-être quelques traces des anciens mythes taurins. À la ferme, le taureau était le seul animal qui nous faisait peur. Redoutable, il a pu devenir sacré sans que nous sachions exactement ce que cela signifiait. Par exemple, on s'imaginait que la vue d'un morceau de tissu rouge pouvait le faire enrager. Quand on traversait un champ où se trouvait un troupeau de vaches avec son «beu», il fallait passer au loin, surtout si on portait une chemise de cette couleur. Contre lui, on se sentait toujours en état de légitime défense, de sorte qu'on pouvait user de violence à son endroit dès que ses meuglements résonnaient comme une menace. Ainsi, on fabriquait des cartouches de calibre seize avec de petits pois à soupe. Si le taureau se mettait en colère, on lui en déchargeait un coup dans le front. Les pois secs ne pouvaient pas le tuer, mais ils lui entraient dans la peau et provoquaient une brûlure qui le faisait changer d'idée.

Celui que l'on décidait de garder pour la reproduction subissait deux opérations alors qu'il était adolescent. Il y avait d'abord la pose de l'anneau. Pour ce faire, on lui attachait la tête au poteau de sa stalle, on prenait une pique chauffée à blanc puis, avec le pouce et l'index introduits dans les narines, on trouvait l'endroit exact où se terminait le cartilage. C'est là qu'on enfonçait la pique. Pendant que l'animal se tortillait de douleur, une méchante odeur de roussi montait dans l'étable. C'était quand même une opération délicate car si on touchait le cartilage avec la pique, le nez se déchirait et c'en était fait de la stratégie. Dans l'anneau on passait un bout de chaîne d'un mètre environ, entrave qui l'empêchait de courir trop vite et surtout de défaire les clôtures pour rejoindre les vaches en chaleur. Ensuite il fallait l'écorner. Un homme venait avec une longue paire de tenailles et il faisait le tour du troupeau en commençant par le «beu». Au moment où le fer sectionnait la corne, on entendait un craquement sinistre et l'arme-ornement tombait par terre, dérisoire, désormais inutile. Un peu de sang coulait, mais paraît-il que ce n'était pas très douloureux. Le taureau était alors au service de l'homme. Il ne lui restait plus que la force de ses reins et la source inaltérable de ses gonades.

C'est un peu toute cette histoire que nous regardions couler dans le dalot, à mesure que le taureau se vidait de son sang.

Après le dernier gargouillement, on donnait du mou au petit câble de la grand-roue et le cadavre s'allongeait sur le plancher. À la force des bras, on le mettait sur le dos pour procéder au «pleumage». Florian avait pensé à tout. Dans chacun des murs latéraux de l'abattoir il avait planté deux anneaux à deux mètres de distance environ. Dans ces anneaux on passait un câble fin mais solide, muni d'un crochet d'acier à la pointe très aiguë. On faisait une légère incision dans la peau juste au-dessus des sabots, on plantait les crochets dans la chair et en tirant sur les câbles on pouvait ouvrir les quatre pattes à la fois, les tendant au maximum. Le «beu» nous était alors offert comme sur un plateau. Mon père faisait la première incision, du poitrail jusqu'à l'entrecuisse. Répartis à deux ou trois de chaque côté du corps, nous nous mettions à l'oeuvre, tirant sur la peau, insérant la pointe de la lame entre la chair et le derme, faisant apparaître graduellement cette matière rose qui parfois, à notre grande surprise, palpitait encore.

— Ça va fére du maudit beau cuir, ça, mes enfants, disait Florian qui rêvait aux bottes, aux souliers et aux bottines qu'il allait tailler plus tard dans cette peau qu'il ferait tanner chez Goulet, à Luceville.

— Faites ben attention de me la cisâiller, là...

Nous étions avertis trois fois plutôt que deux, car un mauvais coup de lame pouvait gâcher la plus belle partie du futur cuir. Alors nous y allions prudemment, tirant fort de la main gauche pour tendre la peau, émerveillés par la délicatesse de ces fibres blanches, presque transparentes, qui retenaient le derme à la chair et qui faisaient un drôle de petit bruit en disparaissant, lorsqu'on y faisait glisser le fil de la lame. La viande encore chaude dégageait une odeur plus ou moins écoeurante puisqu'elle était entre la vie et la mort, mais cela ne nous empêchait pas de rire, de raconter des histoires, d'évoquer le passé du taureau qui avait fait ceci ou cela, qui un jour aurait écrasé grand-père Jos contre un mur si Raymond n'avait pas été là pour lui planter une fourche dans le cul.

— Arrangé comme y est là, y sautera plus jamais les clôtures...

Il se trouvait toujours quelqu'un pour imiter le meuglement émis par le «beu» quand ce dernier lorgnait vers le troupeau du voisin, chantant une espèce de comptine que l'on avait inventée à partir des sons que proférait alors l'animal:

— Ôte un pieu, ôtes-en deux, ôte-les toutes, ôte-les toutes...

Pour lui dépiauter le dos, on l'élevait dans les airs au moyen de la fameuse grand-roue, et l'arbre de couche émettait des craquements à chaque tour, ce qui nous emplissait de joie car plus la bête était grosse, plus nous avions l'impression d'être puissants, riches. Lorsqu'on lui ouvrait le ventre, la panse tombait par terre dans un clapotis de tripes dégoulinantes, et la fin du jour commençait à jeter des ombres grasses aux quatre coins de l'abattoir. En allumant les fanaux pour mieux découper l'énorme carcasse en quartiers, on ne pouvait s'empêcher de penser que Noël s'en venait, que dans quelques jours il y aurait le frileux réveil pour la Messe de Minuit. Les odeurs du réveillon, cuisiné à la viande fraîche, nous faisaient déjà saliver.

Comme il avait fallu peu de temps pour éroder cette innocence qui, quelques années plus tôt, me faisait pleurer en entendant le hurlement des cochons égorgés...

Le samedi

À l'époque où je vivais encore à la maison, le samedi était pour moi la journée la plus excitante de la semaine. Surtout en hiver. Le samedi, il y avait branle-bas à cause du ménage. Tout était chambardé. Il y avait des bruits insolites, des éclats de voix, des rires, comme si les femmes avaient trouvé une exaltation mystérieuse dans ce surcroît de travail. On mettait le «bâleur» sur le poêle, on le remplissait à ras bords et on tisonnait le feu avec une ardeur particulière dans le poignet. On déplaçait les chaises pour rouler la table dont les roulettes grinçaient, après quoi on relevait les robes au-dessus des genoux, sans retenue aucune. Sacré, le travail prenait le pas sur la pudeur.

Maman versait du détersif-abrasif sur le plancher, mais comme la publicité n'avait pas encore fait son chemin jusqu'au fond de notre campagne, ce détersif, c'était tout simplement de la cendre qu'on avait fait tremper dans l'eau pendant trois ou quatre jours. Agenouillées, munies chacune d'une brosse fabriquée avec cinq ou six petites branches d'épinette, les femmes lavaient à tour de bras. Parfois leurs rires se mêlaient au bruit mouillé des aiguilles grattant le bois franc: puish-puish-puish... Elles y allaient à grands coups, apparemment heureuses de la vigueur dont leurs bras étaient capables. Mais il n'y avait personne à séduire... Ce déploiement d'énergie devait donc porter en lui-même sa propre récompense. La cendre mêlée à l'eau chaude brûlait leurs mains, leurs genoux sans protection

183

se meurtrissaient sur les planches de bouleau, mais ça ne faisait rien: le plancher devait être propre. Je lorgnais du côté des genoux blancs, m'emplissait le nez de ces odeurs mouillées où dominait celle de l'épinette. Tant que le plancher n'était pas sec, il y avait des interdits: «Passe pas par là!» «Reste dehors, on lave juste devant la porte.» «Ôte tes bottes si tu veux aller dans la salle.» Etc.

Puis les jupes retombaient au bas des genoux et le plancher retrouvait sa couleur grisâtre, mais il sentait bon. Les meubles reprenaient leurs places habituelles et grand-père remplissait le caveau à bois. Chaque fois qu'il ouvrait la porte, les bras chargés de billes, une vague de buée blanche roulait sur le plancher, apportant du dehors une gliclée de froid qui nous donnait le frisson. L'hiver avait l'air d'un animal indomptable.

Il fallait ensuite, toujours parce que c'était samedi, laver les globes des lampes à huile. C'est seulement en 1945 que l'électricité allait monter jusqu'au p'tit troisième et dans les autres rangs. À l'époque, le «courant» s'arrêtait au village. La compagnie qui régnait sur le «pouvoir» n'avait pas les moyens (!) de se lancer dans de folles dépenses. Elle avait proposé de faire un effort si les cultivateurs consentaient à fournir les poteaux, mais comment parvenir à une entente entre ces gens qui se méfiaient des «riches de Rimouski», qui n'avaient pas un sou à donner, si ce n'est pour acheter cinq gallons d'«huile de charbon», par mois? Alors on avait des lampes accrochées aux murs, un peu partout, au moyen de «racks» en métal joliment dessinés d'ailleurs, que les antiquaires ont raflés avec une avidité surprenante au début des années cinquante.

Dans notre cuisine, à part la lampe Aladin qui avait la place d'honneur au centre de la pièce, il y en avait une accrochée au mur, sur son support à charnière, de sorte qu'on pouvait la faire aller de droite à gauche. Génial! Elle se trouvait au bout de la table, à deux mètres de hauteur. Un soir, au moment où grand-père Jos se levait de table en gesticulant, après une dispute qui avait été plutôt orageuse, ma grande soeur Thérèse monta sur sa chaise et ouvrit les deux bras en mimant les gestes du vieux dans son dos, retenant avec peine le rire qui l'étouffait. Du revers de la main elle accrocha le globe de la lampe qui se fracassa, produisant un bruit qui fit basculer l'atmosphère dans le pathétique. Les disputes avec le grand-père faisaient rire tout le monde, y compris papa, mais ce revirement subit, à cause d'une «faute», je le ressentis comme une espèce de malédiction. J'avais l'impression que ma soeur s'était punie elle-même par sa maladresse, de sorte que l'air me sembla tout à coup irrespirable. Car il ne fallait jamais rien casser de ce qu'on devait acheter. Casser un manche de hache, bon, c'était agaçant mais on en fabriquait un autre à la main. Tandis que prendre le chemin du magasin pour acheter des objets essentiels détruits par imprudence, c'était presque une honte.

Toujours est-il que le samedi on lavait les globes, après quoi on taillait les mèches aux ciseaux, on allumait pour voir si ça brûlait égal, on faisait le plein et on remettait la lampe en place, soit au mur, soit sur la table de chaque chambre, soit sur le support qui était suspendu au bout d'un long fil de fer au-dessus de l'escalier. Il s'agissait, bien entendu, d'une opération délicate, car dans la manipulation il y avait toujours ce danger qui menaçait mes soeurs, mes tantes ou maman: faire péter un globe.

Mais dans cette opération il y avait quelque chose qui dépassait tout le reste en importance. C'était le nettoyage de la lampe Aladin. À cause du fameux «manchon», ce petit capot qu'il ne fallait pas toucher du bout du doigt sinon il tombait en poussière, «comme un cadavre qui est mort depuis ben longtemps», m'avait-on expliqué pour que je résiste à la tentation. Mais comment réprimer ce besoin de connaître qui nous habite? Évidemment, ma mère faisait elle-même ce travail de dentellière qui consistait à extraire le cul de la lampe de son abat-jour, le poser sur la table, dévisser le «borneur» (*burner*) et le décrasser, laver le globe, etc. Un jour, j'étais si jeune alors que ma tête dépassait à peine la table sur laquelle elle avait déposé le «manchon», qu'on appelait aussi le «manteau», je ne pus résister à la tentation de faire une petite expérience. Il était défendu de toucher, mais personne ne m'avait interdit de souffler… Ce que je fis au moment où ma mère avait le dos tourné. J'eus le plaisir d'éprouver deux ou trois sensations fortes en même temps: faire quelque chose qui comportait un risque, voir subitement un objet en forme de cône devenir informe, souffrir d'avoir détruit quelque chose d'aussi précieux.

— Qu'est-ce que t'as fait là! T'as mis ton doigt où c'que t'avais pas d'affére, hein?

— J'ai juste soufflé...

— Va jouer ailleurs! Va t'assire dans ta p'tite chaise!

Instinctivement, j'avais pris la précaution de pleurer dès que j'avais vu le cône s'effondrer, de sorte que ma mère se trouva dans l'impossibilité de me punir. Comme la lampe Aladin était une nécessité, il y avait un manchon en réserve. Alors, grâce à mon imprudence, je fus témoin ce jour-là d'un autre phénomène merveilleux. Maman remplaça le cadavre en poussière par un «manteau» neuf d'une belle couleur bleu pâle, et quand elle alluma la lampe il s'enflamma d'un coup, flambée qui dura seulement une seconde mais qui donna à l'objet sa couleur blanche habituelle.

— Tu voés, à c't'heure qu'y a brûlé, faut pus y toucher.

À l'âge de douze ans, je savais tout ce que les «femmes» pouvaient m'apprendre à la maison, et j'allais connaître les samedis les plus frustrants de ma vie. Depuis des semaines, je rêvais du jour où la neige allait «pogner pour le vrai», où on allait enfin atteler les chevaux aux «sleighs» pour monter au «tombshit». J'avais aiguisé «ma» hache et il y avait un petit «sciotte» de trois pieds et demi dont je pourrais me servir à peu près exclusivement. Dans ma tête, les grands sapins tombaient depuis plusieurs jours, les branches volaient, et j'empilais les gros billots de douze pieds en maniant le crochet avec une dextérité de vrai bûcheron. La neige arriva enfin et un beau lundi matin les hommes partirent dans le brouhaha habituel. Il me restait à attendre le samedi suivant, jour de congé, pour me joindre à eux. Ce fut la semaine la plus longue de ma vie. Le vendredi soir, à l'heure du hareng et des patates bouillies, je ne pus m'empêcher de parler du lendemain, des arbres qui allaient tomber par la force de mes biceps. C'est la malédiction qui s'abattit sur moi en même temps qu'une petite phrase de mon père:

— Faut que tu restes à maison pour t'occuper des truies.

— Comment ça?

— Parce qu'y faut queuqu'un pour s'occuper de ça icitte, pis t'es trop p'tit pour bûcher...

Trop p'tit! C'était le comble! On peut dire à un adolescent qu'il est «malcommode», mais on ne peut pas affirmer, sans le blesser profondément, qu'il est trop jeune pour manier la hache. Et puis qu'est-ce que c'était que «c'te maudite idée, aussi, d'avoir un verrat sur les bras»? Florian, avec ses mâles entiers, recherchait l'autosuffisance.

Et tous les samedis matin de cet hiver-là, la mort dans l'âme, je voyais les «sleighs» monter dans la côte. Les «hommes» s'en allaient prendre leur plaisir, m'abandonnant aux petits travaux serviles. Je rentrais le bois dans la maison pour chauffer le poêle puis je grattais les cochons, après quoi j'apportais quelques brassées de paille pour leur faire une litière neuve. En attendant les truies, je pouvais glisser dans la côte en face de la grange, avec Marcel et Jean-Marc, qui étaient plus jeunes que moi.

Glisser était la grande distraction de l'hiver. Nous pouvions le faire de différentes façons, comme par exemple en nous laissant descendre dans le traîneau à chiens, mais le véhicule le plus amusant pour notre sport hivernal était le «crapotte» (déformation du mot «crapaud»). Je ne veux pas me vanter, mais je crois que le «crapotte» a été inventé par un brillant ancêtre de ma famille. À ma connaissance, il n'y en avait que chez nous et chez notre voisin. Qu'est-ce que c'était? Essayez d'imaginer une bicyclette traînante au lieu d'une bicyclette roulante et vous aurez une petite idée de la chose. On fabriquait le «crapotte» avec deux «toiles de quârt» à patates, deux billes de bois de chauffage bien rondes et trois bouts de planches. Chaque année, il y avait bien deux ou trois barils de pommes de terre qui se défaisaient. Donc les «toiles» (douves) ne manquaient pas. Il fallait en choisir deux mesurant au moins douze centimètres de large. On clouait chacune d'elles au bout d'une bille de diamètre à peu près égal à la largeur de la douve, mais à une quinzaine de centimètres du bout. À l'autre extrémité de la bille, on clouait une planche de quarante centimètres environ, perpendiculairement à la douve. Ensuite, dans le sens des douves placées l'une devant l'autre, on clouait une planche d'un mètre et demi sur l'arrière-train. Mais sur la partie avant, on la fixait avec un gros clou de quinze centimètres, ce qui donnait une virole, articulation grâce à laquelle la planche surmontant la bille d'en avant devenait en tous points semblable à un guidon de bicyclette. Voilà. C'était tout simple, mais la fabrication de cet instrument primitif nous apportait une grande satisfaction, en plus du plaisir de glisser. Et ça se conduisait comme une espèce de machine! Pendant des années, j'ai rêvé de construire un «crapotte» à pédales, ce qui eût été la Cadillac des «crapottes», mais je n'ai jamais pu résoudre les problèmes techniques soulevés par mes plans.

Seulement voilà, il était défendu de fabriquer des «crapottes» parce que ça coûtait cher de clous, et aussi parce qu'au cours de ces séances de menuiserie hautement artisanales, il nous arrivait d'égarer un marteau ou une égoïne. Nous devions donc construire nos bicyclettes d'hiver en cachette, pendant que les hommes étaient au bois et que grand-père Jos fumait sa pipe dans la maison. Quand le mal était fait, les vieux devaient l'accepter. Il suffisait de ne pas nous faire prendre à glisser au moment où nous devions être à l'ouvrage, ce qui provoquait un «chiâlage» qui n'en finissait plus. Surtout de la part de grand-père, pour qui les amusements étaient malsains. Florian, lui, nous «disputait» plus ou moins pour la forme. Il lui suffisait de retrouver ses marteaux et ses égoïnes en place. D'ailleurs, il racontait lui-même leurs glissades de l'ancien temps avec un sourire nostalgique sur le visage. Une fois, par un beau clair de lune, «une gang de jeunesses» s'était entassée sur une «sleigh» qu'elle dirigeait avec les limons ramenés vers l'arrière, descendant plusieurs côtes d'affilée à une vitesse folle, rasant les piquets de clôture qui dépassaient la couche de neige. Il avait donc mauvaise conscience à nous réprimander, se souvenant sans doute que dans son temps, il avait été encore plus difficile de vivre les «folies de la jeunesse»…

Du reste, par un beau soir de lune à la fin de février, mon père fut témoin d'une scène qui dut lui rappeler de beaux souvenirs. Nous étions dehors, trois ou quatre des enfants, baignant dans la lumière pâle et la douceur de l'hiver finissant, quand maman est sortie de la maison pour vider l'eau de son plat à vaisselle. L'atmosphère était au dérèglement, peut-être à cause de la lune… Nous l'avons assise sur le devant de la «chienne» et nous lui avons fait faire une belle glissade dans la côte. Elle est rentrée à la maison en riant, drôlement émoustil-

lée par ce petit événement, comme si elle s'était permis une
infraction quelconque, un geste qui excitait ses sens...

Au cours de ces samedis-là, donc, pour me consoler de
ne pas aller au bois, je faisais alterner les glissades avec le service aux truies. La truie arrivait sur un traîneau, enfermée dans
une cage de bois. Emmitouflé dans son gros «mackinaw»
d'étoffe, assis sur le devant de la cage, son propriétaire tenait les
rênes d'un cheval qui avançait au petit trot. On reculait le traîneau devant la porte de l'abattoir puis on glissait la cage à l'intérieur. On conduisait la femelle en lui donnant de légères poussées sur les fesses, évitant de la toucher sur le dos car alors,
étant en rut, elle cessait de bouger. Lentement, le museau au
plancher, elle avançait dans l'allée pour entrer dans l'enclos où
le verrat l'appelait en poussant de petits grognements répétés,
toujours sur le même ton. Sans s'énerver, car pour eux l'angoisse n'existait pas, les deux bêtes se sentaient pendant de longues minutes, échangeant sans arrêt les grognements par lesquels elles se mettaient d'accord sur la procédure à suivre. Finalement, le mâle allait se placer derrière la femelle, sentait le
«bourgeon» tuméfié de sa partenaire puis, soulevant sa lourde
charpente, il s'avançait en glissant sur le dos de la truie, s'aidant
de ses pattes qui lui enserraient l'échine. Après tous ces efforts
apparemment pénibles, le pénis en spirale apparaissait et, à
petits coups de reins convulsifs, le mâle le faisait pénétrer de
toute sa longueur. Il se passait alors un certain temps, comme si
ces deux animaux primaires avait su faire durer le plaisir. Tout à
coup les testicules du verrat commençaient à se contracter, à
pomper pour déverser leur semence. Cela durait une éternité.
Le sperme finissait par déborder, tombant dans le fumier, mais
l'animal n'avait pas encore fini de se vider.

Appuyés à l'enclos, plus ou moins écoeurés par l'odeur
du purin, nous attendions que ce fût terminé, regardant attentivement pour être sûrs que la truie ait sont compte. Dès que le
verrat se laissait glisser par terre, nous emmenions la femelle
comblée, mais cette fois il fallait presque la traîner: elle en avait
les jambes coupées... L'heureux propriétaire me donnait cinquante «cennes» que je devais remettre à Florian, puis s'en
allait.

— Bon ben, salut, là! À la revoyure! Des saluts à ton pére.

189

— Salut!

Il y avait des samedis à une truie, des samedis à deux truies, des samedis à trois truies. Dans ce dernier cas, on se trouvait confronté à un petit problème: il fallait attendre que le générateur recharge ses batteries. Alors le visiteur entrait à la maison, fumait sa pipe en «jasant» avec grand-père Jos et en lorgnant les «créatures». Mais il n'y avait pas grand-chose à dire et les silences s'allongeaient, ponctués par les filets de salive qu'on lançait dans le crachoir. Tout était si simple. Tout ressemblait à la gymnastique naturelle du verrat qui, grâce à ses gonades, possédait une partie importante de notre vérité.

Le temps des fêtes

Noël arrivait avec sa charge de «poésie». Elle était constituée de trois ou quatre éléments qu'il m'est difficile de classer par ordre d'importance. Il y avait d'abord le réveil à onze heures du soir le 24 décembre. C'était excitant parce qu'à cette heure où d'habitude tout le monde dormait, on se retrouvait subitement dans une maison dont toutes les lampes étaient allumées. On frissonnait et on clignait des yeux.

Ce soir-là, le voyage à l'église en carriole prenait une importance particulière, comme si les grelots du cheval avaient subitement sonné sur un ton plus joyeux. On atteignait le comble de l'enchantement quand il y avait un clair de lune. Mais la lune avait souvent d'autres rendez-vous dans le ciel. Une fois, nous avons fait le voyage en traîneau, à la pluie battante. Il faut croire que le bon Dieu nous boudait.

À l'église, il y avait la crèche et le «p'tit Jésus». Il fallait bien le regarder. Si mignon, en cire rose... Nous le regardions et l'émerveillement venait, nous emplissait le coeur d'un bonheur aussi incompréhensible que naïf. Le mythe nous prenait aux tripes avec d'autant plus de force qu'il venait de loin. L'église nous ravissait aussi à cause du fait que ce soir-là, toutes les lumières étaient allumées. Un vrai soleil en pleine nuit! Enfin, il y avait les cantiques. À quatre voix mixtes! On avait l'impression que les anges nous visitaient. Comme il était facile de prier, à ce moment-là... Florian disait que c'était à Saint-Anaclet qu'il y avait les plus belles Messes de Minuit. En réalité, on le lui avait affirmé, parce que lui, il n'était jamais allé voir ailleurs.

Revenus à la maison, il y avait des bonbons dans les bas que nous avions suspendus derrière le poêle, un réveillon, des rires, des taquineries, de la belle joie familiale toute propre. À deux heures du matin, nous pouvions aller nous coucher, la conscience en paix, le coeur gonflé de bonheur, parce que la rédemption du genre humain était arrivée. Le lendemain, on retournait à la messe parce qu'il n'y avait rien d'autre à faire, et il ne nous restait plus qu'à souhaiter l'arrivée du Jour de l'An. Là, un autre plaisir nous attendait: la visite et les becs.

J'ai longtemps eu l'impression que s'il y avait un salon dans la maison, c'était pour la fameuse bénédiction. On ouvrait la porte la veille pour qu'il se réchauffe un peu, ce qui commençait à nous énerver. D'ailleurs, cette cérémonie avait quelque chose de solennel qui m'indisposait. À la vérité, je trouvais agaçant qu'on ne pût célébrer le premier jour de l'année sans ce devoir. Et puis, comment se faisait-il qu'on passait douze mois d'affilée sans s'embrasser, alors que tout à coup c'était une obligation?

Le matin du grand jour, le branle-bas commençait de bonne heure. À six heures le poêle ronflait, le «sipâille» était déjà au four et tous ceux qui étaient en état de travailler avaient disparu à l'étable. Après le «train», au lieu de passer à table on se lavait et on mettait nos habits du dimanche. Puis il y avait un moment de flottement, alors que la famille assise dans la cuisine attendait un ou deux retardataires. Quand tout le monde était là, papa disait:

— Bon, on va y aller.

Assez bizarrement, c'est à ce moment-là qu'il ressemblait le moins à l'image du père. C'était la tradition qui lui imposait un rôle. Mal à l'aise, nous passions au salon en silence, où la seule chose à faire était de nous agenouiller, y compris papa et maman. Debout dans un coin, face à la famille, grand-père Jos murmurait des mots en latin d'un air bougon, puis il nous bénissait. On faisait le signe de croix, il s'agenouillait à la place de mon père qui se levait pour recommencer les mêmes formules, le plus sérieusement du monde, et à ce moment-là j'avais tou-

jours l'impression que le poids de l'univers pesait sur ses épaules.

Chaque année, il y avait un nouvel enfant agenouillé
devant lui. Sans doute se trouvait-il heureux d'avoir une belle
famille comme celle-là, mais au moment où, symboliquement,
il se mettait à la place de Dieu, il devait se demander comment il
ferait pour aller jusqu'au bout de ce devoir imposé par la
nature. D'où viendraient le blé, le bois, les animaux, et pendant
combien de temps la santé serait-elle dans ses bras? Hiératique,
il traçait une grande croix devant lui, on se signait de nouveau
puis on se relevait en s'époussetant les genoux même si le plancher était propre. Alors il y avait les poignées de mains, les baisers, les voeux:

— Bonne et heureuse année!
— Toé pareillement!

La pudeur nous empêchait de nous étreindre, même si
l'amour nous étouffait. Seule ma mère parvenait à franchir les
barrières érigées par notre mode de vie rustique. Elle nous
tenait la tête à deux mains pour nous embrasser, plongeant ses
yeux au fond des nôtres, souriante, tandis que sur nos joues
enfantines ses mains gercées par le travail avaient une douceur
extraordinaire. Alors une joie particulière nous envahissait
comme si, tout à coup, le temps s'était arrêté rien que pour
nous: il n'y avait plus de travaux à faire, plus d'obligations mais
surtout, il y avait cette sensation merveilleuse de pardon général. Comme par enchantement, toutes les fautes de l'année se
trouvaient effacées. Le bonheur, fruit de la conscience épa-
nouie, était possible. Pour un moment, la terre échappait à son
utérus de boue et de germination, de sorte que la maison devenait un lieu purifié, bleu, où les êtres qui s'y trouvaient avaient la
texture des anges.

Il était huit heures du matin, le soleil encore bas faisait
reluire les arabesques de givre qui ornaient les carreaux et
maman, la taille déjà déformée par ses multiples grossesses, cir-
culait rapidement au milieu de nous, un plateau de bonbons à
la main. On se berçait joyeusement en croquant ces «candies»
qui nous collaient aux dents, puis on se mettait à table pour
manger le «sipâille» traditionnel. Pendant quelques heures,
nous avions la certitude que Dieu était avec nous, qu'il nous
aimait, qu'il nous protégeait, et c'est peut-être dans cette con-

viction, alimentée par une naïveté presque primitive, que mes parents trouvaient la force de recommencer une nouvelle année de labeur. À quelle autre porte pouvaient-ils frapper?

J'avais six ou sept ans lorsque, le matin du 31 décembre, je vis un vieillard entrer à la maison. Toute une surprise pour les parents! C'était mon oncle Jean-Baptiste. Il vivait à Cochrane, en Ontario, et il n'était jamais revenu à la maison depuis son départ, vingt ans plus tôt. Son arrivée fut donc un événement peu ordinaire, une occasion de réjouissance pour mes oncles et mes tantes qui le regardaient d'un drôle d'air. Complètement chauve à cinquante ans, Jean-Baptiste me semblait aussi vieux que son père, à qui il ressemblait étrangement. Pendant deux ou trois jours il raconta ses histoires «vraies», sa vie difficile comme opérateur de pelle mécanique. Une vie qui ne ressemblait à rien de ce que je connaissais. Ma tante Émilia, qui habitait Saint-Gabriel-des-Hauteurs et qui pesait cent-vingt-cinq kilos, fit une trentaine de kilomètres en carriole pour venir le voir.

Mais tout a une fin. Un beau matin, il y eut dans la cuisine un drôle de va-et-vient, des têtes baissées, des phrases courtes échangées à propos du cheval qu'il fallait atteler pour aller déposer la «visite» à la gare. Puis j'ai entendu un bruit insolite venant de la «salle» à côté de la cuisine. Naturellement, je fis irruption dans la pièce pour voir ce qui s'y passait. Ce fut un choc terrible.

Émilia et Jean-Baptiste étaient face à face, vêtus de leurs gros manteaux, leurs casques de poil à la main, et ils pleuraient à chaudes larmes tous les deux, se regardant droit dans les yeux. Ils savaient qu'ils ne se reverraient jamais, jamais... Quarante ans plus tôt, ils avaient ri dans cette maison, joué, pleuré, mangé, aimé leurs parents, vu comme moi le soleil entrer par les fenêtres, fabriquant ainsi un lien sentimental qui les unissait de façon invisible. Et maintenant ils sentaient que les fibres de ce lien se déchiraient une à une, que l'image de leur enfance, leur seule richesse, se dissolvait comme une brume dont le soleil a raison.

Pour la première fois de ma vie, j'avais devant les yeux l'image de la misère. Cette année-là, le temps des fêtes s'arrêta d'un seul coup, avec le départ des visiteurs. Il y avait des circonstances où la magie du mythe ne pouvait pas opérer.

Le bois

Le grand événement de l'hiver, la grande fête, la grande kermesse, le grand aria, le grand tourment, la chose, c'était le «chantier», c'est-à-dire la coupe du bois. Bien sûr, les hommes allaient au chantier par nécessité pour avoir du bois de chauffage l'hiver suivant, ainsi que des billots et de la «pitoune» à vendre, mais ils y allaient avec un plaisir qui semblait contrebalancer la peine. Car à cette époque où la tronçonneuse n'existait pas, la coupe du bois était considérée à juste titre comme le plus dur des travaux que l'on doit exécuter sur une ferme. Cet engouement pour le travail en forêt était général chez les paysans et il l'est encore aujourd'hui, même si la nature du travail a changé à cause du tracteur et de la scie mécanique.

D'abord, c'est en bûchant du bois qu'on atteignait la maturité. Bien tenir les mancherons de la charrue était une importance capitale, mais rien ne valait le maniement de la hache et du «sciotte» pour faire basculer le jeune homme dans le monde adulte. C'est en abattant des arbres qu'on se débarrassait de sa robe prétexte... Bien sûr, «être un homme», c'est-à-dire fort et adroit, était une nécessité. Il était donc normal qu'on en fît un point d'honneur. Pourtant, ce besoin ne me semble pas expliquer à lui seul l'envoûtement de la forêt et du travail qu'on y faisait.

L'arbre est sans contredit l'une des plus belles inventions de la nature et comme par hasard il est devenu un symbole phallique. Les bûcherons ne le savent pas, mais cette réalité est inscrite dans l'inconscient collectif depuis des millénaires. Or, le besoin de castration me semble aussi général que celui du meurtre. Je crois aussi qu'il somnole dans la psyché des mâles autant que dans celle des femelles. J'ai toujours eu l'impression que l'on castrait les animaux avec un certain plaisir. Cela se sentait dans le geste large avec lequel mon père lançait les testicules dans les airs, dans la façon précise et rapide dont il incisait le scrotum, fouillait dans l'ouverture pratiquée pour en extraire la gonade d'un geste sec, sans pitié. Et quand on venait le chercher pour «couper» une bande de petits cochons ou d'agneaux, il n'était pas seulement fier de voir son habileté reconnue, il était certainement heureux de pratiquer une opération qui lui apportait un soulagement aussi profond qu'inconscient.

Ainsi en est-il de la coupe du bois. Par symbole interposé, on soulage un besoin caché, on s'accorde un plaisir innocent et impuni. Une vraie bénédiction du ciel.

Toujours est-il que la joie et l'agrément rattachés au chantier se faisaient sentir dès que la neige était installée pour le reste de l'éternité, c'est-à-dire jusqu'au printemps. Ce matin-là, il y avait dans l'air une fébrilité qui nous électrisait.

— Les garçons, allez donc sortir les sleighs pendant que j'lime les sciottes. Après ça on affilera les haches…

Sortir les «sleighs» n'était pas un travail mais un divertissement, parce que l'occasion de notre première glissade. On montait sur la côte, on ouvrait le hangar où elles nous attendaient, empilées les unes sur les autres, désassemblées. Le temps de le dire et les «bobs» (trains) étaient dehors. On attachait les trains avants à ceux d'en arrière, on relevait les limons puis on se lançait dans la côte, soulevant des tourbillons de neige folle, laissant derrière nous des traces de rouille dans la blancheur intacte jusque-là.

À la maison, il y avait aussi un branle-bas peu ordinaire. Pour les hommes il fallait des tartes, des tourtières, des beignes, des cretons, des «roûtis» de lard, des «binnes», etc. Habituellement, au moins deux des hommes passaient la semaine dans le bois. Le matin du premier départ était donc particulièrement agité puisqu'il fallait remplir le grand coffre en bois de tout ce dont on avait besoin: la nourriture et la literie.

— Bon, ben, bonjour, là...

— Avez-vous tout ce qu'y vous faut?

Apparemment, dans la voix de ma mère il n'y avait pas d'inquiétude. Le labeur de ses «hommes» devenait une joie qu'elle partageait en cuisinant les mets avec le sourire. On pouvait le voir aussi à la façon dont elle ouvrait le coffre pour le remplir, disant:

— Deux pains, ça sera pas de trop, j'cré ben...

Les trois ou quatre «sleighs» se mettaient en branle avec les bûcherons assis sur leurs sacs de paille, emmitouflés dans leurs gros «mackinaws» d'étoffe. Pendant quelques minutes, l'odeur des chevaux annulait toutes les autres, et ils regardaient les traces jaunâtres laissées par les sabots dans la neige pure. Graduellement, tout devenait égal, blanc, infini. La petite caravane montait dans le flanc de la côte, traversait la clôture pour passer chez Timoléon, puis montait tout droit jusqu'à la montagne où elle traversait d'autres clôtures pour atteindre le chemin public qui la conduisait, après quatre ou cinq courbes, au haut de la côte du lac à Desrosiers. Là, elle tournait à droite pour entrer dans la forêt. L'atmosphère devenait ouatée, feutrée à cause de la neige neuve, et les odeurs étaient faibles. La pureté de l'air dominait, atténuait les senteurs qu'exhalaient habituellement les épinettes et les sapins. Dans l'air il ne restait plus qu'un vague relent de l'humidité dégagée par les sous-bois.

Au bout de deux kilomètres dans ce chemin aux multiples raidillons, on faisait le tour du lac Blanc pour se trouver tout à coup en face du «campe» en bois rond, vieille baraque devenue grise avec le temps, assise au flanc d'une colline que mon père avait défrichée au début de son mariage mais qu'il avait abandonnée deux ans plus tard, les récoltes étant trop maigres. On dénouait le bout de broche qui servait de cadenas et on poussait la porte «écréhanchée» d'un coup d'épaule. Alors les odeurs surannées de l'hiver précédent montaient au nez des bûcherons, venant de la cendre froide et de la paille qui vieillissait dans les lits de bois. On allumait la «truie», on rentrait les bagages en vitesse pour se diriger tout de suite vers l'endroit que Florian avait décidé de bûcher cette année-là.

— Y a une maudite belle talle d'épinettes au nord du lac, c'est ça qu'on va commencer par fére.

Ils ouvraient les chemins dans la neige neuve, décrivant un cercle qui permettait aux chevaux de revenir sur leurs pas pour charger les «sleighs». Il fallait déblayer, tailler, égaliser, et lentement les chevaux avançaient, ayant pris instinctivement le rythme de l'hiver. Puis c'était le moment tant attendu, l'heure du premier billot à faire. Florian s'approchait d'une épinette dont la base mesurait une quarantaine de centimètres, la sondait en lui administrant un bon coup avec la tête de sa hache qui sonnait dur.

— C'est sain comme une balle, ça, mon homme.

Après avoir jeté un regard circulaire, il indiquait l'endroit où il allait la faire tomber. Un bon bûcheron fait tomber son arbre exactement où il le désire. C'est un point d'honneur. Après avoir ébranché le bas de l'épinette, où ne restent d'habitude que des branches sèches, il jetait un dernier coup d'oeil à l'endroit qu'il avait choisi pour la chute. Alors sa hache s'élevait dans les airs et on entendait sa poitrine exhaler: «Ahan! Ahan!» Le taillant d'acier parfaitement lustré par la meule s'enfonçait dans l'«aubel» (aubier), matière ligneuse encore impubère, d'une couleur de crème, tellement riche en sève qu'on avait envie d'y donner un coup de langue. Ouvrir cette jeune chair pour faire jaillir sa pureté au soleil, cela comportait les éléments d'un viol impunissable qui réchauffait le sang des hommes, calmait des appétits secrets qu'ils portaient en eux depuis les débuts de l'humanité.

«Ahan! Ahan!»

En faisant alterner les coups de biais avec les coups à l'horizontale, le bûcheron pratiquait une «natch» (entaille) qui allait dessiner un triangle rectangle. Quand on appliquait les coups de hache avec précision, les copeaux volaient tous dans la même direction et l'arbre tombait exactement dans le chemin qu'ils traçaient, comme s'il avait voulu rejoindre les morceaux qu'on avait détachés de lui. Une fois l'entaille faite, bien propre, Florian prenait son «sciotte» et, un genou en terre, il commençait à exécuter ce mouvement de va-et-vient si exténuant que les bûcherons professionnels accompagnaient parfois d'une espèce de comptine:

— Va-t'en ma santé, viens-t'en mon argent.

Cela rythmait leurs gestes. La tête penchée pour écouter la stridulation de la scie, dont la cadence était celle que la vigueur de ses bras pouvait produire, le bûcheron jetait un coup d'oeil à la sciure que la lame éjectait pour en vérifier la qualité. Cela lui disait si son outil était bien affûté ou non. Frôlant le tronc de l'épaule, un peu à la manière du toréador dont le genou effleure la tête du taureau qu'il met à mort, dans un geste de reconnaissance doublé de pitié, le coupeur de bois semblait à ce moment-là communiquer avec le centre de la terre. Dans un mouvement d'adieu inconsciemment pathétique, il se mariait à cet éclatement de vie que la nature avait projeté vers le ciel avec orgueil. Tout ce qui est beau, long et fort, un peu comme le corps de l'homme, ne doit-il pas tomber un jour? Cette loi, inscrite dans la nature des choses, les hommes semblaient la connaître instinctivement et, sans trop s'en rendre compte, quand ils poussaient sur l'arbre pour l'aider à tomber, ils se préparaient peut-être à leur propre mort. Des artistes répétant leur spectacle... Mais tant que les arbres tombaient sous la poussée de leurs bras, c'étaient eux, les hommes, qui restaient debout. Il n'en fallait pas davantage pour alimenter l'espoir.

Lentement mais régulièrement, la lame s'enfonçait, tranchant la pulpe, traversant le coeur, et alors le chant de la scie devenait sourd, plein, rond. «Va-t'en ma santé, viens-t'en mon argent.» À partir de ce moment-là, la situation était irrémédiable: les racines allaient se trouver séparées de leur oeuvre patiemment édifiée au cours des années dans le silence obtenu par l'épaisseur de l'écorce. Tout à coup, il y avait un mouvement du tronc à peine perceptible, un faible élargissement du trait de scie. L'homme se relevait, le souffle court, pour voir la tête de «son» arbre frémir. La terre l'appelait. Souriant d'un air vainqueur, le bûcheron se penchait pour donner les derniers coups, soit à droite soit à gauche, afin de lui faire prendre exactement la direction voulue, puis le grand corps se mettait à bouger lentement mais de façon définitive. Alors l'homme se relevait en criant:

— Watch out!

La longue épinette s'inclinait, prenant graduellement de la vitesse. La dernière bande de pulpe la retenant à la souche se broyait en faisant entendre un craquement, les aiguilles sifflaient de plus en plus fort à mesure que la chute s'accélérait, et tout à coup il y avait un fracas de branches cassées, le bruit sourd du tronc frappant le sol, pendant qu'un tourbillon de neige entourait le corps étendu.

— Une maudite belle pièce, hein! Trois billots de douze pieds là-dedans.

Mais on n'était pas là pour contempler.

— Ébranche à partir de la tête, mon p'tit homme, disait Florian au plus jeune d'entre nous qui était là pour apprendre.

La hache se mettait à tournoyer dans les airs. Les noeuds secs volaient en claquant, et il y avait l'odeur d'épinette ou de sapin retrouvée, cette odeur de résine pénétrante qui imprégnait les mitaines et les «ovralls». Vlan! Vlan! Tout à coup mon père s'arrêtait parce qu'une blessure de l'écorce avait laisser couler la sève visqueuse. Avec les années, cela avait produit une espèce de grosse gale rougeâtre qui avait durci. Il en détachait un morceau avec le taillant de sa hache, le nettoyait du bout de l'ongle et le mettait dans sa bouche. À force de mastiquer, la résine s'amollissait pour donner une gomme qui laissait un goût âcre sur la langue, quelque chose de sain comme l'air ambiant.

— Watch out!

Les autres ne lambinaient pas non plus. Selon les années, c'étaient Clément et mon oncle Tius, Raymond et l'oncle Euclide, puis Marcel, ensuite Jean-Marc et finalement Ti-Pit avec Alain. Presque toujours deux ou trois en compagnie du «père» à se faire aller les bras. «Va-t'en ma santé, viens-t'en mon argent.»

— Fais attention, ta natch est de travers. Tu vas te brancher...

«Brancher» un arbre, c'est-à-dire mal le diriger et le faire tomber sur un congénère auquel il restait accroché, était une honte. À la rigueur, cet accident pouvait se produire quand le vent venait déjouer les calculs du bûcheron. Cela provoquait des rires ou des jérémiades. Une perte de temps, de la «misére nouère». Dans ce cas il fallait abattre l'arbre auquel le premier était accroché, et parfois les deux premiers s'accrochaient à un troisième. Alors on pouvait entendre les plus beaux jurons que notre civilisation a inventés. Mais l'appel était toujours là, dans le coup de hache qui fendait l'écorce pour révéler la pureté de l'aubier, éclatement de chair immaculée qui, dès que la matière ligneuse était révélée à la lumière, donnait au bûcheron le sentiment plus ou moins conscient d'avoir détruit quelque chose d'absolu. Car il n'y a rien de plus absolument vierge qu'un arbre...

— Quinze pouces su'a chousse (souche), blasphème; on va fére un seize pieds dans c't'y-là...

À mesure qu'ils étaient découpés, les billots étaient mis en «roules», c'est-à-dire empilés les uns sur les autres le long du chemin où l'on viendrait les charger sur les «sleighs». Avec le bouleau, l'érable, le merisier, le tremble et les têtes d'épinettes, on faisait du bois de chauffage qu'on empilait à part. Chaque soir, Florian en descendait un chargement à la maison. Vers trois heures le soleil était déjà bas. Il lui fallait charger en vitesse pour partir le long du lac, marchant derrière les chevaux qui s'en allaient au pas, boulangeant la neige de leurs sabots, le ventre blanchi par le frimas.

Ceux qui restaient dans le bois travaillaient jusqu'à la noirceur, ou presque. C'est seulement quand la brunante menaçait de se confondre avec la tête sombre des résineux qu'ils plantaient leurs «sciottes» dans la neige près du «roule». Ils marchaient lentement vers le «campe», les pieds bouillants dans leur bottes gelées, l'estomac creux, les narines pleines de résine, les yeux pleins de souvenirs: la belle couleur de l'aubier, la résistance de l'écorce, la blancheur de la pulpe, la grosseur de telle épinette, le bruit de la chute accompagné du tourbillon de neige, etc. Toute leur journée de labeur les suivait jusqu'à la cabane, apportant la satisfaction, cette satisfaction qui était leur seule récompense. Car à l'époque les salaires n'existaient pas: toute la famille travaillait pour se donner de quoi manger et se vêtir.

Revenus à la baraque à peine tiède, il fallait ranimer le poêle, faire chauffer les «binnes» et les tartes, ébouillanter les feuilles de thé. Les hommes avalaient leur repas en silence, se roulaient des cigarettes qu'ils fumaient en écoutant chanter l'eau dans la bouilloire, le tout à la lueur rougeâtre d'une lampe à huile qui jetait des ombres incertaines sur le plancher rugueux. Lentement, la bonne lourdeur de la fatigue montait dans leurs membres à la faveur de la chaleur, et quand les lits étaient assez chauds ils s'y enfouissaient pour ronfler jusqu'aux premières lueurs de l'aube. C'étaient des nuits sans cauchemars.

Le froid les réveillait et la journée recommençait par un long jet d'urine dans la neige, par l'allumage du poêle, par le thé bouillant et les tourtières ou les «binnes». À peine le soleil commençait-il à lécher la tête des grands sapins, frappant le côté est des montagnes pour y allumer des étoiles de givre, qu'ils marchaient déjà dans le sentier, lançant parfois un cri inutile pour le seul plaisir d'entendre l'écho se répercuter entre les collines, écoutant le crissement de leurs bottes sur la neige dure, aspirant l'air pur du matin comme une manne invisible.

— Ça mouillera pas les mitaines aujourd'hui...

— Non çartin. C'est sec en tabarnac!

Il n'y avait pas grand-chose à dire. Tout était évident. Tout se mesurait d'un regard, l'oeil étant devenu expert par la force de l'habitude. Pour exprimer les sentiments les plus aigus, il suffisait d'un juron ou d'un gloussement de satisfaction. Dans un accord profond, tous leurs gestes se mariaient avec la forêt, la neige, les outils, de sorte que le travail sécrétait chez eux une satisfaction qui générait de la force produisant à son tour du travail, cercle vicieux dans lequel ils s'enfermaient avec la douceur des êtres qui ont appris à jouir de l'énergie produite par leur propre corps.

Le père arrivait vers neuf heures et demie avec les nouvelles de la maison, c'est-à-dire à peu près rien. L'une des vaches était sur le point de vêler, ou les enfants toussaient, ou le bonhomme Untel était mort. Ou encore il n'arrivait pas, et alors une inquiétude à peine perceptible s'installait dans les yeux des deux fils. Cela s'était produit au cours d'un hiver plus dur que les autres, la maladie ayant élu domicile sous notre toit.

— J'ai été obligé de descendre Alice à'pital...

— Comment ça?

— J'sais pas le yâbe...

Il y avait déjà deux mètres de neige dans le bois et les tempêtes se multipliaient. Les lames de «sciottes» ne chantaient plus. Quand on sortait de la forêt, en haut de la côte du lac à

Desrosiers, le vent soulevait la crinière des chevaux, leur ouvrait la gueule et les faisait renâcler. Il fallait quand même avancer.

— Paddy! Avance, maudite tête de cochon!

La poudrerie régnait en maître. Dans un déferlement infernal, elle freinait l'élan des chevaux et aveuglait les hommes qui devaient marcher derrière leurs changements jusqu'à la maison pour ne pas geler. Et tout à coup l'un d'eux sentait son visage durcir.

— Heille, j'ai-t-y la joue blanche?

— Ouais. Frotte.

Il fallait vite enlever ses mitaines et se frictionner vigoureusement le visage avec une poignée de neige pour que le sang se remette à circuler.

Quand on arrivait sur les hauteurs, à la sortie du quatrième rang, le grand large apparaissait, mais il n'était qu'un océan de neige poussée par le vent qui, venant du nord-ouest, montait comme un déchaîné vers ces plateaux découverts où il fabriquait en hurlant des tourbillons de poudrerie qui coupaient les jambes des chevaux et cinglaient les visages, avant de disparaître dans les bouquets d'épinettes rabougries. Il s'agissait bien d'un océan soulevé par la colère car d'autres secousses venaient derrière, sans cesse renouvelées, toujours aussi puissantes, toujours aussi glaciales, et dans cet espace qui semblait soudainement sans limites, car on ne voyait ni ciel ni terre, les hommes avaient le sentiment qu'une malédiction les poursuivait.

Mais il y avait d'autres samedis soir où, par les hivers plus ou moins cléments, les trois hommes marchant derrière leurs «sleighs» descendaient ainsi vers le nord au moment où le soleil coulait dans le rouge à la pointe ouest de l'île Saint-Barnabé, éclairant encore l'immense étendue du fleuve, accentuant la largeur du pays à cause de ses rayons obliques, illuminant la pointe des trois clochers. Alors le paysage était si majestueux, si pur, qu'ils avaient le sentiment d'être admis dans un grand paradis où la beauté viendrait à bout de tous les maux. Dieu était dans leurs yeux...

Ces soirs-là, quand ils entraient à la maison, les hommes apportaient avec eux le grand souffle de la forêt. L'odeur de gomme d'épinette qu'ils dégageaient devenait le symbole de leur force, et quand on les voyait s'encadrer dans la porte, énormes dans leurs vêtements lourds, on avait l'impression qu'ils étaient eux-mêmes devenus des arbres. En tout cas, ils en avaient le calme et la sérénité.

À mesure qu'on s'enfonçait dans l'hiver, le tas de bois grossissait près de la maison mais le foin baissait dans les tasseries. Dehors, tout était enveloppé dans la neige dure, et on croyait que rien ne viendrait à bout de cette chose invisible qui nous encerclait, qui dessinait chaque nuit des congères nouvelles, donnant au paysage une touche différente, supercherie par laquelle la nature tentait de nous faire oublier le froid.

Puis un beau soir on sortait après souper, et il y avait des odeurs nouvelles qui montaient des champs, qui semblaient venir de loin, peut-être des bords du fleuve. Surtout, il restait encore dans le bas du ciel, vers le nord, une grande traînée lumineuse de couleur turquoise. Le mois de mars était arrivé, la neige commençait à ramollir, à se tasser. Déjà on avait envie d'ouvrir la porte pour faire entrer ces effluves qui précédaient le printemps. Chaque année, quand le mois de mars arrivait, je passais de longues minutes à regarder vers le nord, debout sur la côte entre la maison et la porcherie, le coeur gonflé d'un sentiment étrange: j'assistais à une transformation magique, presque divine. Caché quelque part, un être d'une puissance merveilleuse pouvait repousser le mur de l'hiver, déplacer le réservoir de froid, tirer sur la corde à laquelle était attaché le soleil.

Au chantier les hommes s'enfonçaient dans la neige pelotante, bûchaient en chemise, et au soleil de midi ils pouvaient voir des souches apparaîtres, des souches qui suintaient, laissant perler quelques gouttes de sève qui finissaient par ruisseler. Un beau jour, l'eau montait sur la glace du lac. Alors on chaînait les derniers «voyages», on remplissait le coffre de marmites et de couvertures, on attachait la porte du campe avec le vieux bout de «broche à foin» et on partait pour la maison dans le soleil de mars qui tassait la neige, qui faisait surgir la première eau dans les ornières creusées par les membres des «sleighs». Pour se rendre jusqu'au chemin public, il fallait rester assis sur le chargement, bien tenir les «cordeaux» et surveiller le cheval qui de temps en temps défonçait la neige durcie par tous les pas de l'hiver. Il plongeait parfois jusqu'au ventre et pouvait se blesser avec ses crampons si on ne dirigeait pas ses mouvements. Au sortir de la forêt, les hommes se regardaient d'un air satisfait, riaient en commentant leur exploit.

— Ça tout pris pour sortir de là!

— Ouais, c'était le temps de sacrer not' camp. Y a déjà de l'eau pâscale dans le chemin pour fére bouére toute la parouesse...

Pour une fois, ce n'était pas le vent du nord qui les accueillait en haut de la côte du lac à Desrosiers, mais une brise qui caressait la tête des épinettes, qui frôlait les visages, apportait des odeurs neuves qui dilataient la poitrine, qui procuraient aux hommes un sentiment de sécurité extraordinaire: la nature entière était un coeur immense qui battait sans arrêt, un coeur que rien ne pouvait arrêter de pomper la vie pour la faire éclater, et ils se sentaient comme les fibres mêmes de ce coeur universel. Ils marchaient lentement derrière leurs «sleighs», le «mackinaw» déboutonné, mains nues, regardant les champs où la neige laissait maintenant apparaître la tête des piquets. Au fond de leur coeur, l'eau printanière ruisselait déjà.

Sur le haut des côtes, au sortir du quatrième rang, le nord apparaissait graduellement, mais cette fois il n'était plus pour les hommes ce vaste réservoir de froid générateur d'un vent qui coupait les jambes, mais plutôt un miroir immense dans lequel le bleu du ciel se contemplait. Et dans ce bleu dont la pureté avait quelque chose d'absolu, l'hiver s'en allait sous forme de taches blanches que les courants faisaient voguer vers l'est, ces taches minuscules qui en réalité étaient d'énormes blocs de glace condamnés à la désintégration. Le mouvement ascensionnel était commencé, rien ne pouvait plus l'arrêter. Le fleuve ouvrait ses bras à la douceur. Alors, du milieu des champs où glissaient les derniers voyages de bois, montait la voix joyeuse d'un homme qui, le coeur gonflé de sang nouveau, entonnait une vieille chanson d'amour:

Pour habiller Margot sa belle,
Dépourvue de riches dentelles,
Un pauvre amant disait un jour,
J'ai moins d'or, hélas, que d'amour...

Les chevaux s'engageaient au trot dans le flanc de la côte menant à la maison, et comme la descente était rendue difficile par la neige ramollie, la chanson se trouvait coupée par des cris lancés à Paddy, Smatte ou Maggy: «Doucement, beck up, toé, la folle!» «Tu descends la côte en fou, là, tu vas renvarser!»

La «sleigh» glissait dangereusement sur la gauche, mais la voix joyeuse remontait quand même dans l'air pur, comme celle d'un oiseau que rien ne pouvait effrayer:

À quoi bon chercher, pour les filles d'Ève,
Robes et bijoux à n'en plus finir?
Puisque rien ne vaut, pour les embellir,
Qu'un manteau d'amou-our, que fleurit le rêve?

— Whooo!»

Les chevaux s'ébrouaient, le corps fumant, les sabots mouillés. C'était aussi un signe que le printemps était arrivé. Dans l'air tendre, les odeurs de l'étable se faufilaient jusqu'à la maison, et parfois on entendait une vache meugler d'impatience, appelant le pâturage vert dont elle se languissait. Le matin, il y avait de la glace qui cassait sous nos pas, mais c'était une glace gentille, sans méchanceté, que le soleil de dix heures allait faire dégouliner.

On ne pouvait pas scier le bois de chauffage tout de suite. Avant que la neige ne disparaisse complètement, on mettait les boîtes sur les «sleighs» pour charrier le fumier. Au cours de l'hiver, les deux tas s'étaient amoncelés derrière l'étable, celui des chevaux et celui des vaches. Ils nous attendaient. J'avais une préférence pour le fumier de cheval, plus léger, et aussi parce qu'il fumait, dégageant une chaleur dont l'odeur me semblait agréable. Nous chargions les boîtes à la main, c'est-à-dire avec des fourches que nous appelions des «broques». Le fait de patauger ainsi dans les matières fécales des animaux, notant les variantes de leurs odeurs, nous donnait le sentiment d'être vraiment en contact avec le ventre de la terre, avec le commencement de la vie. Ce que nous ressentions était ordinairement exprimé par une phrase passe-partout que l'un de nous lançait joyeusement en soulevant une fourchée de matières «purjuteuses»:

— La marde, c'est la santé!

En réalité, ce contact direct avec l'engrais-énergie-source-de-vie nous remettait en confiance avec la nature, nous donnait un sentiment de force extraordinaire, comme si nous avions senti le blé germer dans notre ventre. Nous devenions semblables aux grains que l'on met en terre, dont la fonction première est de germer. Rien ne peut empêcher ce processus. Rien ne pouvait nous enlever la vie. Ainsi naissait en nous la conviction inconsciente mais profonde que les problèmes n'existaient pas.

Ce qui me plaisait le plus, dans ce travail peu envoûtant à première vue, c'était de m'asseoir sur le devant de la boîte chargée d'engrais pour monter vers le pied de la montagne en passant par le milieu des champs où la neige était moins épaisse, sous le soleil de mars dont la luminosité se trouvait décuplée par cette blancheur que rien ne venait ternir. Au bout de deux ou trois arpents, les sabots du cheval se trouvaient nettoyés de leurs impuretés, et la bête avançait lentement, posant les pieds toujours dans les mêmes pistes, pendant que le vent doux coulait sur la neige, frôlant les cristaux d'une aile délicate pour les inciter à la désintégration. Dans l'air il y avait une paix profonde. C'était un calme plein de promesses, précédant la tempête de la germination.

La neige n'était pas encore toute fondue quand on sortait le banc de scie pour le traîner avec les chevaux près du tas de bois. Scier le bois était un travail qui avait toutes les allures d'une fête. D'abord c'était un signe de plus que le printemps était là, mais il y avait aussi le fait qu'à cette occasion d'autres hommes venaient à la maison: des oncles ou des voisins qui riaient, qui contaient des histoires, qui sacraient...

On installait l'«engin» au bout de la «strappe», le mettant au niveau en taillant dans la glace, le stabilisant en plantant quatre tiges de fer dans la terre à coups de masse. Mon père sortait sa grosse lime à fer et pendant une vingtaine de minutes les enfants «grichaient» des dents, les oreilles écorchées par le crissement du fer que l'outil râpait. Quand il avait fini, il secouait sa lime d'un geste mécanique, le visage orné d'un grand sourire.

— Ôtez-vous, les enfants!

De mauvais gré, nous reculions de quelques pas.

— Vous allez vous faire estropier, là, blasphème! Allez-vous-en donc à maison...

Nouveau recul dans la neige fondante, histoire de prouver que nos bottes étaient bien étanches, puis nous revenions sur les lieux de l'action. Le moment tant attendu était arrivé. Florian «crinquait» le moteur et le bruit des explosions répétées remplissait l'air matinal, pétarade joyeuse que je ressentais comme une victoire sur la force d'inertie que les choses recèlent. Mais il y avait un bruit qui me plaisait davantage, c'était celui de la scie ronde, le bourdonnement qu'elle émettait quand elle avait atteint sa pleine vitesse. Dans la façon dont elle fendait l'air, il y avait quelque chose d'absolu qui me fascinait. J'avais l'impression qu'elle pouvait trancher n'importe quoi, n'importe quel corps vivant. L'arbre de couche étant parfaitement ajusté, elle tournait sans la moindre oscillation. Quand je l'entendais siffler dans son apparente immobilité, je la voyais comme une sorte de point d'interrogation en face des mystères de la vie.

Les aides soulevaient un tronc d'arbre à deux ou trois, selon sa grosseur, le couchaient sur la table, et mon père empoignait le levier de bois avec sa main gauche. C'était lui le scieur, qui inclinait la table à la vitesse voulue. Alors le son produit par la scie devenait un chant, une seule émission partant de l'aigu pour aller au plus grave lorsque l'acier arrivait au coeur de la matière pulpeuse, revenant à l'aigu pour tinter comme une cloche cristalline au moment où l'on redressait la table et que les dents cessaient de frôler l'aubier. Florian poussait la bille toute neuve de sa main droite, puis un autre homme placé à l'extrémité du banc de scie la prenait à deux mains pour la lancer par-dessus son épaule dans un geste large, vainqueur. L'arbre sectionné en petits bouts perdait son orgueil, devenait une chose banale qui volait dans les airs, propre à la consommation.

Pendant deux ou trois jours, le moteur cognait en plein air et la scie décrivait des ondes sonores plus ou moins grandes, selon la grosseur des billes qu'elle devait avaler. Le midi, autour de la soupe fumante, les hommes prenaient un repas joyeux, leurs vêtements imbibés de l'odeur pénétrante de la gomme de sapin. On aurait dit qu'ils étaient forts de toute la sève qu'ils avaient fait couler des troncs d'arbre en leur enlevant définitivement la vie. Maman faisait des crêpes qu'ils mangeaient en trempant chaque bouchée dans la mélasse, pendant que l'odeur de la graisse bouillante se mêlait à celles dégagées par les hommes, de même qu'aux effluves printaniers qui entraient par la porte ouverte.

Pour faire des meubles, réparer les instruments aratoires, les bâtiments et les «wonguines», nous avions toujours besoin de planches ou de madriers. C'est ainsi que les plus belles billes d'épinette et de bouleau, au lieu de rester en forêt où un camion serait venu les embarquer entre les semailles et les foins, prenaient le chemin de la maison dès qu'elles étaient abattues. On les mettait en «roule» au pied de la côte, en face de la grange. Aller «faire scier» était une autre de ces occupations qui m'enchantait. Dès qu'il s'agissait de bois, le mythe de la forêt prenait le dessus sur tout le reste. Je me précipitais pour mettre la charrette en place à la force des bras, et rien ne m'aurait procuré un plus grand plaisir que de pouvoir charger les grosses billes à l'aide d'un «candoye» (pique à manche court munie d'un crochet). À peine âgé de dix ans, je mettais mes mitaines de cuir comme les hommes le faisaient et je me mêlais à eux pour rouler les billots sur la pente formée par les deux perches prenant appui sur le bord de la charrette. Évidemment, je gênais.

— Veux-tu t'ôter de là, bonyeu! Tu vas te fére casser les jambes..

Un accident était toujours possible, un dérapage quelconque, mais après avoir reculé de quelques pas je revenais à la charge, semblable à la mouche que les gestes impatients n'empêchent pas de revenir sur le coin de peau qu'elle a choisi. Je collais aux billots comme si la résine m'y avait englué, ensorcelé par leur symbole. J'aurais voulu avoir la force de Clément ou Raymond pour soulever la bille et la faire sauter par-dessus l'«épée» de la charrette. Malheureusement, je devais me contenter de regarder cette ultime partie de l'opération, jaloux de la force des autres, rêvant du jour où je serais à leur place.

Quand les deux charrettes étaient chargées, on attelait les deux paires de chevaux. Alors, si on était un samedi, il y avait un moment d'angoisse terrible à traverser. Je me précipitais d'un cheval à l'autre, passant la bride, attachant le «nékyouke», bouclant les sangles, tout cela avec un empressement que mon père ne manquait pas d'observer. Mine de rien, il me laissait conduire la «time» à la charrette. Quand les traits de fer étaient attachés aux baculs, il fallait bien que je me jette à l'eau.

— P'pa, j'veux y aller avec vous autres…

Il y avait les cochons à gratter, la bergerie à vider, la litière des veaux à changer, des tas de travaux «serviles» qui m'inspiraient à ce moment-là la plus grande répugnance. Florian hésitait, le regard fuyant, puis il finissait par demander:

— T'as pas d'autre chose à fére?

— Non…

C'était un demi-mensonge, mais il sentait bien que mon désir était aussi fort que la germination d'une graine en bonne santé.

— Bon, embarque.

Il s'assoyait sur un sac rempli de paille pour ménager ses fesses tandis que je prenais place derrière lui, assis sur l'écorce d'un gros billot d'épinette, sans prendre garde à la résine qui pouvait me coller au fond de culotte. Florian «pipait» les chevaux, les traits de fer se raidissaient et la jante des roues s'enfonçait dans la terre encore molle. J'étais heureux comme le capitaine d'un bateau en partance pour le bout du monde.

Nous passions devant l'abattoir où maman était en train de faire son savon avec les panses de cochons qui avaient dégelé à la faveur du printemps. Des effluves passablement nauséeux sortaient par la porte ouverte. En effet, pour obtenir ces «briques» d'une belle couleur jaune qui faisait penser au sucre d'érable, il fallait faire bouillir les vieux viscères par deux fois dans le «castique», brasser, laisser déposer, attendre, faire refondre, et quoi encore! Un vrai travail d'alchimiste, mais accompli sur le matériau le plus vil qu'on puisse imaginer. Assis sur mon chargement de bois, je n'avais qu'un regard condescendant pour ma mère penchée sur son chaudron, remuant une matière visqueuse dans une vapeur malodorante. Le destin m'avait fait mâle, apte aux grandes oeuvres qu'on exécute à l'air libre…

Dans le chemin de gravier qui nous conduisait au village, l'excitation grandissait encore. Les bandages d'acier broyaient les petits cailloux, produisant un bruissement continu des plus envoûtants, car il était le signe que nous atteignions le fond du chemin. Derrière nous, les roues laissaient deux belles traces lisses, nous donnant une impression de puissance peu ordinaire.

Venant du sud, nous entrions dans le village par son milieu, et il fallait le traverser jusqu'à l'église où nous tombions sur la «route de la station» en tournant à gauche. Je vois souvent des citadins se pavaner au volant d'une puissante voiture de sport, mais aucun de ces garçons ne peut être aussi fier que je l'étais en m'exposant à la vue des villageois, assis sur notre chargement de billots traîné par deux chevaux qui n'avaient rien à voir avec la vapeur...

Dans la rue principale, que la municipalité de Saint-Anaclet n'avait pas encore eu les moyens de faire paver, nos roues continuaient à produire un chuintement ininterrompu en écrasant le gravier, et à ce bruit qui disait la lourdeur de notre chargement, il fallait ajouter le tintement des traits de fer, de même que le pas des chevaux parfaitement accordé, dévidant son éternelle musique basée sur un rythme à deux temps dont la mesure est divisée en quatre: et un et deux et un et deux... J'entrais dans Rome sur un char vainqueur!

La route de la station menait en ligne droite à la minuscule gare qui semblait dormir un mille plus loin, mais à peine y avions-nous fait quelques pas que je voyais sur la gauche la longue cheminée du moulin à scie, lançant sa fumée noire vers le ciel. Dans l'air il y avait aussi des échappements de vapeur produisant un sifflement que je trouvais mystérieux, qui m'apparaissait comme le symbole d'un monde supérieur auquel on ne pouvait avoir accès sans un bagage de connaissances extraordinaire. Mais il y avait surtout le chant de la scie: une longue note soutenue qui partait de l'aigu en allant rapidement au plus ou moins grave selon la grosseur de la bille qu'elle fendait, puis qui revenait à l'aigu le plus clair au moment où le métal s'échappait à l'air libre. La «scie ronde» était à l'oeuvre! On devait être sorcier pour la faire tourner à une vitesse pareille! Il faut dire qu'à la maison les hommes parlaient de la scie des moulins comme d'un phénomène:

— C'est deux fois plus gros que not' scie ronde à nous autres, pis ç'a des dents plus longues que le pouce. Ça passe dans n'importe quel billot comme dans du beûrre.

Une vraie castratrice mythique! Un instrument que les hommes s'étaient donné pour répondre à un besoin réel, mais qui les travaillait au plus secret d'eux-mêmes...

Le «moulin» était une construction en planches grises ouverte sur les côtés, avec une partie en tôle pour retenir le bran de scie, et des poutres en épinette qui semblaient ne rien retenir. Nous arrivions avec nos chargements par le côté sud, face à la grande ouverture donnant sur le «carége» (chariot), c'est-à-dire en plein sur l'action. Entre deux billes qu'il roulait vers le chariot, le «canteur» prenait le temps de nous sourire. Je sautais au bas de notre chargement, et tout de suite la fierté cédait la place à la crainte: j'entrais dans un monde fascinant mais inconnu, donc dangereux.

— Va pas te fourrer le nez là-dedans, disait Florian, recommandation dont je n'avais pas vraiment besoin.

Intimidé, je regardais le spectacle de loin. Car c'en était un, offert gratuitement surtout par Conrad Gagnon, maître scieur et propriétaire de la baraque.

Conrad était un homme sans âge, maigre, pâle, portant une petite moustache couleur de sciure. Cet homme qui avait l'air de la bonté même était nerveux, d'après ce que je pouvais voir. Pour faire marcher sa machinerie, il devait exécuter quelques manoeuvres qui demandaient précision et rapidité, afin d'obtenir un bon résultat dans un minimum de temps. D'abord, avec l'aide du «canteur», il appuyait le billot contre les deux montants du chariot. Ensuite, il soulevait un crampon coulissant dans l'un de ces montants pour l'enfoncer dans l'aubier, puis il attrapait un levier de métal recourbé pour approcher la bille à l'endroit voulu selon l'épaisseur de la planche désirée, à la fin de quoi il devait appuyer avec son pied droit sur une pédale qui faisait avancer le chariot. C'était plutôt simple mais Conrad exécutait chacun de ces mouvements en double: sa main gauche esquissait d'abord un geste pour rien, puis sa main droite passait à l'action. Il en allait de même pour ses pieds, le gauche se soulevant pour rien avant que le droit appuie sur la pédale. Il en résultait une gesticulation qui le faisait ressembler à une marionnette exécutant une danse complètement déréglée. Le plus étrange, c'est qu'il ne se trompait jamais. Tout arrivait à point et à la bonne place. La scie en attente, qui fendait l'air en bourdonnant, recevait le billot dans ses dents, tranchait dans l'«aubel» tendre et jaunâtre pour détacher la première dosse. Alors l'odeur de la matière ligneuse fraîchement mise à nu envahissait nos narines, et j'avais le sentiment étrange que la virginité des forêts m'était révélée dans cet éclatement de la pulpe que le fer venait d'ouvrir. Que pouvait-il y avoir de plus vierge que cette chair végétale encore pleine de sève venue du coeur de la terre?

Après la dosse, que l'on envoyait à l'autre bout du moulin en la faisant courir sur un tapis de petits rouleaux d'acier, c'était la première planche que la scie détachait du corps de l'arbre, une belle tranche de pulpe blanche, humide, avec le grain du bois subitement exposé à la lumière, explosion soudaine de pureté qui me remplissait de joie, apparaissant à mes yeux comme une compensation pour tout le mal que les hommes étaient obligés de faire pour vivre.

Conrad avait cinq ou six employés. Ils approchaient les billes, dégageaient la scie, coupaient les dosses en bouts de quatre pieds, empilaient les madriers dans la cour, etc. Or, tous ces hommes peu rémunérés, qui n'avaient aucune notion de ce qu'on appelle la sécurité d'emploi, qui suaient à grosses gouttes, accomplissaient leur besogne le sourire aux lèvres. Dans cette odeur de résine dégagée par les épinettes et les sapins, ils avaient sans doute l'impression de vivre en forêt, c'est-à-dire à la source même de l'énergie primitive. Mais il y avait aussi le fait qu'ils participaient à cette mise à nu de la chair ligneuse, défloration non seulement impunie mais qui les mettait en contact avec les sources vitales sécrétées par le coeur de la terre.

Quand nos billots étaient déchargés, nous les roulions sur le promontoire fait de grosses poutres qui les amenait au niveau du chariot à Conrad. Pendant quelques minutes, le grondement de la scie en attente couvrait les voix de Florian et Conrad qui se mettaient d'accord sur l'épaisseur des planches à faire. Ensuite, nous allions de l'autre côté de la baraque avec nos «wonguines» vidées pour les remplir de planches, de madriers de «squinclènes» (colombages), tout cela fraîchement découpé, encore humide, fait de pulpe blanche que le temps n'avait pas encore jauni. Nous avions l'impression de prendre le matin dans nos mains.

Le cycle du bois se terminait par un enchantement.

La laine

Nous avions la certitude que l'hiver était en train de chavirer lorsque, nous mettant à table le matin, mon oncle Tius nous apprenait qu'il y avait deux «ti-mouttes» dans la bergerie. Cette nouvelle faisait surgir des étincelles dans nos yeux. La vie était là, au milieu de nous, emmêlée à la banalité de notre quotidien, avec toute la puissance de son mystère. Avant de partir pour l'école, nous courions à la bergerie où nous pouvions voir les agneaux tout blancs secouer le pis de leurs mères en agitant la queue de façon si comique. Ainsi, notre journée commençait par une grande vague de joie.

— Celui-là, c'est à moé.

— O.K. Moé, j'vas prendre celui qui a une tache noère su'l'front.

Nous les adoptions, obéissant à je ne sais quel besoin de maternité, ou tout simplement parce que la pureté dont ils étaient le symbole nous paraissait un bien inestimable qu'il fallait s'approprier. Et puis ils nous arrivaient avec la fin de l'hiver, de sorte que pour nous ils étaient doublement des sauveurs. Ils nous délivraient du froid, comme le Christ avait délivré le monde du mal. Il me semble que c'est là, dans ce réduit où s'entassait tout le fumier de l'hiver, que j'ai commencé à me faire une certaine idée de la grandeur... Tout cela parce qu'il nous fallait de la laine...

Un beau jour, dans le petit ruisseau qui coulait entre la grange et le hangar, l'eau commençait à gargouiller sous la neige. Ça y était! Des taches noires apparaissaient au milieu des champs et l'eau jaune, épaisse de neige fondante, se mettait à descendre les collines, ruisselait, chantait, donnait l'impression que la terre elle-même dégorgeait, subitement incapable de contenir sa sève. Il fallait canaliser, participer à ce débordement, à cette libération d'une force primitive qui surgissait tout à coup après son emprisonnement sous les glaces. C'était une fête au cours de laquelle le vent doux transportait des odeurs venues des forêts, des immenses savanes où des restes de bleuets exhalaient leurs vieux parfums à la faveur du soleil nouveau.

Le midi, on ouvrait la porte de la maison parce qu'il faisait trop chaud à cause du poêle, mais aussi pour faire entrer un peu de cet air qui ne pouvait mentir: le printemps était là, signe du renouveau! Il s'infiltrait dans chaque chose comme une source lumineuse dont l'origine nous était inconnue. Ainsi, avec l'eau qui se gonflait au creux des rivières, avec les odeurs nouvelles qui venaient de loin, avec le jour qui ouvrait ses bras de plus en plus large, avec les animaux qui naissaient chaque matin, se formait en nous une idée toute particulière de la turgescence. C'était le visage même de la vie, le principe, ce par quoi il y a un commencement.

C'est à ce moment-là, alors qu'on marchait dans la vase entre la maison et la grange, que les corneilles nouvellement arrivées faisaient leurs nids dans les épinettes du coteau en croassant, qu'il fallait tondre les moutons. Étant jeune, je passais des heures à regarder mon père et mon oncle Tius qui, munis de forces, s'enfermaient dans la bergerie, attrapaient chacun une brebis par une patte, la couchaient sur la paille puis enfonçaient les lames dans la laine. Le bêlement grêle et plaintif des agneaux se mêlait au crissement des ciseaux amorti par la fourrure, et bientôt le corps nu de la «moutonne» apparaissait, à mesure que la toison blanche, grasse, s'inclinait sur le côté comme si on avait ouvert un ventre chaud. Parfois, l'un des hommes lançait un juron parce que la brebis avait bougé, la «maudite folle», de sorte que les lames avaient taillé dans la peau mince, découvrant la chair vive. Mais comme les «moutonnes» ne se plaignaient pas quand cela se produisait, j'avais l'impression que les tondeurs souffraient plus qu'elles de ces petits accidents.

— Quiens, c'est fini. Leuve-toé, la vieille.

D'un rapide coup de jarret, la brebis se mettait debout, ridicule parce que, privée de sa toison, les os proéminents de sa croupe semblaient disproportionnés. C'est en laissant échapper un bêlement honteux qu'elle allait dissimuler sa nudité au milieu du troupeau.

Avant le souper, comme il y avait encore un reste de soleil dans le bas du ciel, je faisais quelques rigoles dans la boue et la neige fondante, heureux de la fraîcheur et de la pureté de l'air, l'odorat jamais assouvi par ces odeurs venant de la terre nouvellement découverte. La sève montait! J'avais le sentiment d'aspirer la force même d'un dieu qui n'avait pas de nom, mais qui était à l'origine de ce mouvement irrésistible emportant la nature dans une immense spirale de création. Les hommes rentraient à la maison avec une odeur de bouc dans leurs vêtements, et à table, pendant qu'elle parlait de futurs tissages, je crois bien qu'il y avait dans les yeux de ma mère une lueur qui la ramenait à cette odeur primitive: son mâle était près d'elle après avoir participé au «grand oeuvre», les jambes emmêlées à celles des bêtes, tâtant leurs ventres de ses mains, conscient de cette palpitation de la chair qui est à l'origine du monde.

Souvent, une brebis se trouvait dans l'impossibilité de nourrir ses deux jumeaux. Pour nous les enfants, c'était une joie parce que dans ce cas, il fallait donner le biberon à l'un des agneaux. Une année, ce fut ma petite soeur Antoinette qui fut l'heureuse élue, alors âgée de cinq ou six ans. Deux fois par jour elle présentait le biberon au «ti-moutte» qui tétait avec avidité en secouant la queue, ce qui la faisait rire tout en l'émouvant. Les semaines passant, le petit devint un jeune bélier de deux mois assez costaud. À dix heures du matin, Antoinette sortait de la maison avec son biberon et l'appelait de sa petite voix claire, aussi amoureuse que craintive:

— Ti-moutte! Ti-moutte! Ti-moutte!

Sur la côte en face de la grange, le jeune adopté dressait l'oreille, dévalait la pente au galop, venait se placer devant la fillette et vidait ce pis artificiel d'une tétée vigoureuse, ininterrompue. Après quoi, se rendant compte que la source était tarie, il regardait sa «mère» dans les yeux pendant une seconde puis il lui assenait un bon coup de tête dans la poitrine, ce qui la faisait tomber sur le derrière. Antoinette rentrait à la maison en pleurant, mais chaque jour elle recommençait, incapable d'abandonner cette tâche de nourricière.

Il y avait un moment de transition entre le «traînant» et le «roulant» qui était particulièrement amusant. Dans le chemin du p'tit troisième, plus d'un mètre de neige avait été foulée par les nombreux passages de l'hiver. Cette neige brunie par le crottin, qui se trouvait en décomposition, cédait sous les sabots ou même sous les pieds des marcheurs. Alors, pour aller au village, il fallait atteler un cheval à la charrette à deux roues, bien se tenir aux ridelles parce qu'à tout instant le cheval faisait une embardée, ou encore l'une des roues s'enfonçait dans l'ornière pour en ressortir toute ruisselante de neige fondante. C'est dans cette atmosphère de catastrophe joyeuse que l'on passait sur le ruisseau qui coulait près de la maison de notre voisin, et on éprouvait un plaisir étrange à le voir si gonflé, débordant, laissant rouler en cascades des vagues d'eau jaunâtre qui semblaient sortir de la terre, comme si la nature avait éprouvé le besoin de faire gicler un trop-plein de sang, par pure volupté…

C'est à cette époque, alors que les hommes fendaient le bois près de la maison, que maman allumait la fournaise de l'abattoir pour faire chauffer de l'eau. Il était temps de laver la laine! Portant par-dessus sa robe une veste qu'elle avait piquée aux hommes, elle transportait les gros ballots à l'abattoir, puisait à pleines mains dans les toisons grasses, puis remplissait la cuve de la maçonnerie. L'opération était facile, mais elle était pour ma mère l'occasion d'un premier coup d'oeil sur le matériau qui allait glisser entre ses doigts l'hiver suivant, soit dans le dévidoir, soit dans le rouet, soit dans le métier à tisser, soit pour s'enrouler autour de ses aiguilles à tricoter.

Quand la laine était propre, elle l'emballait dans de grands sacs de jute pour l'envoyer carder à l'Isle-Verte. C'est à cause de ce détail que le nom de l'Isle-Verte est resté pour moi le synonyme d'un endroit merveilleux. D'abord parce que c'était loin, très loin de chez nous, et aussi parce que là-bas il y avait des hommes extraordinaires: ils recevaient de la laine en vrac alors qu'ils nous la retournaient en jolis petits boudins duveteux d'un mètre de long!

Mais si le nom de ce village contenait pour moi une telle charge émotive, c'est surtout à cause de l'aura qui se dégageait de ma mère au cours du lavage de la laine, de son emballage et de son expédition. Un large sourire sur les lèvres, elle marchait d'un pas alerte entre la maison et l'abattoir, jetant au passage un coup d'oeil complice aux fendeurs de bois. Elle égouttait ce qui était propre, revenait à la maison, retournait à l'abattoir, mettait à sécher, remplissait la cuve, s'encadrait dans la porte pour regarder vers le nord puis vers le voisin, au cas où la mère Motté ferait la même chose qu'elle. Eh oui! on pouvait la voir aller lentement, la mère Motté, marchant entre son ruisseau qui chantait et son hangar, vidant de grandes cuves.

Et le jour où maman cousait les sacs de jute gonflés de sa richesse, elle riait en piquant sa longue aiguille dans la gueule du sac pour la lui fermer. Dans tous ces gestes je sentais vibrer chacune de ses fibres, comme si elle s'était préparée à la plus grande partie de plaisir imaginable. Elle se préparait du travail, mais un travail grâce auquel elle se sentirait grandie, parce qu'elle allait fabriquer de ses mains. Enfin, venait un matin où, ayant avalé sa tasse de thé à la fin du déjeuner, elle disait:

— Aujourd'hui faut aller porter la laine à station pour l'envoyer à l'Isle-Varte.

À ce moment-là elle créait l'impression de prendre la première place dans la maison, de se hisser au-dessus des hommes qui avaient ordinairement la priorité avec leurs travaux dont les exigences donnaient le *la* à toute la maisonnée. L'artisanat féminin, dont l'utilité était reconnue dans les faits lorsqu'un membre de la famille demandait une paire de chaussons neufs, se trouvait magnifié par tout ce qu'il contenait en puissance du point de vue créatif, au moment ou ma mère expédiait ses sacs de laine.

— Continuez à fendre du bois, les garçons, j'vas aller porter la laine à Alice.

L'oeil plein de ses joies futures, Alice s'attardait auprès de la maison pour voir son mari descendre la côte, assis sur les fameux ballots. La laine s'en allait, mais elle reviendrait pour couler entre ses doigts. Alice s'en allait, mais à l'époque elle souriait encore, illusionnée par la source qui coulait de son ventre...

Les «sumences»

— As-tu commencé tes sumences?

— Non, pas encôre. Y a grenassé pendant une demi-heure encôre à matin. Ça chesse pas le yâbe...

En attendant les semailles, les hommes «radouaient» les clôtures et s'interpellaient d'un champ à l'autre. Le printemps s'installait lentement. Tout à fait découverte, la terre fumait parfois, travaillée par le soleil. Elle laissait échapper une forte odeur d'humus, comme si nos champs avaient été des chambres closes dans lesquelles fermentaient les premiers germes de la vie.

— Faudrait bien qu'on fasse un drain icitte, au milieu de la coulée. L'eau meurt là... L'année passée le grain a jauni.

Pour faire un drain, il fallait creuser un fossé à la petite pelle dans la terre lourde. Souvent il s'agissait de terre glaiseuse qui collait aux bottes et aux pelles, qui tirait sur la région lombaire. Un travail de galérien, mais à la différence de ce dernier, il y avait une récompense au bout: la terre allait produire! Dans le fond du fossé on couchait deux billes de cèdre sur toute sa longueur et on fermait l'interstice avec l'écorce du même bois, qui pourrit lentement. Le fossé rempli pour une génération au moins, on pouvait passer avec les instruments aratoires comme si de rien n'était.

Les ancêtres faisaient des drains en pierres plates au bout desquels on avait le plaisir de boire une eau pure, toujours froide. Il y en avait deux ou trois sur notre terre, et je me souviens d'avoir passé beaucoup de temps à les regarder, après avoir fouillé dans l'herbe pour trouver leurs bouches rectangulaires sortant du sol. Ce qui me fascinait, c'était la construction. Longtemps, longtemps avant moi, on avait «édifié»! Des hommes avait fabriqué cela avec de la pierre, comme s'ils avaient été empreints d'éternité. C'était mon ogive à moi… Il y avait là quelque chose de mystérieux, comme si en juxtaposant des pierres et en les enfouissant sous la terre plusieurs années auparavant, mon grand-père avait embelli le monde en cachant un secret, un message adressé aux puissances inconnues qui se trouvent au coeur des choses.

Pendant que le soleil continuait à essorer la terre sous la pression de ses rayons de plus en plus verticaux, on complétait l'ensemble des petits travaux qu'il fallait faire avant le début des semailles. Florian châtrait les agneaux avec son couteau à cordonnerie, véritable scalpel quand il était bien aiguisé. Le chien attrapait les testicules qui volaient dans les airs, et le plaisir sauvage qu'il éprouvait à dévorer ces organes devenus inutiles se mêlait au grand mouvement dont nous avions le sentiment de faire partie, quelque chose qui nous unissait à l'ensemble des phénomènes naturels rattachés à l'évolution de la planète. La turgescence s'emparait des choses aussi bien que des êtres vivants. Elle régnait, de plus en plus accordée au rythme du soleil dont le cercle quotidien se faisait de plus en plus large, nous emportant dans un tourbillon de sensations dont les spirales prenaient des proportions gigantesques. La terre se préparait à l'éclatement, et elle nous faisait sentir à quel point elle était travaillée par les forces qui la gonflaient de l'intérieur. Le printemps sonnait comme une musique dont l'intensité pouvait faire éclater la tête du vieux Pan!

On se préparait à la transhumance! D'abord mettre le carcan aux brebis pour qu'elles ne sautent pas les clôtures: trois bouts de planches cloués autour de leurs cous, afin de les gêner dans leurs mouvements. Cela se passait dans un brouhaha de bêlements et dans l'odeur épaisse dégagée par la peau grasse des ovidés. Puis il fallait marquer les nouveau-nés. Florian prenait un petit bloc de bois qui avait passé l'hiver sur une poutre de la bergerie, et nous passions devant lui en tenant chacun un agneau dans nos bras. Il pratiquait une incision dans le bout de l'oreille droite, tandis qu'il tranchait la pointe de la gauche. C'était la marque distinctive des moutons Fournier. Elles nous permettait de les reconnaître quand ils allaient se mêler aux troupeaux voisins.

Puis un beau matin c'était le départ. On ouvrait l'enclos de la bergerie, on assemblait les «taurailles» devant la grange. Alors, dans une cacophonie de bêlements plaintifs et de meuglements d'impatience, les deux troupeaux emmêlés se mettaient en branle pour la terre de Sainte-Luce où ils passeraient l'été en pâturage. Florian marchait derrière en utilisant un bâton en guise de canne, vaguement semblable à Moïse conduisant son peuple, tandis que nous courions devant pour ouvrir les barrières ou faire ranger les têtes folles quand les «machines» venaient dans un sens ou dans l'autre. C'était une marche heureuse parce que reliée au changement de saison qui nous prenait tous aux tripes. Le printemps éclatait dans ces bêlements, dans ces cris de mon père, dans ces bouses que les génisses laissaient échapper un peu partout. Les animaux, conscients de marcher vers la nourriture qui allait leur donner la vie, nous communiquait leurs instincts primitifs. Quelque part au-dessus de nos têtes, le dieu de la saison nouvelle chantait.

Puis venait un matin où les labours étaient gris. Au lieu de coller à nos bottes, la terre s'effritait sous le talon. Alors les chevaux avaient droit à un gallon d'avoine chacun pour le déjeuner, de même qu'à une bonne brassée de «foin de sumences». Le «foin de sumences» était composé à peu près uniquement de mil, dont la tige et les épis sont beaucoup plus nourrissants que ceux du trèfle. Il était à peine huit heures du matin que les champs se trouvaient habités par un ensemble de mouvements, de cris et de grincements métalliques. Tout cela se faisait lentement, mais avec une profondeur et une sérénité qui s'accordaient magnifiquement à l'attente heureuse de la terre prête à recevoir, semblable à la femme dont la chair s'étale avec bonheur pour se laisser féconder.

On épandait le fumier avec un épandeur tiré par les chevaux, instrument que l'un de mes frères avait baptisé le «frisemarde» parce que dans notre langage, le verbe «friser» était synonyme de voler et gicler. C'était d'ailleurs une autre de ces tâches qu'on accomplissait avec plaisir, sans doute parce qu'il est toujours amusant de voir les choses voler, à plus forte raison quand il s'agit de matières rattachées à l'intimité des êtres vivants, fussent-ils du règne animal...

Mais pour l'engrais chimique, il n'existait pas d'instrument capable de le distribuer avec assez de parcimonie. On se faisait un sac de semeur avec une poche de jute en lui attachant le fond à la gueule. Dans le ventre ainsi formé, on versait la moitié d'un sac d'engrais, soit une cinquantaine de livres. On parcourait le champ de part en part avec ce fardeau accroché à l'épaule, faisant un pas pour puiser dans la réserve, l'autre pour faire glisser les granules entre le pouce et l'index refermés, exécutant un geste circulaire aussi large que possible. C'était long, mais il ne fallait pas flancher. Encore un pas, encore une poignée, encore un pas, malgré la chemise qui collait à la peau, malgré l'épaule gauche qui demandait grâce. Parfois une brise fraîche venait du nord comme une bénédiction, mais il y avait aussi des jours où le soleil se donnait des airs d'été et la sueur coulait, tribut qu'il fallait payer à l'humus pour obtenir ses faveurs.

Ensuite on attaquait le labour avec la herse à disques, cette pauvre vieille machine qui avait à peine deux mètres de large et qu'il fallait charger de pierres quand on travaillait les terres fortes. Elle roulait en grinçant, mordant aux cailloux qu'elle soulevait, cahotant, secouant celui qui conduisait les chevaux, assis sur son siège de fer. Au bout de deux heures le herseur avait les fesses en marmelade. Deux coups étaient nécessaires pour obtenir un premier nivellement des labours que le gel avait déjà disloqués. Cela fait, il restait encore une bonne quantité de mottes qui avaient échappé à l'émiettement. Alors on attelait les chevaux à la herse à ressorts, faite de longues dents recourbées qui, disposées en deux triangles successifs, s'enfonçaient dans la terre, grattaient, trituraient, pulvérisaient de leur mieux. Encore là, il fallait passer par deux fois, selon l'état des sols, après quoi la terre donnait l'impression de rendre grâce, de s'étaler.

À dix heures, Florian s'asseyait le long de la clôture pour manger ses galettes à l'anis avec un peu de thé, et il regardait son champ d'un oeil satisfait. «Ça s'en vient pas mal... La terre

224

est dure en blasphème… Un p'tit peu de pluie ça ferait du bien, mais pas trop, pour pas nous empêcher de sumer…» Pendant qu'il déroulait le long écheveau de ses labeurs, ceux qui étaient du passé comme ceux qui étaient à venir, l'espoir lui gonflait le coeur, dessinait un commencement de sourire au coin de ses lèvres.

Comme pour tous les autres cultivateurs, chaque parcelle de cette terre était devenue sienne en subissant le talon de sa botte, les dents de sa herse, la pointe de sa charrue. «La saison voisine de su'Charles, on a éroché ça l'année que Clément a été opéré pour son harnie… Les terres fortes à côté de Ti-Phonse Bilodeau, ça, on l'a nettoyé l'année que Clémence est venue au monde. La décharge, j'ai arrangé ça à pelle à cheval dans l'année que la défunte Lucille est morte… Ça fait une bonne escousse…» Là, au pied du côteau, à côté de «la grosse érable», il avait fallu dynamiter.

Faire sauter les roches à la dynamite était toujours un événement. Pour faire le trou dans une pierre de grosseur moyenne, on cognait avec un marteau sur une petite «drille», la faisant pivoter à chaque coup. Presque partout il s'agissait de roche ignée, «dure comme le yâbe», et il fallait frapper pendant une heure pour faire un trou de quelques centimètres. Toutes les cinq minutes le travailleur s'arrêtait, enlevait les résidus avec la cuiller effilée, crachait dans sa main et empoignait de nouveau le manche du marteau. Pour les vraies grosses pierres on s'y mettait à deux, l'un des hommes tenant le foret et l'autre frappant avec une masse de fer à long manche. Si la pierre reposait sur un fond de glaise, on pouvait utiliser une méthode moins laborieuse. Au moyen d'une longue tige d'acier qu'on appelait la «pince», on pratiquait un trou entre la roche et la glaise. La résistance de la terre glaiseuse était suffisante pour faire éclater le bloc granitique.

Dans tous les cas, le moment de l'explosion était le plus palpitant. Il venait après plusieurs minutes de préparatifs immédiats qui retenaient mon attention comme les gestes hiératiques d'une cérémonie religieuse. D'abord il fallait couper un bout de «ratelle» (mèche) que l'on raccordait au détonateur. Avec précaution, bien sûr, pour ne pas le faire éclater. On descendait le détonateur accroché à la mèche au fond du trou, puis on développait un bâton de dynamite, cette belle matière jaunâtre qui me faisait penser à la cassonade. Venait ensuite la partie la plus dangereuse de l'opération: faire couler la dynamite dans le trou et la tasser avec le manche de la cuiller effilée. Un geste trop brusque pouvait provoquer une réaction pour le moins surprenante… Nous étions toujours cinq ou six à regarder Florian ou grand-père Jos «officier», retenant notre souffle. Quand le trou était plein, on lui appliquait un bon emplâtre de glaise pour opposer plus de résistance à l'explosif.

— Allez vous cacher!

Nous nous sauvions sous les épinettes du coteau ou de la montagne, riant de nervosité, excités à l'idée que nous allions assister à une joyeuse infraction perpétrée dans l'ordre naturel. L'«officiant» sortait une allumette de sa poche, la frottait contre sa cuisse, puis il approchait la petite flamme de la mèche. Au bout de deux secondes le grésillement se faisait entendre. Ça y était! Implacable, l'étincelle était en marche. Alors il courait à toutes jambes pour nous rejoindre sous les arbres. À peine avait-il le temps de se mettre à l'abri et de se retourner que nous pouvions voir la grosse roche se soulever. Le bruit sourd de l'explosion nous emplissait les oreilles quelques instants plus tard, et les éclats de pierre montaient dans les airs comme des pièces pyrotechniques, décrivant des courbes harmonieuses avant de retomber en grêle tout près de nous.

— Ciarge à Ménard! On l'a pas manquée, çalle-là!

Mon oncle Albert racontait qu'une homme s'était fait tuer par une roche pas plus grosse qu'un oeuf, l'explosion étant survenue pendant qu'il courait se mettre à l'abri. Il était donc défendu de sortir de notre cachette tant que le bruit des cailloux retombant au sol n'avait pas cessé tout à fait. Alors nous allions voir la grosse pierre éclatée, encore fumante, dégageant cette odeur de brûlé si particulière, étalant au soleil le secret de son granit pur. On chargeait les morceaux sur le «stomboat» (*stone boat*) pour aller les porter sur le tas, quelque part au milieu du champ.

Une bonne partie de la terre avait été nettoyée de cette façon, année après année, égouttée par des fossés ou des drains, de sorte que Florian, quand il se reposait en avalant son thé, dégustait autant de satisfaction que de liquide.

Le plus beau moment des semailles était évidemment celui où mon père attelait les chevaux au semoir. Cet instrument était monté sur deux roues de bois. Il s'agissait d'une espèce de boîte évasée dans laquelle on mettait l'avoine ou le blé, et à laquelle était attachée une autre boîte plus petite mais de même forme, qui recevait la graine de trèfle ou de mil. On semait en double. La première année, la graine de foin ne faisait que germer. L'année suivante, c'était elle qui prenait toute la place.

Le grain descendait dans des tuyaux flexibles, glissait le long d'un disque de fer qui ouvrait un minuscule sillon dans la terre. Derrière chaque disque, quatre ou cinq gros anneaux nivelaient la terre en enfouissant la semence. Tout cela produisait un grincement métallique qui emplissait les oreilles du semeur, mais que celui-ci entendait comme une musique pendant qu'il marchait derrière son instrument, parcourant son champ sur toute sa longueur autant de fois qu'il le fallait pour le sillonner de part en part.

Mais quand c'était fini, les «sumences» n'étaient pas encore complétées. Il restait à rouler. Grand-père attelait un cheval au rouleau, deux gros tambours de bois traversés en leur centre par un essieu de fer, surmontés d'un siège. Rien de plus monotone que cette opération, mais en écrasant les mottes et en tassant la terre pour faciliter la germination de la graine, elle laissait le champ uni, donnait une impression de travail propre qui procurait un contentement comme on en éprouve lorsqu'on arrive au bout du voyage, au moment où on ferme le cercle. Alors la beauté éclatait dans toute sa nudité.

C'est à cette période de l'année que les grenouilles chantaient. «Sème, sème, sème», disaient-elles de leurs voix grêles, au moment ou le soleil disparaissait dans le fleuve. Il faisait frais, l'humidité accentuait les odeurs qui montaient de la terre travaillée, et au chant des grenouilles se mêlait la voix minuscule du ruisseau qui descendait la côte chez Timoléon. Partout les enfants s'attardaient au dehors pendant que les mères piochaient leurs potagers près des maisons. Il fallait préparer la terre pour les tomates, planter les oignons, semer les carottes et le maïs. Un sentiment étrange nous pénétrait, bouleversant parce que composé de deux éléments contradictoires en appa-

rence: la force et la paix. Dans l'air il y avait cette excitation merveilleuse provoquée par le temps des amours et de la germination, mais en même temps il y avait une espèce de douceur,
comme si la terre s'était trouvée en accord avec le reste de l'univers, calmement offerte, étalée, soupirant d'aise après avoir
subi les gestes de l'amour. La vie se préparait à éclater. La vie…

La mort

Ce qu'il y a de consolant avec la mort, c'est qu'elle ne fait pas de jaloux.

Marie-Darie eût été l'une de mes grandes soeurs, mais elle mourut au bout de six jours, emportée par le hoquet. Un accident de parcours… Je ne sais pas si on a demandé le médecin. Chez nous, le hoquet n'a jamais eu l'air d'une maladie. Dans son ber, le bébé devait hoqueter sans arrêt, provoquant chez ma mère une angoisse qui l'empêchait de se reposer. J'imagine la grand-mère Amanda prenant le poupon dans ses bras, le tenant à la verticale, appuyé contre sa poitrine, lui tapotant le dos.

— Ça va pourtant passer…

Mais ça ne passait pas, malgré l'eau sucrée, malgré les petites tapes dans le dos, malgré le jargon infantile de la vieille. Alors elle le remettait sans doute dans le berceau en disant:

— À va y passer…

Car on sent ce genre de choses quand on est coincé entre ciel et terre, avec la seule force de son sang pour survivre. Le hoquet, effectivement, a passé avec le trépas de Marie-Darie. Puis il y eut un petit cercueil blanc qu'on a emporté à l'église dans la carriole. Des funérailles d'enfant, quelque chose de simple…

Mais des enfants, il en venait sans cesse, et quand je fus en âge de me faire raconter «les choses de la vie», on me parlait de ce hoquet mortel sans aucune amertume. Apparemment, du moins... J'avais parfois l'impression que cette petite soeur n'avait jamais existé. On en parlait tellement peu. Et de façon si vague!

Et pour cause!

— Marie-Darie est morte d'une overdose d'opium...

— Quoi!

— Tu le savais pas!

J'ai bien ri. Au début des années vingt, à Saint-Anaclet! Eh oui! J'ai su la vérité il y a seulement deux ou trois ans. À l'époque, on cultivait du pavot dans le jardin, pour se faire une tisane qui «soulageait» à peu près tout. Comme le hoquet de Marie-Darie ne voulait pas passer, on lui en a donné un peu, mais un peu trop pour ses six jours. Et elle est arrivée au ciel dans un état de béatitude avancé...

— As-tu remarqué qu'y a jamais eu de pavot dans le jardin, après ça?

En effet, dans le potager il n'y avait plus que des légumes. Le temps des «années folles» avait passé...

Dans le même ordre d'idée, on disait que j'avais tué ma grand-mère Amanda. Partiellement vrai! Elle était alitée pendant que moi, dans mon ber, je découvrais avec bonheur la puissance de mes poumons: mes pleurs ou mes vagissements de plaisir la dérangeaient beaucoup, paraît-il. Un bon matin, elle a dit:

— Qu'est-ce qui se passe, donc? Le soleil se lève pas aujourd'hui?

Elle venait de perdre la vue complètement. Quelques jours plus tard elle s'est éteinte, laissant ses enfants, une longue robe noire, de même qu'une vieille paire de lunettes que grand-père Jos utilisa pendant les dernières années de sa vie. Il avait cassé les siennes et il ne voulait pas obliger mon père à lui en acheter des neuves.

Ainsi disparut cette femme «belle rare», bonne, personnage certainement important de la famille mais effacé. En tout cas c'est l'impression qui m'en est restée, car lorsque je suis devenu conscient on ne parlait jamais d'elle. Tout au plus une mention en passant, avec un air vaguement nostalgique dans les yeux, à propos d'une nappe ou d'un couvre-lit: «Ça c'est grand-mère Amanda qui a fait ça…» On semblait évoquer un passé qui remontait à plus d'un siècle. Pourtant elle était morte seulement quelques années auparavant: cinq, huit, dix ans… Mais qui avait besoin d'elle? Personne, à part grand-père Jos qui s'était replié dans son coin avec sa pipe et son journal, qui dépensait ses dernières énergies dans les tâches les moins exténuantes. Or, il est bien possible que j'aie été trompé par cette attitude de toute la famille, attitude commandée par la pudeur. Dans le Bas-du-Fleuve, la mode n'était pas aux hurlements de douleur ni aux cris de joie. Tout se passait en dedans, comme dans une baratte actionnée par la roue du temps. Ainsi, lorsque mon père, ma mère ou la plus vieille de mes sœurs disaient: «C'est grand-mère Amanda qui a fait ça, ça date pas d'hier…» et que leurs yeux semblaient se poser sur un espace invisible, quelque part entre le souvenir embelli et la réalité insupportable, peut-être y avait-il, dans leur regard, cette admiration que je qualifierais d'impuissante.

Amanda est morte discrètement, comme elle avait vécu, et on l'a transportée au cimetière sans branle-bas, avec juste les larmes qu'il convenait de verser. Un être humain s'éteignait, épuisé par le travail et les grossesses. Elle avait fait son devoir comme tant d'autres, sans rechigner, sans crier, en prenant à la vie ce qu'elle pouvait lui voler: un beau coucher de soleil du haut de la côte, une odeur de trèfle en juillet, une pomme cueillie à l'arbre quand septembre répand de la tendresse sur tous les champs, un verre de bonne eau froide quand le soleil plombe et la joie de voir éclore la vie entre ses jambes presque chaque année.

Pour la regarder mourir, ils étaient probablement tous là autour du lit, dans la chambre jouxtant la cuisine. Dans mon berceau, âgé d'un an, je n'ai rien vu, rien entendu, rien senti, si ce n'est peut-être le bruit mouillé des sanglots, apportant à ma conscience encore mal éveillée l'impression que la vie ne va pas sans drames, sans heurts, sans blessures profondes.

Ainsi disparut une femme importante pour moi dans la mesure où elle a imprégné la maison de certaines choses intangibles et à peu près indicibles: une manière de marcher, d'ébouillanter le thé, de faire la soupe, de tisonner le poêle, etc. Et c'est dans ces menus travaux que je l'imagine déployant la plus grande douceur, serrant ses petits dans ses bras en passant devant le vieil Éphrem... Lui qui, paraît-il, allongeait des coups de couteau sur les doigts de ses enfants quand ils se servaient trop souvent de beurre à table.

Adieu Amanda. Votre longue robe noire a frôlé le ber où j'ai pleuré, où j'ai fait ma première risette, la table où je me suis rassasié, le poêle à bois qui a fait chauffer l'eau pour laver ma mère quand elle m'a mis au monde. Et dans ce bruissement de vieux tissu, il y avait peut-être une grande tendresse qui n'a pas manqué de s'imprégner en moi, à l'insu de tous.

La vieille Amanda s'était éteinte en février. Quelques semaines plus tard, ma grande soeur Lucille s'est mise à pleurer parce qu'elle avait mal au ventre. La première fille des parents... On lui donna probablement une tasse de lait chaud avec du liniment «Rundol» en lui disant d'aller se coucher. L'atmosphère n'était pas au dorlotement. C'était très simple, il ne fallait pas avoir mal. Il n'y avait pas de médecin au village et d'ailleurs on n'aurait pas eu d'argent pour le payer. Quand j'étais jeune, il y en avait souvent un de la fournée qui toussait, morvait, faisait de la température, etc. On le regardait en disant:

— Y file pas ben fort celui-là, de ce temps-citte...

Le remède, c'était une mouche de moutarde, du miel et des gros mots quand la toux empêchait les autres de dormir:

— Y a baratté toute la nuitte, lui, encôre...

«Baratter» était le terme qu'on employait pour désigner cette toux caverneuse qui vous déchire les bronches, sans doute parce que les sons émis rappelaient le bruit de la baratte à «échiffes». Quand la fièvre était assez forte, on se mettait les pieds dans l'eau chaude à laquelle on ajoutait un peu de moutarde. C'était une opération fort délicate et même dangereuse, car celui qui la subissait devait passer au moins deux jours sans sortir de la maison pour ne pas risquer une rechute. L'eau chaude, c'était bon pour la lessive, pas pour les pieds qui étaient habitués aux chaussons de laine...

Si la température continuait à monter, on avait droit à des oranges. Ce qui fut le cas pour mon jeune frère Marcel alors âgé de cinq ans. Je n'ai jamais oublié sa grosse grippe parce qu'un jour il nous fit tous rire aux larmes. Comme il n'y avait pas de thermomètre à la maison, l'alerte nous fut donnée par la nature... Étendu sur son lit, il se mit à dire des choses absolument hilarantes: il voyait des «p'tits bonshommes» qui marchaient au plafond! Or, ces «p'tits bonshommes» le faisaient rire, ce qui ne manqua pas de nous faire rire nous aussi, les occasions de s'amuser étant plutôt rares... Alors il put manger sa douzaine d'oranges et papa le berça, enveloppé d'une grosse couverture de laine, même s'il était un grand garçon.

Toujours est-il que dans le cas de Lucille, le liniment «Rundol», le lait chaud et les bonnes paroles furent sans effet. Elle continua à pleurer, garda le lit et commença à faire de la température. Puis ce fut le dimanche soir. Or, il se trouva que ce soir-là, les oncles et les tantes s'en allèrent veiller au cinquième rang avec la carriole, dans laquelle il y avait les grosses peaux de mouton pour se couvrir. Pour agrémenter les choses, une magnifique tempête s'éleva. Quand les oncles furent partis, on s'aperçut qu'il aurait fallu conduire l'enfant à l'hôpital de Rimouski, mais il n'y avait plus moyen de la transporter. Sans la carriole et les peaux, le froid eût damé le pion à la maladie. Lucille se mit à délirer. Elle riait à gorge déployée, parlant de Ti-Mie le fils du voisin, avec qui elle glissait dans la côte derrière la maison. Rien à faire: il fallait écouter ces faux cris de joie venus du subconscient, proférés dans l'innocence la plus totale, avant de sombrer dans le néant. Il faut dire que la veille mon père avait eu une idée géniale. Ne sachant plus à quel saint se vouer, il avait dit à maman:

— Alice, fais-y donc une compresse chaude.

La compresse chaude était le remède qui le guérissait de ses maux d'estomac. Plus tard, ma mère disait qu'elle avait eu un pressentiment: au lieu d'appliquer ce morceau de tissu brûlant sur le ventre de la petite, elle avait eu envie de le cacher sous le lit. Mais si son mari l'avait dit... On passa donc la nuit à écouter le délire de l'enfant, pendant qu'au dehors la tempête soufflait. Le lendemain on la coucha dans la fameuse carriole pour l'emmener à l'hôpital, mais il était trop tard. Péritonite. En la voyant, le médecin la prit dans ses bras en disant:

— Pauvre p'tit ange...

Au moins, on avait la consolation de savoir qu'elle était au ciel.

Chaque fois que papa offrait quelque chose à son père, celui-ci répondait infailliblement, sur un ton qui n'admettait aucune réplique:

— Pas la peine, blasphème, j'passerai pas l'hiver.

Par exemple, vint un jour où il n'eut presque plus de dents dans la bouche. Il trouvait le pain dur, le lard jamais assez cuit, etc. Ses remarques, lancées sur un ton bourru de l'autre bout de la table, agaçaient ma mère qui était responsable de l'ordinaire, et indisposaient mon père par ricochet. Alors il offrit au vieux de lui faire poser des fausses dents. À l'époque, ces prothèses étaient très à la mode dans notre région. On trouvait que la fraise faisait mal, peut-être... En tout cas c'était plus cher que de faire arracher la dent creuse. Avec un bon dentier, on avait la «paix»... Nos dentistes avaient des biceps formidables, à force de tirer. Et puis le cultivateur se faisait un point d'honneur de ne pas avoir mal. Il arrivait chez le dentiste, poussait la porte du cabinet, s'asseyait sur la chaise en disant:

— La grosse en bas, icitte, là...

— Voulez-vous que je vous engourdisse la dent?

— Pouah! Envoye de même. T'as pas besoin d'voir peur; j'brâillerai pas!

L'homme en blanc prenait ses pinces chromées et, crish-crash, la dent indésirable était expulsée en quelques secondes. Aucun gémissement! Le patient crachait dans le drôle de petit lavabo rond où un jet d'eau tourbillonnait en permanence puis il se levait en disant:

— C'est rendu à quel prix, là?

— Cinquante cennes.

Deux minutes plus tard l'homme était sur le trottoir, libéré de sa douleur. Il remontait dans son boghei et vite à la maison, l'heure des vaches s'en venait. En route, regardant la croupe de son cheval, il s'abandonnait à une longue rêverie qui partait de la question suivante: «Comment ça se fait, maudite marde, que les animaux ont jamais mal aux dents, eux autres?»

Toujours est-il qu'un jour papa a dit à grand-père Jos:

— Pâpâ, venez à Rimouski, on va vous fére poser un dentier.

— Pourquoi fére, blasphème! J'vas mourir avant le printemps.

234

Quand il eut soixante-dix ans environ, il lui restait une seule dent dans la bouche. Elle ne devait pas servir à grand-chose. En plus, elle eut l'idée de se mettre à faire mal. Alors le vieux est allé dans le hangar où il a pris les «pinces à broche», c'est-à-dire les pinces dont on se sert pour attacher les piquets de clôture, et il a demandé à son fils Tarcicius de le suivre. Il est monté dans sa chambre, s'est assis sur sa chaise droite au pied du lit, puis il a tendu les pinces à son fils en ouvrant la bouche.

— Arrache-moé ça.

Comment refuser un tel plaisir à son vieux père? Tarcicius, qui à vingt ans était capable d'assommer un veau d'un coup de poing, s'exécuta. En bas dans la cuisine, nous n'avons rien entendu, si ce n'est le bruit de la dent quand elle tomba dans le crachoir.

Toujours est-il que cette phrase à propos de sa mort imminente, je l'ai entendue au moins cinq fois par année au cours de mon adolescence. Mais il ne voulait pas mourir. Pas tout de suite, parce qu'il y avait tant à faire! Il pouvait encore conduire les chevaux, assis sur la faucheuse, faire du bois de four, mettre le foin en «vailloches», «tirer» les vaches, «engrainer» la batteuse, chicaner les enfants qui «menaient le yâbe», etc. Sa vie avait l'air d'une charrue qu'il fallait tirer jusqu'au bout du sillon, coûte que coûte, comme s'il y avait eu un laboureur invisible derrière lui, muni d'un grand fouet. Je crois qu'il avait peur de ce fouet invisible bien plus qu'il n'avait peur de la mort. Mais il y a des limites à tout, ou, comme on le disait chez nous: «Y a toujours ben des maudites limites», signifiant par là que certaines choses sont inacceptables.

En 1950, grand-père Jos décida qu'il était inacceptable de continuer à tirer sa charrue. 1950, ce fut l'Année Mariale, si on s'en souvient. L'année de quelques grands malheurs. Revenant de Rome, plus de cent pèlerins se cassèrent le nez sur une montagne et rendirent l'âme avec une bénédiction toute fraîche sur le front. Malheureusement pour le ciel dont la soif d'élus va toujours grandissant, le Boeing 747 n'était pas encore en service à l'époque, et il dut se contenter de cette maigre récolte. Cette année-là, il y eut aussi l'incendie de Rimouski, qui ravagea une bonne partie de la ville. Un mois plus tard, un autre incendie rasait Cabano, un petit village situé à quelques kilomètres de Rimouski. Pour une fois, la Providence s'occupait du Bas-du-Fleuve! On parla de nous à la radio, et les journalistes vinrent de Montréal pour voir les cendres fumantes. Ce fut un grand spectacle.

En ce beau 7 mai 1950, je commençais à peine une dissertation française sur *Andromaque*. Coïncidence troublante, je me bagarrais avec ce passage célèbre où la pauvre veuve de guerre, voulant prouver sa fidélité au cher Hector, décrit les horreurs de la guerre de Troie, juste au moment où Pyrrhus lui est apparu pour la première fois. Le sang coule, on s'enfonce des épées dans le ventre, le feu fait rage, les autels sont profanés et, au milieu de la mêlée, elle voit cet homme qui se bat comme un lion. De quoi faire tressaillir n'importe quelle nonne. J'avais l'impression que la bonne femme se trahissait, qu'elle disait tout le contraire de ce qu'elle ressentait, bref, qu'elle avait eu envie du guerrier en le voyant. Tout ce carnage, toutes ces flammes, c'était trop sexy... Mais comment le dire à un professeur qui croit tout ce qu'on lui raconte sur Racine depuis des siècles? Impossible. Heureusement, le ciel veillait sur moi. J'ai écrit la première phrase de ma dissertation, certainement une banalité, puis j'ai décidé de remettre la suite au lendemain. Avant de me plonger dans la lecture d'un livre amusant, j'ai jeté un coup d'oeil vers la fenêtre, la tête encore pleine de ces flammes que Racine avait si bien tricotées. Dehors il faisait un soleil radieux mais le vent soufflait, endiablé quoique très doux, chargé de toutes les odeurs du printemps. Déchaîné comme s'il avait été exacerbé par la germination nouvelle, le vent nous appelait à la libération.

Tout à coup, à travers le chant des bourrasques, le hurlement d'une alarme s'insinua dans la quiétude de notre grande salle où plus de deux cents élèves s'abîmaient dans la solution de problèmes qui n'avaient rien à voir avec la vie réelle. Cinq fois de suite la plainte mécanique déchira les airs, et les potaches échangèrent des regards amusés.

Puis nous descendîmes au réfectoire où l'on nous annonça que le feu avait éclaté à la scierie des Price Brothers qui se trouvait de l'autre côté de la rivière Rimouski, à l'ouest du séminaire. Or, le vent soufflait de l'ouest... La nouvelle fut transmise avec les ménagements qu'il fallait, de sorte que nous avons pu manger notre «chiar» avec l'appétit habituel.

Pendant la récréation qui suivit le repas, on nous apprit que le feu avait enjambé la rivière, que plusieurs maisons flambaient. Et le vent était toujours aussi déchaîné, toujours aussi doux, toujours aussi chargé d'odeurs. Vraiment, il y avait dans la nature un dérèglement qui commençait à nous travailler les entrailles. D'ailleurs, les prêtres qui nous surveillaient manifestaient une certaine nervosité. Les élèves se promenaient dans la cour en répétant:

— Si jamais le feu prend dans le vieux séminaire, ça va disparaître en criant ciseau…

Mais on croyait la chose improbable. Le vieux séminaire était la plus ancienne construction de notre «maison», quelque chose qui avait été édifié à la fin du siècle dernier. L'extérieur était de briques, mais l'intérieur était tout en belles planches de bouleau qui craquaient sous les pieds des abbés lisant leur bréviaire.

Et puis tout s'est déglingué. On n'a pas sonné la cloche pour nous faire rentrer à la fin de la récréation, parce que les autorités nous donnaient la permission d'aller aider les sinistrés qui devaient vider leurs maisons en vitesse. Les sinistrés avaient le droit d'être secourus, et nous avions le droit d'aller les assister! Vraiment, c'est seulement lors de grandes catastrophes que le monde marche bien…

Avec cinq ou six de mes condisciples, je me suis dirigé tout naturellement vers l'hôpital où il fallait évacuer les malades, sinon ils allaient griller comme des poulets B.B.Q. S'il était bon de rendre service, il était meilleur de le faire en compagnie de jeunes filles vêtues de blanc, propres, affables et en général assez jolies. J'avais vingt ans… Mais quelques minutes plus tard je me suis trouvé attelé à une civière sur laquelle gémissait une vieille femme dont les jambes et le bassin étaient cassés. Il fallait descendre cet attirail dans un escalier sans trop faire de mal à la blessée, et à un moment donné j'ai capté son regard: elle voyait ma jeunesse, ma force physique, avec des yeux où la haine, l'amour, l'envie et la pitié semblaient emmêlés. C'était si intolérable que pendant quelques secondes j'ai eu honte de mon corps.

Tout d'un coup, entre deux évacuations de vieillards qui faisaient dans leurs culottes parce que les ambulances commençaient à manquer, je me suis retrouvé sur le toit d'une partie de l'hôpital qui était en construction à ce moment-là. Alors j'ai vu! En bas, entre le fleuve et la rivière, la ville flambait. Pour une construction de bois ordinaire, le feu mettait une vingtaine de minutes à exécuter son travail. Ensuite il passait à la maison voisine en grondant de plaisir et en se pourléchant les babines. C'était superbe! Tout y était: les cris, le tintamarre des camions dont le chargement prenait feu de temps en temps, des hommes qui couraient, des femmes qui pleuraient, et la cendre que la chaleur faisait monter vers le ciel dans un tourbillon d'apocalypse. Alors, malgré moi j'ai ressenti quelque chose qui m'a fait penser à Andromaque devant Pyrrhus, et j'ai découvert que j'avais raison: dans un moment pareil, quand l'atrocité prend des allures grandioses, on a envie de s'accoupler à n'importe qui, même à son ennemi, surtout s'il est beau. Et le vainqueur a toujours quelque chose de beau sur le visage.

Vers trois heures du matin, je décidai de rentrer au bercail. J'eus la surprise de voir les flammes lécher les longues fenêtres blanches du vieux séminaire. Ça y était! Je me suis joint à la centaine d'élèves qui, dans un brouhaha extraordinaire, travaillaient à vider les chambres des prêtres qui vivaient là. Des livres, des appareils de radio, des pipes, des «chaises berceuses» et surtout, le poids indicible de l'intimité qu'il fallait violer. Mais l'opération ne fut pas un succès. Soudain l'électricité manqua. Alors, dans le noir, la voix brisée de notre directeur nous demanda de partir, de rentrer chez nous.

Dehors j'ai vu la vieille bâtisse flamber. Le vent soufflait encore avec la même violence, mais au cours de la nuit la température avait baissé de plusieurs degrés, de sorte que les effluves du printemps étaient rentrés sous terre. Il ne restait plus que la noire réalité: de la cendre, de la fatigue, la douleur de nos maîtres qui avaient donné leur vie à cette maison.

Je regagnai Saint-Anaclet à l'aube, sur le derrière d'un camion chargé de vieux meubles. Je me trouvais donc à la maison pour voir mourir grand-père Jos. Depuis plusieurs jours il toussait plus que d'habitude, râlait, crachait, ne dormait plus que par «p'tites escousses».

Au cours du mois d'avril, alors qu'il tombait une neige pourrie charriée par un sale vent d'est, mon père travaillait dans le hangar à faire des meubles, selon son habitude quand il faisait mauvais temps. À un moment donné, il est sorti sur le perron et il a vu le vieux en train de fendre du bois de chauffage.

— Laissez ça là pis rentrez dans maison. Vous allez prendre vot'coup de mort...

Grand-père laissa tomber sa hache de mauvais gré puis il rentra... pour ne plus jamais sortir, sinon les pieds par en avant, comme on disait chez nous. Il avait réussi! Sa «vieille» était partie depuis vingt ans, il avait décidé qu'il était temps de la rejoindre. Depuis quelques années il était «pris des bronches» et il ne respirait pas très facilement. À partir de ce jour, ce fut une vraie corvée pour lui que de pomper l'air dont ses poumons avaient besoin. Sa toux devint profonde, fréquente, torturante pour lui comme pour les autres. Il avala quelques gorgées de ces sirops miraculeux que même les enfants peuvent boire sans danger tellement ils sont inopérants, puis il se mit à arpenter la maison jour et nuit, se trouvant mal à son aise dans n'importe quelle position.

Florian fit venir le médecin de Sainte-Luce, un homme qui avait encore son gros «capot de chat» pour les visites en carriole, qui pratiquait la vraie médecine: celle de l'auscultation et de la langue sortie, dont nous avions résumé les points capitaux en une sorte de litanie que nous récitions lors de nos jeux d'enfants: «Pisses-tu chies-tu craches-tu sors ta langue...» Le docteur passa quelques minutes dans la chambre du vieux et quand il en sortit il déclara que notre grand-père en avait pour un mois à vivre. Rien à faire. Le coeur, l'usure, les bronches, tout... Il demanda dix dollars d'honoraires puis il disparut.

À ma connaissance, le vieillard ne demanda pas ce que le médecin avait dit à son sujet. Il le savait, un peu comme il avait toujours été capable de prédire la pluie et le beau temps. Quelques jours plus tard, ses jambes enflèrent. Alors le défilé commença: ses connaissances, ses enfants, des parents plus ou moins éloignés. À tous il répétait la même phrase ou à peu près:

— C'est la fin... J'vas mourir betôt...

— Mais non, mais non, voyons donc! Vous êtes encore solide.

— J'sus fini, blasphème! J'le sais mieux que vous autres!

Le bedeau de la paroisse était l'un de ses neveux. Il vint le voir par un beau soir du mois de mai, au moment où le soleil plongeait dans le fleuve en laissant traîner quelques rayons qui rougissaient la porte de la cuisine. Assis dans ce reste de lumière, courbé, les coudes sur les bras de sa «chaise berceuse», il lui dit:

— Ti-Mond, tu peux te préparer à me faire un trou...

— Voyons donc, mon oncle...

— Y a pas de voyons donc! Prépare ta pelle, j'te dis...

Impossible de l'endormir. Ses os lui tenaient un langage d'une clarté absolue. Ma tante Omérine vint de Montréal, accompagnée de son mari qui conduisait une voiture imposante. Son visage, que j'avais toujours trouvé rieur, devint grave lorsqu'elle fut en présence de son père. Depuis quelque temps, des plaies étaient apparues sur ses jambes et ça pustulait. Têtu comme une mule, le mal s'était attelé à la tâche, tirait sur le moribond, insensible aux déchirements de la chair. La tante Omérine repartit, quitte à revenir un peu plus tard, et on installa grand-père dans la «chambre des malades», celle qui était contiguë à la cuisine. C'était dans ce lit que sa «vieille» était morte, c'était dans ce lit que ma mère avait eu ses douze premiers enfants. Ainsi, il n'avait plus à descendre ni à monter l'escalier.

Un jour, nous étions quelques-uns avec ma mère à couper des germes de pommes de terre près de la maison. Tranquillement assis sur nos petits bancs de bois (qui servaient d'abord à traire les vaches), il était naturel que nous commentions les agissements du vieux. Le matin même il était venu me réveiller à six heures, ayant oublié que j'avais passé la nuit sur le tracteur à herser, pour finir les semailles au plus vite. Alors ma mère a dit:

— Tant qu'y s'occupera des choses de la terre, y va vivre...

J'ai noté une pointe d'amertume dans le ton, cependant que son visage était posé sur un point invisible, comme si elle avait essayé de revoir les trente-huit dernières années de sa vie en quelques secondes. Elle était entrée dans cette maison en 1922. Or, pour mettre un terme à ces innombrables jours de présence «étrangère», c'est elle qui chaque matin devait faire les pansements aux jambes pustuleuses du vieux. Il est certain que dans son for intérieur elle devait rêver du jour où la maison serait entièrement à sa propre famille...

Une semaine plus tard environ, par une matinée particulièrement belle, je me suis trouvé dans la cuisine vers dix heures. Tout était calme dans la maison, car à l'époque on se servait du hangar comme d'une cuisine d'été. Notre voisin Timoléon était venu faire sa visite quotidienne à son vieil ami et il fumait sa pipe en silence, abrité par ses épaisses lunettes. Grand-père était appuyé à la fenêtre et regardait la cour où des poules picoraient, le hangar en face de la maison, puis la grange un peu plus loin. Glorieux, le soleil montait, réchauffait la terre et commençait à faire bander les premières tiges de trèfle. On avait envie de crier que le monde était beau, de courir jusqu'à l'épuisement pour se laisser ensuite tomber sur le sol en l'épousant de tout son corps. Une véritable explosion de vie qui avait quelque chose d'indécent en pareille circonstance. Timoléon a dit:

— Voyons, Jos, va donc te coucher pour te reposer un peu.

— C'est p'têt' la darniére fois que j'voés ça, a répondu l'autre.

Je suis sorti de la maison en emportant cette réplique comme une parole sacrée. C'était la première fois que j'entendais un homme faire ses adieux à la vie, à la terre, et il l'avait fait avec une pudeur, une simplicité et une franchise qui dénotaient une force morale peu commune.

S'étant détourné de cette fenêtre par laquelle il avait vu la lumière entrer chaque jour de sa vie, le vieux est allé se coucher pour la dernière fois. Ma tante Marie-Louise est venue de Montréal, où elle travaillait comme bonne dans une famille «bourgeoise», et elle l'a pris en main pour les derniers milles. Pas une plainte. Il attendait la mort en silence, comme il avait si souvent attendu le coucher du soleil assis sur la galerie. C'est peut-être à force de le regarder qu'il avait appris à sombrer dans les profondeurs chtoniennes.

Monsieur le Curé est venu lui porter le bon Dieu, puis il est reparti en laissant quelques bonnes paroles, selon son habitude.

Un matin, ma tante est venue me réveiller vers cinq heures trente en disant d'une voix mouillée:

— Lève-toi, ton grand-père est en train de mourir.

On est allé chercher mon père à l'étable où il «tirait» les vaches et nous nous sommes agenouillés autour du lit pendant que Marie-Louise récitait les prières des agonisants en pleurant. Ses sanglots et ses supplications écrites se mêlaient aux râles du vieillard. Je dois dire que j'étais légèrement agacé par cet acharnement que l'on met à vouloir absolument qu'une âme prenne tel chemin plutôt qu'un autre. Si l'âme de mon grand-père voulait tout simplement se cacher dans le matelas du lit pour continuer à sentir la vie qui allait continuer de battre dans nos reins, c'était bien son droit... Toujours est-il que soudain, tout s'est arrêté. Les prières en même temps que les râles. Il était temps parce que malgré l'importance de l'événement, je commençais à avoir mal aux genoux. Nous avons entendu un hoquet plus sec que les autres, puis nous avons vu la chute du menton. Florian a dit d'une voix neutre:

— Y est mort.

Puis il est retourné à l'étable parce que les vaches, on ne peut pas les laisser gonfler du pis. Venu de Rimouski avec un attirail qui m'intrigua d'autant plus qu'il était soigneusement bouclé dans des valises métalliques, l'embaumeur s'est enfermé dans le salon avec le cadavre. Quand il en est ressorti au bout de deux heures, grand-père Jos était exposé dans son cercueil, rasé, le visage libéré de l'oedème qui l'avait défiguré pendant les derniers jours. De la porte du salon, mon père l'a regardé longuement, visiblement impressionné:

— Y est beau... Y ont fait une belle job, finit-il par dire.

Autrement dit, le croque-mort coûtait une fortune, mais ça valait la peine de payer.

Le temps était gris, tiède, assez lugubre, et nous avons passé la journée à travailler comme d'habitude. Le soir mon père s'est couché, de même que maman, parce que la vie continuait. En réalité, une nouvelle vie commençait pour eux deux. Épuisée parce qu'elle avait passé plusieurs nuits blanches auprès du mourant, Marie-Louise s'est mise au lit elle aussi. Nous sommes donc restés une dizaine de jeunes à veiller le corps, y compris les garçons du voisin. Nous disions le chapelet toutes les heures comme le voulait une règle tacite, mais le reste du temps nous nous racontions des histoires salées en nous berçant dans la cuisine. Des histoires rabelaisiennes qui nous faisaient rire de plus en plus librement à mesure que l'heure avançait, c'est-à-dire à mesure que nous goûtions la joie de l'impunité. Le corps du vieillard ne bougeait toujours pas, même si nous profanions une idée reçue: il faut respecter le mort…

Je dois dire que dans le cas de grand-père Jos, il était un peu tard pour commencer à s'offusquer des mots gras. C'était peut-être sa faute si, dans la famille, nous ne pouvions faire un repas sans laisser échapper le mot «marde», à deux ou trois reprises. Toujours est-il que cette nuit-là, j'ai entendu une histoire passablement «épaisse». Aujourd'hui je la raconte seulement aux citadins les plus délicats… C'est l'histoire d'un pauvre cultivateur qui, n'ayant pas de chevaux, labourait avec son boeuf. Mais cet animal avait la tête dure. Au lieu de suivre la raie, il tiraillait sans cesse à hue et à dia. Exaspéré, le bonhomme tue son boeuf et il le mange. Mais il mange tellement de cette viande fraîche qu'il attrape une diarrhée colossale ou, pour employer le terme de chez nous, une «fouère maudite». À toute heure du jour, en plein champ, il doit baisser sa culotte pour laisser couler l'abondante matière. Alors il dit: — «Hein, mon maudit, tu voulais pas suivre la raie, mais là tu la suis en tabarnac!»

L'horloge sonna trois coups et nous sommes allés entamer un autre chapelet, les grands zygomatiques épuisés.

Comme la tradition le voulait, la dernière veillée fut l'occasion d'une grande réunion: tous les «mon oncle» et toutes les «ma tante» avec leurs plus vieux. Une cinquantaine de personnes envahirent la maison, la cour, le fenil, le hangar, etc. Il y en avait partout, fumant, buvant de la bière en cachette, parlant semailles et futures récoltes. Mais c'était calme et somme toute assez ennuyeux.

Ayant grillé les deux nuits précédentes, je suis allé me coucher. Mais j'avais adopté la chambre du grand-père, à l'étage. J'étais dans le lit du mort, le lit où Jos avait dormi pendant tout le temps où je l'avais vu en vie. Je me suis levé vers quatre heures du matin sans avoir fermé l'oeil. L'idée de la mort me travaillait… Non pas l'idée que j'allais mourir un jour, moi aussi, mais l'idée toute bête qu'il y avait un mort dans la maison, que l'âme de ce mort était peut-être dans le lit où je me trouvais, bien vivante, et qu'elle avait peut-être quelque chose à me reprocher. J'éprouvais le besoin de me sentir coupable, sans raison apparente. Il faut dire aussi qu'un vieux souvenir venait de remonter à ma mémoire: une nuit, alors que j'avais quatre ou cinq ans, je m'étais réveillé et je ne pouvais pas me rendormir parce que je voyais du feu. Un grand feu dans le noir, comme s'il avait été collé à la rétine de mes yeux. Le silence de la maison, à peine dérangé par le souffle des dormeurs, m'avait paru insupportable. Effrayé, je m'étais levé et j'avais marché jusqu'à la chambre de grand-père, à peine rassuré par la «lumière de la Pointe» qui envoyait ses trois clignotements successifs dans la porte de la toilette.

— Grand-pére, j'ai peur. J'voés du feu...

— Hein, du feu?

— J'veux coucher avec vous...

De bonne grâce, il m'avait laissé pénétrer sous ses couvertures même s'il était d'un naturel plutôt bougon. Ainsi, dans la nuit lourde, silencieuse comme l'inconscient, le grand-père pouvait être tendre, sans doute parce que personne ne pouvait le voir. Mais ce feu, qu'est-ce que ça pouvait bien être? Car je l'avais vu! Il s'agissait peut-être simplement de la fièvre qui commençait à me dévorer: la fièvre de vivre...

Le lendemain matin, il faisait un soleil merveilleux. Nous avons fait le «train» en silence, pleins de componction, comme si nous allions vivre l'événement le plus important de notre vie. Après le déjeuner, nous avons mis nos habits du dimanche en vitesse et les voitures luisantes du croque-mort sont arrivées. Je ne sais pourquoi, mais le directeur des pompes funèbres m'avait repéré. Il me demanda de monter avec lui en me remettant une belle croix. Alors j'ai fait mon premier voyage en Cadillac. Je n'avais jamais vu de voiture automatique. C'était merveilleux: pas d'embrayage! Seulement le frein et la «suce» (accélérateur)!

À l'entrée du village, je suis descendu de voiture et le cortège s'est mis au pas. Solennel, portant la croix, j'ai ouvert la marche jusqu'à l'église pendant que les cloches sonnaient à toute volée comme si Ti-Mond, le neveu de grand-père, s'en était donné à coeur joie. Les villageois nous regardaient passer avec respect. Vivant, grand-père inquiétait ou faisait rire. Mort, il en imposait.

Ce fut un bel enterrement en latin et en grégorien, comme on n'en fait plus malheureusement. J'ai toujours eu un faible pour ces airs de *Requiem* qui se déroulent dans l'espace à la manière de longs voiles que le vent soulève avec insouciance, joyeux malgré la fatalité qui pèse sur les épaules de la femme qu'il découvre et qui doit marcher jusqu'au bout de sa peine.

Au cimetière, j'ai vécu une scène que je ne peux pas oublier mais que je ne suis pas sûr de bien comprendre. Après la première pelletée de terre jetée sur le cercueil, alors que la parenté commençait à se disperser en silence sous le soleil de juin, je me suis trouvé en face de mon père pour une histoire de gants blancs loués qu'il fallait remettre à je ne sais plus qui. Je suis donc arrivé près de lui en souriant, tout naturellement, comme je le faisais depuis trois jours lorsqu'on m'offrait des condoléances en formules toutes faites. Tous ces usages, à propos de la mort, me paraissaient irréels, ou du moins inopportuns. Je ne comprenais pas comment des étrangers à ma famille pouvaient être affectés par la mort d'un grand-père, fût-il le mien... Enfin, je me suis aperçu tout à coup que mon père était bizarre. Pour la première fois depuis la mise en bière il était nerveux, bouleversé, pour ne pas dire incohérent. Comme s'il s'était rendu compte, soudain, qu'un événement important venait de se produire. Son attitude tranchait singulièrement sur celle qu'il avait eue la veille, à propos de l'oncle Éphrem. Nous étions dans le hangar, Florian et moi, et nous avions vu sortir le frère de Jos qui venait de faire sa petite prière sur la tombe du défunt. Il marchait nerveusement, allant nulle part, regardant devant lui mais ne voyant rien. Alors mon père avait dit, non pas sarcastique mais détaché:

— Quiens, mon oncle Ti-Phram... Ça le travaille parce qu'y sait qu'y est le darnier de la famille...

Sous-entendu, le prochain à lever les pattes, c'est lui... Quel contraste dans le comportement de mon père! Pourtant, j'avais l'impression qu'il aurait dû sourire lui aussi... Il est vrai qu'il peut y avoir quelque chose de douloureux dans le moment définitif d'une libération...

Et si grand-père Jos nous avait aimés à un point tel qu'il était incapable de nous le dire...

Tout à coup j'ai senti, de façon confuse mais néanmoins troublante, ce que cela veut dire quand un cercle se referme.

Le soleil montait dans le ciel, continuant son cercle quotidien.

La vie... La vie... La vie...

Saint-Esprit, le 15 juillet 1983.